BIBLIOGRAFIA E BIBLIOTECONOMIA

65.

Nicola Tangari

Standard
e documenti musicali

I numeri, i modelli, i formati

EDITRICE BIBLIOGRAFICA

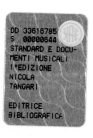

I edizione: ottobre 2002
I ristampa: gennaio 2003

Copertina: Dario Breme
Fotocomposizione:
Nuovo Gruppo Grafico - Milano
ISBN 88-7075-571-1
Copyright © 2002 Editrice Bibliografica
Via Bergonzoli, 1/5 - 20127 Milano

MUSIC   MUX

INDICE

Schede: La *International association of music libraries, archives and documentation centres* (IAML), p. 122; Il titolo uniforme o convenzionale nella descrizione dei documenti musicali, p. 123; L'*incipit* musicale nella catalogazione dei manoscritti musicali, p. 131; Gli istituti italiani di catalogazione delle fonti bibliografico-musicali, p. 133; La *International association of sound and audiovisual archives* (IASA), p. 139

Schede: Informazioni sul MIDI, p. 182; Informazioni su MPEG, p. 187; Informazioni su SGML, XML e le loro applicazioni in campo musicale, p. 197; Informazioni sulla codifica della notazione, p. 203; Informazioni su UNIMARC e sulle sue applicazioni concernenti i documenti musicali, p. 212

A Elena e Giacomo

INTRODUZIONE

Quali sono gli standard che riguardano la musica? Come mai, oggi, è necessario parlare di standard occupandosi di musica? Per rispondere a queste domande è necessario premettere alcune considerazioni generali che riguardano il ruolo e la funzionalità della musica stessa all'interno delle arti e delle altre modalità di comunicazione sociale.

È opinione ricorrente che la musica costituisca un linguaggio universale, un modo di esprimersi, cioè, capace di superare per la sua stessa natura le barriere culturali e linguistiche poste dallo spazio e dal tempo. Quanto questa idea abbia validità generale o invece non sia una mera illusione romantica è materia di discussione musicologica, ma anche filosofica e sociologica [*Musica*]. Non è nostra intenzione affrontare dettagliatamente la questione, ma desideriamo assumerla come punto di partenza, poiché ci consente di introdurre una serie di concetti che sono alla base di qualsiasi discorso si possa intraprendere sui rapporti esistenti tra musica e standard.

Due idee fondamentali sono, infatti, all'origine della convinzione che la musica sia una lingua estesa e assoluta. Innanzitutto una sorta di concezione unitaria di cui in ogni epoca si è sentita l'esigenza e che viene ricercata assiduamente dai teorici e dai musicisti. Secondo questa visione esisterebbe una musica unica, inscindibile, averbale e quindi comprensibile a tutta l'umanità. Legata a questa prima idea vi è la ricerca di una condivisibilità generale della comunicazione musicale, anch'essa richiesta e perseguita non solo dai compositori e dagli ascoltatori, ma anche da coloro che gestiscono il variegato mercato della musica. In altri termini, sotto l'opinione che la musica sia un linguaggio universale troviamo vivo l'anelito ad una lingua pre-babelica che tutti accomuna e che, superando i limiti biologici e culturali che ci separano, risolva tanti problemi di incomprensione e di isolamento.

Ancora oggi, come abbiamo accennato, il quesito riguardante la struttura unitaria e la funzione universale e generalmente unificante della musica rimane irrisolto e ammette risposte differenti rispetto a vari punti di vista da cui si può affrontare.

Tra le varie scienze umane, forse l'antropologia ha contribuito più energicamente delle altre a minare questa convinzione, affermando che, al pari di altre manifestazioni culturali dell'uomo, «la musica non è una lingua universale» [SACHS, *Sorgenti*: 234-238; PIANA: 36-42]. Questa convinzione sembra ormai consolidata e ribadita da indagini approfondite che hanno messo in luce come, perfino all'interno di una stessa società e di una stessa epoca, musica molto diversa appartenga a settori di popolazione distinti e ben definiti, i quali addirittura trovano nella *loro* musica un mezzo per riconoscersi concordemente e per affermare la propria specificità [MARTINENGO-NUCIARI]. Ad esempio, una recente ricerca statistica ha confermato come esista – in special modo tra i giovani – una marcata differenziazione tra i fruitori, i quali si sentono qualificati come gruppo, rispetto alle proprie preferenze di ascolto: «Questa frammentazione del mondo giovanile è, in ultima istanza, un'efficace immagine di quanto l'universalità del linguaggio musicale celi al suo interno una significativa disomogeneità e pluralità di atteggiamenti e dimensioni di consumo. La musica, anziché essere semplicisticamente considerata un linguaggio unificante, va vista quindi nelle sue infinite e poliedriche possibilità diversificanti e caratterizzanti» [ISTAT: 10].

L'idea della musica come linguaggio universale ha comunque segnato gran parte della storia della musica occidentale, almeno nelle discussioni dei teorici. Tale concezione, però, è convissuta in ogni epoca con una realtà musicale che invece è sempre stata molto frammentaria e differenziata. Ritroviamo in tale ambivalenza uno degli esiti della dottrina di matrice pitagorica che ebbe grande fortuna almeno a partire da Platone e per tutto il Medioevo e il Rinascimento. Tale teoria filosofica vedeva una separazione piuttosto netta tra la cosiddetta *musica delle sfere*, specchio dell'armonia universale e immutabile, e la musica realmente udibile, considerata rozza, vile, non adatta ad una nobile esistenza. Dall'antichità fino addirittura al XVIII secolo l'universalità del linguaggio musicale fu riconosciuta nella conformità al modello razionale dell'universo: ma tale concezione rimase limitata ai discorsi dei teorici e dei filosofi che non si occupavano e anzi quasi disprezzavano nelle loro dichiarazioni la musica pratica, quella che veramente suonava e di cui per molti secoli non si posseggono che testimonianze indirette.

A partire dall'Illuminismo, invece, la storia della musica occidentale ha vissuto una vera e propria alternanza tra la tendenza all'universalismo e l'esaltazione dell'individualità e della differenza. Inizialmente la fiducia nella ragione tese a imporre una forma e uno stile che si ritenevano universali, ma in seguito la scoperta dello spirito creatore individuale, della musica originaria delle nazioni d'Europa, nonché dei linguaggi musicali delle popolazioni extraeuropee mise in risalto l'idea della singolarità dell'espressione musicale secondo criteri cronologici e geografici.

Successivamente, l'esperienza della dissoluzione del sistema tonale, con la nascita delle avanguardie e lo sviluppo dei sistemi di composizione seriale, aleatoria, stocastica, minimalista hanno contribuito non poco a far vacillare nella coscienza critica del dopoguerra la concezione universale della musica. Tuttavia, gli stessi esiti delle sperimentazioni, assieme all'affermazione della musica di largo consumo, hanno contribuito viceversa a far emergere degli aspetti musicali pre-linguistici che accomunano l'espressione musicale di tutta l'umanità e che hanno iniziato ad essere utilizzati come mezzi espressivi fecondi. Si tratta principalmente di elementi e strutture musicali minimi, assunti come strumenti artistici anche perché riconosciuti proprio come universali, presenti cioè nelle espressioni musicali di ogni luogo e di ogni tempo.

A ciò si deve aggiungere che, con un'accelerazione impensabile soltanto cinquant'anni fa, anche la musica sta subendo un processo di uniformazione mondiale causato dal cospicuo intensificarsi degli scambi culturali e della circolazione delle informazioni [FUBINI]. Un processo, va sottolineato, dovuto principalmente all'avvento delle nuove tecnologie e alla loro massiccia diffusione, motivi quindi non propriamente musicali, ma legati alla forza economica, politica e culturale di alcuni gruppi sociali rispetto ad altri.

Oltre ai problemi riguardanti l'universalità della musica che abbiamo appena esaminato, esistono una serie di considerazioni più generali che si possono assumere all'interno di un discorso sui rapporti tra standard e musica. Tali elementi toccano ancora concetti come l'uniformità e la condivisione, ma allargano l'orizzonte ad altri modi di comunicazione sociale e, più in generale, associano la produzione della musica alle altre attività dell'uomo.

Infatti, a prescindere da qualsiasi opinione si possa avere sulla questione dell'universalità, possiamo osservare che essendo principalmente un'attività collettiva, la musica richiede comunque vari gradi di condivisione e prevede delle funzioni di produzione o di fruizione dai tratti marcatamente uniformi, in modo analogo a quanto accade per qualsiasi altro genere di occupazione sociale. Tutti siamo più o meno consapevoli di condividere atteggiamenti omogenei e dominanti che adottiamo nel nostro rapporto con la musica, a partire da comportamenti propri della fruizione più superficiale, fino ad eventuali coinvolgimenti profondi di natura artistica o analitica.

Analogamente, nell'ambito della vita di tutti i giorni, alcune regole consolidate e che ci appaiono ovvie ci guidano quotidianamente nella risoluzione di problemi comuni e nell'adempimento di compiti legati alle relazioni sociali. Pensiamo, ad esempio, ad un'attività come l'istruzione: nella nostra cultura questa comprende una serie di convenzioni collettive massimamente condivise che ne regolano lo svolgimento. Queste includono alcune istituzioni come la scuola o l'università, alcuni oggetti come i libri, alcune attività specifiche come le lezioni o i compiti a casa e delle norme di comportamento che coinvolgono docenti e allievi. Tutto ciò risponde a delle regole non scritte che comunque condividiamo ampiamente e che ci accomunano, permettendoci di perpetuare la nostra cultura.

Anche nell'istruzione musicale è possibile scorgere modalità analoghe di condivisione e di uso collettivo, così come è possibile individuarne nel sistema di atteggiamenti, occasioni, oggetti che contraddistinguono le molteplici modalità di fruizione musicale. Proprio la comunanza di un'analoga preferenza di ascolto e la condivisione delle stesse espressioni, degli stessi momenti, degli stessi oggetti caratterizzanti – ad esempio radio, CD, *walkman* ecc. – determinano la creazione di gruppi di ascolto per nulla formalizzati eppure, specialmente nel mondo giovanile, estremamente vincolanti. In senso generale, le frequenti differenze e, viceversa, le analogie di comportamento determinano nella società quegli strati di aggregazione che, ad esempio, appaiono caratterizzati nel tempo e nello spazio dal ceto, dall'età, dal grado d'istruzione [ASCHERI: 17].

Nella musica, così come accade nelle altre arti – ma anche nel linguaggio o persino nell'artigianato –, gli elementi che possono essere riconosciuti come tipici e unificanti spesso sono tali per cause naturali o, al contrario, per lo stesso volere dell'uomo, come espressioni visibili della cultura.

Intendiamo riferirci a tutte quelle caratteristiche della musica che abbiamo in comune, che ne accompagnano ogni manifestazione e che ci appaiono ovvie, ma invece non lo sono. Nel nostro abituale rapporto con la musica condividiamo, infatti, l'uso o la semplice conoscenza di alcuni oggetti – ad esempio gli strumenti musicali, i libri di musica, i dischi, le audiocassette o i CD, gli apparati tecnici che ci consentono un ascolto mediato –, di alcuni modelli e stili – i vari generi musicali, le diverse occasioni di ascolto –, di alcune regole – la teoria musicale, la prassi esecutiva, i canoni di partecipazione ai concerti, le esigenze della liturgia e quant'altro abbia a che fare con i modi di comunicazione musicale [BARONI-DALMONTE-JACOBONI: XI].

Ad esempio, in qualsiasi parte del mondo noi andiamo, chiunque abbia visto e sentito suonare un violino, lo conosca o lo abbia addirittura suonato saprà a che cosa esso si riferisce. Non si tratta di una questione meramente linguistica, ma sostanziale: ci potremmo infatti chiedere perché mai un violino è fatto proprio così? Qualsiasi possa essere la risposta a questa domanda, il fatto certo è che condividiamo uniformemente questo oggetto, il suo suono, la musica che può produrre, pur nelle infinite varianti che questi possano assumere realmente. Il riferimento al principio di identità è obbligato [DE MAURO, *Minisemantica*: 13-19], ma è altrettanto doveroso ricordare che ci troviamo di fronte agli esiti di quel processo di uniformazione della musica in tutti i suoi aspetti che non accenna a indebolirsi e che ha permesso nel corso della storia la condivisione universale di strumenti, ma soprattutto di stili e opere musicali.

Oggi possiamo affermare che il linguaggio musicale sia da considerare in parte storicamente e geograficamente determinato, quindi prodotto da un determinato ambiente culturale, e in parte universale o comunque non convenzionale, basato cioè su caratteristiche naturali di capacità di espressione e di percezione che appartengono a tutto il genere umano [FUBINI]. Infatti, non solo quanto dipende direttamente dall'attività dell'uomo e dalla sua cultura ci accomuna nel rapporto con la musica. Consideriamo ad esempio il suono nei suoi limiti di udibilità: questa soglia, che appare scontata perché non dipende dalla nostra volontà, condiziona invece notevolmente le nostre possibilità di fruizione musicale, riducendole in modo sensibile, nostro malgrado, a causa dei mezzi fisiologici di ascolto che ci sono concessi. Nondimeno tale limitazione assimila i fruitori della musica in un ambito di abilità uditiva che caratterizza complessivamente tutto il possibile pubblico: l'umanità intera condivide in sostanza lo stesso ambito. Possiamo dunque rilevare come le attività musicali si conformino ad alcuni tratti caratteristici e condivisi che non rispondono per la maggior parte a delle leggi formulate esplicitamente e che in alcuni casi, come quello della soglia di udibilità, sono addirittura estranei alla volontà dell'uomo, ma che comunque rendono la musica fruibile generalmente.

Per affinamenti successivi si è giunti a una forma comune degli strumenti musicali di una certa epoca e di un certo ambiente culturale, così come si è arrivati a una tipica prassi esecutiva, a un uso particolare degli ambiti melodici e dei rapporti strutturali tra i suoni [SACHS, *Storia*]. Tali risultati non sono stati raggiunti, nella maggior parte dei casi, a priori, mediante uno studio e una decisione a tavolino, ma tramite una sorta di selezione culturale che, perseguendo il traguardo della maggiore rispondenza a specifiche esigenze musicali, ha condotto alla soluzione più efficace quanto a espressività e pertinenza. Tuttavia, non soltanto l'adeguatezza a precise esigenze sonore determina la sopravvivenza di un qualsiasi elemento o oggetto musicale, quanto l'accettazione da parte della comunità dei fruitori, ai vari livelli di competenza: tutto ciò che viene riconosciuto valido e condivisibile viene inserito in un processo di consolidamento che ne permette la tradizione nel tempo. Questa procedura di gradimento e convalida collettiva è propria di tutti i fenomeni sociali e quindi, con le dovute differenze, non riguarda soltanto la musica. In molti ambiti è stata più volte riconosciuta ed analizzata autorevolmente: ricordiamo ad esempio il notissimo concetto di *langue* proposto da Ferdinand De Saussure nel suo *Corso* [SAUSSURE], o quanto invece rilevato a proposito delle forme letterarie popolari e della pratica di censura preventiva da parte della comunità [BO-GATYRËV-JAKOBSON].

Anche la musica risponde, in ultima analisi, a modelli e a norme in gran parte non scritti o comunque non riconosciuti come tali e non riuniti sotto l'unico comune denominatore dell'appartenenza all'attività musicale. Questi modelli e queste norme, anche se non sono fissati in permanenza, sono ben più vincolanti di quanto non immaginiamo generalmente, tanto che gran parte delle occupazioni concernenti la musica – ad es. l'istruzione musicale, l'attività concertistica, la critica musicale ecc. – non fanno che ribadire e confermare tali condizioni, attestando altresì, per i soggetti coinvolti, l'appartenenza a un certo gruppo sociale e culturale.

Tuttavia, non dobbiamo sottovalutare le regole di teoria musicale che, a partire dalla notazione, giungono alla descrizione di complessi modelli di composizione e che sono tramandate, da secoli, perlopiù sotto forma articolata e scritta: si tratta in questo caso di norme consapevolmente riconosciute e accettate, nonché esplicitamente formulate secondo criteri di razionalità [BARONI-DALMONTE-JACOBONI: XI e 3-5]. La teoria musicale, però, ha da sempre riguardato soltanto una ristretta cerchia di tecnici della musica che hanno superato la mera competenza intuitiva, di musicisti cioè che a partire da un minimo di conoscenza teorica indispensabile almeno per la lettura della notazione, giungono a formulazioni scritte di norme anche molto complesse.

Sul terreno della teoria la musica sembra molto vicina al linguaggio verbale, sia parlato che scritto [SLOBODA: 49-57]. Anche nel caso della lingua siamo guidati da modelli e regole implicite nell'apprendimento e nell'uso comune: si tratta di norme che condividiamo e che presiedono alla nostra capacità di comprensione reciproca. Quando la grammatica ci fornisce la descrizione di un comportamento linguistico o al contrario dei precetti sistematici, svolge lo stesso ruolo della teoria musicale, esplicitando una prassi che ha raggiunto la sua stabilità grazie all'accettazione sociale. Il grado di consapevolezza di queste regole tra i parlanti è comunemente molto basso e non viene assolutamente richiesto per rendere efficace la comunicazione interpersonale: si può parlare e comunicare senza conoscere consapevolmente alcuna regola grammaticale, così come si può suonare e cantare senza aver la minima cognizione teorico-musicale. Diverso è il caso in cui nella comunicazione verbale o musicale intervengano dei sistemi tecnici che mediano o rimandano alla parola parlata e alla musica che suona [ONG]. La scrittura e la lettura, ad esempio, prevedono la condivisione di sistemi, modelli e oggetti artificiali e convenzionali come i segni alfabetici, la notazione musicale, la penna, l'inchiostro e la carta, i modi di lettura silenziosa o ad alta voce. In alcuni casi queste convenzioni sono state decise a priori e, affinché la comunicazione vada a buon fine, richiedono un certo grado di competenza consapevole: devono, cioè, essere conosciute da tutti gli attori coinvolti.

Potremmo citare molti altri ambiti che presentano analoghe caratteristiche di condivisione di modelli e norme: l'economia, ad esempio, con la ricerca incessante della moneta unica; l'informazione, con la forma comune dei quotidiani, dei settimanali, dei notiziari lanciati dai mass-media e così via. Il fenomeno è antico e oggi viene sempre più spesso compreso nel termine abusato di *globalizzazione*.

Ad esempio, soffermiamoci brevemente sulla tecnologia e consideriamo che un prodotto tecnologico richiede un'accettazione e una condivisione cospicua per affermarsi in modo generale. Pensiamo ad esempio al telefono: pur mostrando anche notevoli differenze di fattura e di uso, viene abitualmente condiviso e riconosciuto dal pubblico a cui è destinato. Anzi, si può affermare che una macchina debba il proprio successo soltanto alla capacità che dimostra di essere accolta e preferita dal vasto pubblico, poiché con le sue caratteristiche tecniche riesce a rispondere ad esigenze più larghe di quelle che ne hanno motivato l'invenzione e la costruzione.

L'attitudine a un uso comune viene richiesta alle macchine non solo durante la fruizione, ma anche nel momento della loro costruzione. Infatti, da tratto caratteristico, la condivisione è divenuta, nelle fasi di produzione tecnologica, una necessità ineluttabile, soprattutto se ci riferiamo ai metodi di costruzione in serie, tramite il montaggio di componenti autonomi. Questo tipo di procedimento prevede che si possa usufruire di un ricco assortimento di componenti tecnologici che abbiano la capacità di integrarsi facilmente in strutture flessibili e dalle funzioni più varie. A partire da pezzi semplicissimi – le viti e i bulloni ad esempio – fino alle parti più complesse e tecnologicamente avanzate, il mondo industriale ha da subito cercato di stabilire dei termini, delle norme e dei modelli da adottare universalmente per consentire la produzione di oggetti adatti ad un più largo ambito d'impiego. Esistono dunque alcuni componenti che sono conosciuti e che vengono costruiti nella stessa forma e funzione quasi in ogni parte del mondo, pena l'esclusione da un circuito industriale e commerciale più ampio.

La musica può vantare un rapporto lunghissimo con la tecnologia, in particolare per ciò che riguarda la storia degli strumenti musicali [SCHAEFFNER; PRIEBERG]. Questa relazione si è ulteriormente consolidata nell'ultimo secolo con l'avvento e il successo dei mezzi tecnologici per la produzione, la registrazione e la riproduzione del suono e dell'immagine, portando a dei cambiamenti nelle modalità di comunicazione musicale che non hanno precedenti nella storia della musica [ECO, *Musica*]. Inoltre, le esigenze di documentazione e soprattutto il cospicuo incremento dell'uso di strumenti ad alta tecnologia in tutti i processi che coinvolgono la musica, hanno reso ancor più pressante l'urgenza di individuare e definire nuove regole e nuovi modelli anche in questo campo [TANGARI, *Codifica*: 3-15]. Un esempio della fortissima crescita tecnologica è dato dall'introduzione della telematica e di tutti i suoi corollari nell'ambito della più ampia diffusione musicale. Per queste ragioni sono nati criteri e disposizioni inediti che si propongono di ordinare un settore che altrimenti si svilupperebbe in modo caotico e frammentario, impedendo la condivisione generale di strumenti tecnologici e di nuove modalità comunicative. Tali norme devono essere condivise nell'ambito della tecnologia, ma determinano conseguenze dirette anche su attività usuali come l'ascolto, la produzione editoriale e discografica, la documentazione del materiale librario e audiovisivo, e su oggetti altrettanto comuni come i libri di musica, i dischi, i CD. In questo ambito acquistano importanza gli standard, vale a dire tutte quelle norme e quei modelli espliciti e, nella maggior parte dei casi, condivisi universalmente che ci permettono di avere in comune, nel nostro ambito, oggetti e attività complessi concernenti la musica.

È vero che un linguaggio musicale non può « sorgere per decisione, per decreto legge » [FUBINI: 112], ma d'altra parte è evidente che tutto quanto consente di produrre e di fruire la musica sia ormai immesso in un impetuoso flusso di uniformazione che prevede molto spesso decisioni tecniche prese a tavolino, esito di discussioni e di compromessi che poco hanno a che fare con la pura espressione musicale, ma che tuttavia, oggi, la condizionano notevolmente.

Questo libro si occupa degli standard che sono coinvolti nella documentazione della musica. Abbiamo inteso limitare la nostra attenzione, per evidenti vincoli di brevità, all'aspetto documentario legato alle tecnologie avanzate, rispetto a quello generale della produzione e della diffusione musicale. Nonostante ciò, in alcuni casi, anche questi ultimi settori verranno inevitabilmente presi in considerazione.

Dei quattro capitoli, il primo vuole analizzare le principali questioni teoriche e pratiche poste dagli standard e, d'altra parte, dai documenti musicali. Il punto di vista che assumiamo non è quello prettamente tecnologico o commerciale, quanto quello semiologico, che viene comunemente trascurato nei rapporti tecnici.

Il secondo capitolo si concentra sui numeri standard che coinvolgono la produzione e la documentazione della musica. Il punto di partenza da cui ci muoviamo è la considerazione di come già da tempo la musica abbia a che fare con dei numeri uniformi che hanno guidato l'attività editoriale ed il commercio delle stampe e delle registrazioni musicali, nonché l'organizzazione delle opere dei musicisti più prolifici.

Il terzo capitolo esamina le norme standard per la catalogazione dei documenti musicali nella loro varia articolazione. Il maggiore spazio è stato riservato alla descrizione ordinata secondo le norme ISBD, ma si troveranno anche notizie relative alla descrizione dei manoscritti e ai metodi di intestazione e di indicizzazione.

Infine il quarto capitolo è dedicato ai nuovi standard di formato degli archivi musicali elettronici. Affrontare questo argomento ci è parso quanto mai urgente, vista la continua e incessante diffusione degli strumenti ad alta tecnologia in tutti gli aspetti della pratica musicale: dalla composizione all'ascolto, dal commercio alla ricerca musicologica.

Ogni capitolo tecnico, oltre ai comuni riferimenti bibliografici, possiede alcune brevi sezioni dedicate alle risorse documentarie che si possono raggiungere in rete. Vengono infatti indicati i principali siti all'interno dei quali è possibile recuperare ulteriori informazioni e che possono essere utili per un approfondimento. Tutti gli indirizzi Internet citati in questo libro risultavano attivi alla data del 20 febbraio 2002.

Nonostante l'eterogeneità degli argomenti che ci proponiamo di trattare, riteniamo che sia comunque legittimo e perfino opportuno avvicinarsi ad essi a partire dal punto di vista degli standard. Sebbene la visione complessiva e integrata dei problemi legati al mondo della musica, dell'editoria tradizionale e elettronica, del diritto d'autore, della catalogazione, dell'informatica e della tecnologia *tout court*, da tempo non sia più una novità, tuttavia la natura del legame che connette tutti questi fenomeni rimane ancora poco esplicitata. Lo studio degli standard può dunque assumere il ruolo di inedita chiave di lettura dei rapporti tra questi campi, i quali appaiono ancora disparati, ma sono sempre più interdipendenti.

Anche gli standard, infatti, possono essere considerati a tutti gli effetti dei media, cioè nostre estensioni atte a favorire la condivisione di oggetti e informazioni. Il nostro tentativo di concentrarci su di essi per studiarne non solo le caratteristiche, ma anche gli effetti sull'attività musicale, non può che farci tornare alla memoria e confermare la nota opinione di McLuhan, il quale affermava che « il medium è il messaggio ». A partire da questa convinzione siamo stati spinti a intraprendere la scrittura di questo libro, con l'intenzione di rivelare il messaggio, ma spiegando, in primo luogo a noi stessi, il medium.

Desidero ringraziare alcune persone che in momenti diversi hanno contribuito con il loro aiuto a migliorare questo lavoro. In primo luogo la mia gratitudine va a Giovanni Solimine che da subito mi ha incoraggiato, quando di questo libro esisteva soltanto un'idea, e in seguito ne ha esaminate alcune parti. Tito Orlandi qualche anno fa mi ha aperto orizzonti di grande interesse che non avevo mai toccato prima di allora e oggi ha voluto leggere alcune pagine di questo libro stimolando in me ulteriori riflessioni. Un sentito ringraziamento va a Giovanni Carli Ballola che mi ha consentito di sperimentare l'insegnamento di queste materie presso la facoltà di Beni culturali dell'Università di Lecce e a Arnaldo Petterlini con il quale in varie occasioni ho sostenuto notevoli discussioni sui temi a me cari. Ringrazio ancora Antonio Addamiano: il nostro continuo confronto sui problemi della documentazione musicale ha sicuramente migliorato questo libro.

Un ringraziamento particolare va ai miei studenti che durante gli ultimi anni, con le loro facce attonite e curiose, mi hanno spinto ad approfondire questi argomenti per poter presentare loro una disciplina, la documentazione musicale, sempre più complessa e articolata ma anche sempre più attraente.

Elena e Giacomo hanno seguito ogni momento della realizzazione di questo libro e ne hanno condiviso la lunga e faticosa preparazione, rendendo tutto più divertente e colorato.

AVVERTENZA

Volutamente in questo libro sono state evitate le note a pie' di pagina. I riferimenti bibliografici sono tutti indicati tramite alcune segnalazioni tra parentesi quadre presenti all'interno del testo. Per esempio:

- il solo numero strutturato all'interno di parentesi quadre fa riferimento ai capitoli di questo stesso libro. Quindi

[4.1.1.]

fa riferimento al capitolo 4.1.1. intitolato *I formati audio*.

- il riferimento a un'altra pubblicazione è indicato tra parentesi quadre attraverso il cognome dell'autore. La citazione completa si potrà recuperare nella bibliografia finale. Ad esempio la parola-chiave

[DIOZZI]

fa riferimento a

FERRUCCIO DIOZZI, *Documentazione*, Roma, Associazione Italiana Biblioteche, 1998 (Enciclopedia Tascabile, 15), ISBN 88-7812-058-8.

- quando la pubblicazione non è inequivocabilmente identificata dal solo cognome dell'autore vengono indicati sia il cognome dell'autore, sia una o più parole del titolo, seguite o meno dall'indicazione delle pagine dopo i due punti. Ad esempio

[ECO, *Ricerca*: 367-370]

fa riferimento a

UMBERTO ECO, *La ricerca della lingua perfetta nella cultura europea*, Roma-Bari, Laterza, 1993 (EL, 85), ISBN 88-420-5028-8, pp. 367-370.

- quando la pubblicazione non può essere identificata dal cognome di un autore, come accade nel caso delle opere miscellanee o di più di tre autori, questa viene indicata da una o più parole-chiave del titolo poste anch'esse tra parentesi quadre e in corsivo. Ad esempio

[*Beyond*]

fa riferimento a

Beyond MIDI. *The handbook of musical codes*, a cura di Eleanor Selfridge-Field, Cambridge (MA) – London, The MIT Press, 1997, ISBN 0-262-19394-9

oppure

[*Musica*: 12-15]

fa riferimento a

La musica come linguaggio universale. Genesi e storia di un'idea, a cura di Raffaele Pozzi, Firenze, Olschki, 1990 («Historiae musicae cultores» Biblioteca, LVII), ISBN 88-222-3748-X, pp. 12-15.

• infine per alcuni testi particolarmente strutturati è risultato più comodo indicare, anziché gli estremi delle pagine, il paragrafo a cui si fa riferimento anteponendo alla sua numerazione il simbolo §. Ad esempio

[*FRBR*: § 3.2.4]

fa riferimento a

INTERNATIONAL FEDERATION OF LIBRARIES ASSOCIATIONS AND INSTITUTIONS. STUDY GROUP ON THE FUNCTIONAL REQUIREMENTS FOR BIBLIOGRAPHIC RECORDS, *Requisiti funzionali per record bibliografici. Rapporto conclusivo*, ed. it. a cura dell'Istituto centrale per il catalogo unico delle biblioteche italiane e per le informazioni bibliografiche, Roma, ICCU, 2000, ISBN 88-7107-097-6, paragrafo 3.2.4.

1. GLI STANDARD E I DOCUMENTI MUSICALI

1.1. Standard e standardizzazione

All'inizio del nostro percorso, dobbiamo chiarire innanzitutto che cosa sia uno standard e che cosa sia l'attività di standardizzazione, quali siano le questioni che si pongono in generale e, solo in un secondo momento, quali siano i problemi che interessano particolarmente la musica. Lungo questo tragitto, la standardizzazione apparirà sempre più rilevante nel mondo contemporaneo, non solo nei suoi aspetti tecnico-industriali, ma anche nei suoi risvolti estetici e di documentazione che coinvolgono la musica e le altre arti. Tuttavia, non rivolgeremo la nostra attenzione soltanto alle manifestazioni odierne degli standard, bensì ricorderemo frequentemente alcune tappe storiche dello sviluppo del pensiero, della tecnica e della musica stessa, per sottolineare come la riflessione sugli standard, sebbene con altre denominazioni e per altri scopi, affondi le sue radici nell'antichità e abbia accompagnato in sostanza tutto l'evolversi della nostra civiltà occidentale.

Abbiamo appena osservato che nella vita di ogni giorno esistono norme più o meno esplicite, di cui abbiamo maggiore o minore consapevolezza, che comunemente condividiamo e rispettiamo e che ci consentono di svolgere proficuamente le nostre attività sociali. Esse non costituiscono generalmente un problema o, quantomeno, non determinano nella maggior parte dei casi difficoltà insormontabili al nostro vivere comune, grazie anche alla nostra estesa attitudine alla partecipazione e all'adattamento. Queste regole, al contrario, facilitano enormemente la convivenza e vanno a costituire anzi il riconosciuto fondamento di ogni società, la quale, per sopravvivere, non può fare altro che darsi dei princìpi di comportamento, un *contratto sociale* il cui rispetto generalizzato è garantito anche da organi di controllo e da apparati di coercizione [GALIMBERTI: 534-536].

Partendo da questo punto di vista lontano, non possiamo che fare riferimento al diritto, alla legislazione in genere e a tutta la riflessione filosofica, sociologica, politica e meramente tecnica che sorregge tale ponderosa dotazione. Il nostro vivere civile è guidato fin nei minimi particolari da questo coacervo di norme più o meno ordinate, molto spesso non scritte o che non conosciamo nella loro formulazione compiuta, ma che scambiamo e tramandiamo continuamente sotto forma di valori. Una tale situazione trova le sue origini nell'antichità e non è per niente avulsa dalla vicenda storico-musicale se, ad esempio, nei secoli della civiltà greca arcaica con la stessa parola *nomoi* si indicavano sia il *corpus* legislativo, sia invece quei modelli melodici su cui il compositore-esecutore ellenico basava le proprie improvvisazioni poetico-musicali [GUANTI: 3-4]. La legge dell'uomo era conformata e limitata dalla legge della Natura tramite un vincolo che fungeva anche da strumento di unificazione, poiché tenere nei limiti significa normalizzare, adeguare a un modello [GALIMBERTI: 53-54]. Allo stesso modo l'assoluta libertà del cantore-aedo era limitata dai moduli melodici previsti dalla tradizione, strutture alle quali ci si doveva adeguare per consentire l'accettazione e la comprensione collettiva. I *nomoi* musicali ricevettero in epoca greca arcaica una definizione e una fissazione che somigliava molto ad un vero e proprio processo di standardizzazione, anche se non possedeva i tipici caratteri tecnici moderni [COMOTTI: 18-19]. Un'analoga evoluzione si può riscontrare senz'altro, molti secoli più tardi, nella legislazione sulla musica sacra emessa dalla Chiesa occidentale, la quale entra nel merito dei comuni comportamenti musicali fornendo delle regole obbligatorie, controllabili e che potevano persino divenire motivo di sanzioni. Quanto richiesto dai riformatori e dai legislatori ecclesiastici in campo musicale non era quasi mai misurabile secondo parametri fissi e stabili, ma comunque testimoniava la necessità di un adeguamento a canoni certi, pubblici e condivisibili [ROMITA; HAYBURN].

Ogni nostra attività fondamentale è regolata da norme: la produzione di beni, l'erogazione dei servizi, la comunicazione di informazioni, il comportamento personale e sociale. Elaborare le regole e, di conseguenza, agire in conformità ai loro princìpi, sono pratiche d'uso originarie e costanti. Si tratta di modalità di vita comune che ci appartengono e che, quantitativamente e qualitativamente parlando, vanno ben oltre qualsiasi formalizzazione legale: sono prassi spontanee tipiche di qualsiasi gruppo sociale. Si è già accennato ai processi di stabilizzazione delle lingue, legati perlopiù alla natura convenzionale del linguaggio che è stata individuata molto presto e il cui riconoscimento ha accompagnato la nostra cultura occidentale a partire da Parmenide, Platone e Aristotele, influendo notevolmente sugli esiti della speculazione filosofica successiva [DE MAURO, *Introduzione*: 42-94]. Ma abbiamo altresì ricordato le norme che regolano la composizione musicale, i generi e gli stili, le quali superano straordinariamente i limiti della teoria e della tecnica, arrivando a toccare nel profondo le più sottili potenzialità espressive della comunicazione musicale [BARONI-DALMONTE-JACOBONI]. Al linguaggio e alla musica potremmo aggiungere ancora gran parte delle altre manifestazioni culturali, per le quali è possibile allo stesso modo individuare una serie di regole che ne rendono fruibili su vasta scala le diverse forme di espressione.

Proprio perché si tratta principalmente degli esiti di dinamiche sociali originarie, questioni ardue si pongono quando vogliamo riconoscere queste regole. Individuarne le caratteristiche, vedere fino a che punto esse siano esplicite, deciderne la realizzazione di nuove e inedite o acquisirle e farle circolare in ambiti mai toccati prima d'ora è un compito molto complesso e carico di responsabilità. Non è affatto facile, in pratica, sottrarle alla spontaneità e formalizzarle al fine di diffonderle e condividerle universalmente. È questo uno degli oneri del legislatore, del grammatico, del linguista, del teorico musicale i quali molto spesso si trovano a cercare nella vita comune i fermenti primari di nuovi modelli operativi e devono, a partire da questi, formalizzare un gruppo di norme stabili e coerenti.

Tutti gli standard sono da includere nel generale apparato normativo che guida la nostra vita. Le loro caratteristiche, come vedremo, sono molto varie sia per quel che riguarda il loro ambito di applicazione, sia invece per quel che concerne la loro diffusione e la loro accettazione. Ma per mettere in evidenza come non si tratti di un fenomeno moderno, basti pensare che è possibile leggere dal punto di vista dell'evoluzione degli standard molti momenti della storia della tecnica. È possibile infatti delineare una successione cronologica che giunge in epoca moderna all'elaborazione delle odierne norme di unificazione. Questa progressione storica si muove inizialmente sui consueti canali della tradizione orale e scritta ed è quindi caratterizzata dallo scambio ininterrotto di informazioni tecniche che si è sempre verificato tra le generazioni attraverso attività didattica, istruzioni, esempi e modelli [KRECHMER, *Technical*]. La successione storica segue a grandi linee la serie delle tappe del progresso tecnologico, determinando una sorta di parallelismo secondo il quale a una particolare epoca tecnologica trova riscontro una relativa tipologia di standard e ad una maggiore complessità del sistema tecnologico corrisponde una altrettanto articolata struttura di norme unificate. Tuttavia, per le epoche passate non si dovrebbe parlare propriamente di standard nel senso moderno del termine, quanto piuttosto di elementi e norme unificate e unificanti, poiché, come vedremo, gli standard moderni contemplano un'elevata quantità di caratteristiche vincolanti che ne limitano l'elaborazione, l'uso e la validità. A scopo esemplificativo, possiamo allora individuare almeno tre epoche tecnologiche contraddistinte dai relativi proto-standard.

Epoche tecnologiche	Agricola	Industriale	Dell'informazione
Standard	Misura	Conformità	Compatibilità

Tra i princìpi che hanno raggiunto una stabilità e una condivisione collettiva in epoca molto antica si devono includere le unità di misura e di riferimento e i sistemi di numerazione, dei quali si hanno testimonianze archeologiche che risalgono persino alla preistoria [BOYER: 1-9]. La condivisione sociale di identici metodi per contare e per misurare, infatti, fu fattore determinante per la nascita delle prime tecnologie e per il progresso economico delle antiche civiltà agricole. Non bisogna dimenticare, infatti, che la possibilità di stimare uniformemente pesi e misure nonché il valore degli oggetti e delle prestazioni sia la base fondamentale su cui si sono sviluppati nell'antichità il commercio e qualsiasi altro sistema di scambio collettivo. La stretta connessione esistente tra l'adozione di un sistema numerico unificato e il progresso della tecnica fu riconosciuta come un valore già nel mondo classico se Eschilo attribuisce al *Prometeo incatenato* (verso 459), la scoperta del «numero, tra le invenzioni la più eccellente». Anzi, persino nel nome di Prometeo, colui che nel mito consegnò la tecnica all'umanità per consentirle di affrancarsi dalla giogo degli dei e che per questo venne punito da Zeus, è possibile identificare una *saggezza* («mêtis» collegata a «métron») che è originariamente capacità di calcolo e di misura [GA-LIMBERTI: 253-254].

Ai numeri e alle unità di misura si devono aggiungere ancora le lingue e le varie tecnologie di comunicazione, quali la scrittura verbale, la rappresentazione grafica, la notazione musicale. Tramite queste ultime tecniche è stato possibile fin da tempi remoti abbattere le barriere di tempo e di spazio che impedivano alla tradizione orale di diffondersi ininterrottamente.

Come passo successivo alla stabilizzazione delle unità e dei sistemi di numerazione e di comunicazione, si svilupparono alcune consuetudini e alcune norme che intendevano fissare stabilmente gli elementi simili e caratteristici di oggetti e procedure: si volle, cioè, soddisfare l'esigenza della conformità ad un modello astratto.

Questa ricerca di similarità ha condotto, già nella produzione artigianale di beni come nell'erogazione di servizi essenziali, a vantaggi consistenti in termini economici e di scambio, dando luogo anche all'avvento di nuove esigenze e di nuove usanze. Per esporre un esempio in campo musicale, si può ricordare che non sarebbe stata possibile alcuna formalizzazione della prassi esecutiva se non vi fosse stata, da un punto di vista tecnologico, la conformità sostanziale di tutti gli esemplari di uno stesso strumento musicale, se cioè tutti gli strumenti musicali di uno stesso tipo non fossero pressoché identici. La fedeltà ad un modello dominante – pur in un processo di evoluzione non solo tecnica, ma anche estetica – ha avuto influssi notevolissimi sull'evolversi del repertorio musicale, il quale, condizionato inizialmente dagli strumenti musicali effettivamente disponibili e universalmente conosciuti, ha in seguito contribuito a convalidare l'adeguatezza del modello di strumento alle richieste di gusto musicale manifestate dalla comunità.

Durante il periodo segnato dalla rivoluzione industriale il principio della similitudine e della conformità ricevette un fortissimo impulso. Si elaborarono infatti delle regole volte a garantire un risultato uniforme per tutti i processi ripetitivi e meccanici, anche se inizialmente soltanto nell'ambito della stessa casa produttrice e con lo scopo ulteriore ed esplicito di tutela nei confronti della concorrenza. A ciò si aggiunse per la prima volta su larga scala la funzione della intercambiabilità dei componenti, cioè la qualità che consentiva la sostituzione immediata di pezzi non più utilizzabili con parti nuove e identiche che erano state costruite seguendo progetti omogenei e ripetibili. In questa fase, quindi, si perseguì la conformità ad un modello per garantire la continua disponibilità di oggetti e procedure.

Seguendo lo svolgersi storico dello sviluppo tecnico troviamo fin dal XIX secolo il diffondersi di norme per il raggiungimento non più della conformità quanto dell'adeguatezza a dei modelli: si ricerca in questo caso la *compatibilità* [KRECHMER, *Economic*]. Non si trattava più soltanto di garantire la stessa forma o la stessa destinazione ai vari esemplari di un oggetto, quanto di permettere l'uso congiunto di prodotti diversi. Questo traguardo si è potuto raggiungere tramite l'impostazione e la condivisione di caratteristiche tecniche che consentono ai vari oggetti di operare insieme, anche se diversi nella forma e nella prima destinazione. Allo stesso modo diverse procedure possono essere eseguite parallelamente o in sequenza se prevedono dei momenti comuni e se condividono delle modalità di esecuzione.

In seguito ci occuperemo principalmente di quest'ultimo gruppo di standard, senza però dimenticare che i più recenti sviluppi riguardano quei sistemi che hanno la capacità di adattarsi e che per questo hanno bisogno di regole per stabilire un contatto e per identificare un ambito di comunicazione condivisibile. Di questo settore fanno parte i cosiddetti protocolli di comunicazione che, pur regolando innumerevoli funzioni diverse, hanno raggiunto una notorietà grazie soprattutto alle reti di computer e ad Internet in particolare.

Se è vero che gli standard sono regole che guidano nella produzione di un bene o nell'espletamento di un'attività, tuttavia non basta avere a che fare con un valore condivisibile per poter parlare propriamente di standard. Non basta, cioè, avere in comune dei princìpi di gusto estetico, delle regole di grammatica, di teoria musicale o di buon vivere civile e neanche delle vere e proprie leggi, poiché tutte queste norme lasciano sempre largo spazio alle interpretazioni, alle eccezioni, alla fantasia e al genio. La formalizzazione richiesta agli standard tecnici odierni limita il campo di loro competenza a dei parametri certi e misurabili, aridi forse, ma che non lasciano spazio a equivoci o opinioni.

Tralasciando in questa sede la disciplina che si occupa di ordinare generalmente la convivenza sociale, concentriamo invece la nostra attenzione su tutto quanto riguarda i prodotti dell'attività umana, siano essi oggetti, servizi o semplici informazioni da comunicare. La differenza tra queste tre categorie sembra staccare maggiormente gli oggetti – vero e proprio *hardware* – dai servizi e dalle informazioni che sono invece accomunati da un unico medium generico: spesso l'erogazione di un servizio si esaurisce nell'elaborazione e nella comunicazione di informazioni. Nonostante ciò, come ha evidenziato radicalmente MCLUHAN [46-47], anche gli oggetti prodotti dall'uomo assumono in epoca moderna una forte connotazione informativa che spesso risulta essere addirittura prevalente e che richiede anch'essa una notevole condivisibilità generale. Intendiamo cioè che se nella fase di produzione sono divenuti necessari modelli e procedure comuni, probabilmente tale uniformità interessa quasi esclusivamente l'elaborazione e la comunicazione di informazioni. Questo ci porta a pensare che proprio sull'informazione si giochino gran parte delle questioni legate agli standard, ossia che anche durante lo svolgimento del processo produttivo sia necessario un accordo esplicito o implicito sul codice e sulle modalità di codifica che si intendano utilizzare [ORLANDI] e che dovranno essere a disposizione di coloro che sono implicati nella realizzazione e nella fruizione dei prodotti. Ciò succederà prima di tutto se l'esito dell'attività è a sua volta un'informazione, per esempio in un campo come quello musicale, dove il prodotto primario è per sua natura effimero, imprendibile, puro linguaggio sonoro.

Se volessimo trovare un modo per riassumere in poche frasi che cosa sia uno standard, ci accorgeremmo che, così come accade per qualsiasi definizione, non esiste una formula che da sola riesca a illustrare univocamente e completamente il significato tecnico di questa parola. Allo stesso modo è difficile descrivere uniformemente l'opera di elaborazione e applicazione degli standard, vale a dire la standardizzazione. Possiamo, ad esempio, prendere avvio dalla lettura e dal commento di quanto proposto da un noto dizionario della lingua italiana, partendo dal presupposto ormai acquisito che tali termini siano entrati a far parte del nostro linguaggio comune.

> **standard** [...] Tipo, modello, norma cui viene uniformata una data produzione o attività; [...] nell'uso tecnico o industriale, modello o tipo di un determinato prodotto, o il complesso di norme fissate per uniformare le caratteristiche del prodotto stesso [...].
> **standardizzare** [...] Nel linguaggio economico, uniformare la produzione a un unico modello [...].
> **standardizzazione** [...] Riduzione a un unico tipo o modello; *part.* l'unificazione dei prodotti derivanti dalla lavorazione in serie, nonché dei mezzi e metodi di lavoro e di controllo [DEVOTO-OLI: 1929].

Il primo elemento che risalta immediatamente dall'esame di queste definizioni è il significato specifico dato ai termini *standard*, *standardizzare*, *standardizzazione*, i quali invece vengono usati di frequente in un'accezione generica che fa riferimento a un'indistinta unificazione o a una semplice mancanza di varietà. Al contrario questi vocaboli sono inclusi, nelle definizioni del dizionario, all'interno di un gergo tecnico preciso e strumentale.

Un secondo elemento da sottolineare riguarda l'ambito limitato a cui si riferisce il dizionario: si parla pressoché solamente di tecnologia e d'industria, con particolare riferimento alla produzione di beni o all'espletamento di attività economiche. Questa accezione, come vedremo in seguito, è certamente la più diffusa tra gli addetti ai lavori e quella con cui occorre confrontarsi maggiormente.

Nonostante la loro limitatezza e peculiarità, questi ultimi riferimenti non ci allontanano dal nostro specifico settore di applicazione e di indagine che è la musica. Infatti, come abbiamo già rilevato, nella realtà musicale odierna, come anche nell'opinione consolidata della critica storica, risulta impossibile considerare il campo economico e tecnologico del tutto estraneo alla produzione di beni e al compimento di attività musicali. Fare musica è da sempre un'attività non solo di natura artistica ma anche tecnico-economica. Per poterla esercitare si esige la disponibilità di particolari strumenti tecnici, l'espressione di specifiche competenze, una frequente partecipazione istituzionale e la messa in gioco di capitali finanziari, allo scopo di ricavarne del profitto o per un ideale di mecenatismo, o, infine, semplicemente per trarne diletto personale o collettivo. Non a caso la musicologia storica e sistematica in questi ultimi anni ha sviluppato un filone di studi che si basa proprio sull'analisi del cosiddetto *sistema produttivo*, il quale appare come una rete di relazioni di carattere tecnico, economico, istituzionale e artistico che sorregge con mezzi strumentali e finanziari la produzione musicale di ogni tempo [*Sistema*; RUGGIERI].

Se dunque questi temi non si mostrano lontani dall'attività musicale, tantomeno lo è il richiamo all'unificazione dei prodotti e dei processi che troviamo nelle definizioni del dizionario. Durante il procedere storico della musica occidentale, infatti, sono molti i momenti in cui si è verificato un netto orientamento di unificazione verso modelli e norme dominanti. Questo movimento sembra confermare il processo di razionalizzazione progressiva delle componenti della musica che, secondo Max Weber, avrebbe accompagnato tutta la storia della musica europea e che è riconoscibile anche nell'evolversi di altre culture musicali [WEBERM]. Si potrebbero portare vari esempi di questa tendenza, ma per brevità ne ricorderemo sommariamente soltanto alcuni: l'evoluzione della notazione musicale, lo sviluppo e la diffusione del sistema di temperamento equabile e la recente vicenda dell'unificazione del diapason.

Il processo di evoluzione grafica che ha portato all'emergere e

32

all'affermarsi dell'odierna notazione musicale comune è, da questo punto di vista, particolarmente emblematico, soprattutto per la funzione decisiva esercitata a partire dal XVI secolo dai progressi tecnologici riguardanti la comunicazione. Infatti, se guardiamo allo sviluppo della notazione occidentale, possiamo notare un lento ma incessante movimento di uniformazione e razionalizzazione dei diversi sistemi di scrittura. Durante questo progressivo mutamento, un ruolo determinante è stato svolto dalla stampa la quale ha impresso una notevole accelerazione alla circolazione e all'accettazione di un unico sistema di scrittura, tanto da poter affermare che l'inarrestabile affermazione dell'odierna notazione musicale sia uno degli effetti seguiti all'introduzione dell'arte tipografica quale nuova tecnologia comunicativa. Sebbene anche in epoca precedente all'avvento della stampa molti furono i tentativi di uniformarsi ai modelli di notazione più condivisi, anche sulla scorta dei traguardi raggiunti dai teorici musicali, la varietà geografica e cronologica della notazione neumatica monodica [*Notation*] e della notazione mensurale polifonica [APEL] non raggiunse una stabilità universalmente accettata sino all'avvento della tipografia musicale. La spinta prodotta dalla stampa verso l'uniformità delle grafie e dei contenuti è un fenomeno che non ha interessato soltanto la musica, ma anche e in modo ben più evidente la produzione editoriale di testi verbali. Fissità, stabilità, possibilità di una conservazione intatta, di una diffusione capillare e, d'altro canto, di un cambiamento incessante per accumulazione controllata, sono tutte caratteristiche che contraddistinguono l'evolversi delle lettere [EISENSTEIN], ma anche della musica [KRUMMEL, *Memory*], proprio in seguito alla nascita della stampa. Effettivamente, le conseguenze dell'introduzione della tipografia all'interno del processo di produzione musicale non sono state ancora sufficientemente indagate, non solo per quel che riguarda la notazione, ma anche per quel che concerne gli esiti del linguaggio musicale da un punto di vista stilistico ed espressivo.

Analogamente a quanto rilevato per la notazione, uno stretto legame con la tecnologia è anche da rilevare nella necessità sentita e risolta tra il XVII e il XVIII secolo di adeguare l'ampiezza degli intervalli ad un rapporto regolare e uniforme. Il cosiddetto temperamento equabile – la cui elaborazione viene tradizionalmente attribuita a Andreas Werckmeister e la cui prima applicazione illustre viene riconosciuta nel *Wohltemperierte Clavier* di Johann Sebastian Bach – consentiva di ottenere un'identica ampiezza per gli intervalli di ogni tonalità, realizzando una sorta di compromesso tra la scala naturale e quella diatonica. Di conseguenza, tramite questo accorgimento, era possibile esplorare armonicamente allo stesso modo tutte le tonalità [RIGHINI, *Temperamento*]. La correlazione tra il sistema temperato musicale, la tecnologia degli strumenti musicali – in particolare per quanto concerne la loro accordatura – e la teoria fisica riguardante l'acustica è un'ulteriore conferma di quanto l'espressione musicale abbia beneficiato o comunque sia stata energicamente orientata dal contatto con la tecnica e con la scienza. D'altra parte è evidente come queste ultime componenti abbiano condotto l'espressione artistica musicale anche verso la ricerca di regole universali, di parametri sempre più condivisibili e partecipati, vale a dire proprio di standard.

Il diapason è il suono di altezza stabilita e fissa utilizzato per l'intonazione delle altre note e per l'accordatura degli strumenti musicali. Oggi tale suono ha una frequenza convenzionale di 440 Hz, ma è noto come invece fosse di altezza alquanto varia nei secoli passati e come frequenze differenti fossero caratteristiche di aree geografiche e di generi musicali distinti [SACHS, *Storia*: 460, 463-464]. A partire dal XIX secolo furono intraprese alcune iniziative nazionali e internazionali allo scopo di raggiungere un'intesa sull'uso di un suono unico quale riferimento per l'intonazione relativa e l'accordatura degli strumenti. Forse per la prima volta, in questa occasione, vennero adottate nel campo musicale delle procedure decisionali tipiche dell'attività di standardizzazione. Furono infatti coinvolti a più riprese esperti di acustica e musicisti, fino a che si raggiunse un'intesa intorno alla frequenza del La$_3$ a 440 Hz. Quale ultimo atto ufficiale di tale vicenda, per quel che riguarda l'Europa, va sicuramente ricordata la *Risoluzione (71) 16* (30 giugno 1971) del Comitato dei ministri del Consiglio d'Europa che prevede l'adozione di questo diapason e individua nella ISO (*International organization for standardization*) l'ente che può facilitare « considerevolmente l'applicazione della risoluzione sulla base delle risorse tecniche internazionali di cui dispone [...] e delle relazioni strette che essa mantiene coi diversi Stati » [RIGHINI, *Considerazioni*: 38]. Torneremo tra breve sulla ISO, specificandone gli scopi e gli strumenti; ricordiamo invece che questa frequenza è diventata appunto oggetto di uno standard internazionale nel 1975 attraverso il documento ISO 16:1975 *Acoustics-Standard tuning frequency (Standard musical pitch)*. In Italia, invece, la definizione del diapason è stata stabilita perfino da una Legge dello Stato (L. n. 170 del 3 maggio 1989) dopo ripetuti richiami da parte di esperti e musicisti [RIGHINI, *Diapason*]. Nelle vicende storiche che hanno accompagnato la definizione del La_3 a 440 Hz e che brevemente abbiamo ricordato, possiamo ravvisare dunque a tutti gli effetti i princìpi di decisione e di uso degli standard, anche se il campo di applicazione è di fatto uno degli elementi fondamentali della pratica musicale, cioè l'intonazione relativa.

Questo breve *excursus* su alcuni movimenti unificatori che hanno contraddistinto la storia della musica occidentale ci ha consentito, a partire da una serie di formule comuni estratte da un dizionario, di intravedere il legame che esiste tra musica e standard. Ma le definizioni che abbiamo preso come esempio non sono di certo le sole disponibili, in particolare se ci rivolgiamo all'ambiente della tecnica, del commercio e dell'informatica.

In una recente ricerca sugli standard e sui procedimenti di standardizzazione, sono state esaminate secondo un metodo comparativo sedici definizioni diverse tratte da varie fonti istituzionali, accademiche e tecniche. Queste formule sono state suddivise in: a) *definizioni ufficiali*, tra cui si annoverano quella emanata dalla ISO e quelle pubblicate sul *Webster Dictionary* e sull'*Oxford Dictionary*; b) *altre definizioni*, tra cui vengono incluse una precedente definizione emanata dalla ISO e quelle fornite dagli uffici di normalizzazione tedesco, britannico e francese, nonché alcune definizioni fornite da studiosi e ricercatori che si sono occupati in passato di tali argomenti; c) *definizioni dell'Organizzazione mondiale per il commercio e dell'Unione europea* [DE VRIES: 137-157].

Ciò che emerge dal confronto di tutte queste varianti è, da una parte, la loro relativa divergenza, poiché sono state espresse principalmente rispetto a particolari punti di vista e a esigenze specifiche, ma dall'altra alcuni punti comuni che caratterizzano generalmente il concetto di standard e di standardizzazione e ne chiariscono i tratti più importanti.

In primo luogo possiamo affermare – facendo riferimento ai risultati dell'indagine di DE VRIES [144-155] – che uno standard si esprime attraverso delle regole più o meno complesse o comunque tramite delle direttive coerentemente espresse in un documento, mentre la standardizzazione include l'analisi, la formulazione e l'esplicitazione di tale disciplina. Ogni standard, inoltre, ha lo scopo di guidare nella produzione di un oggetto, nell'erogazione di un servizio o nel compimento di un'attività.

Se, però, ogni standard è una regola, non è assolutamente vero il contrario: non tutte le regole che governano l'operare dell'uomo sono da considerarsi degli standard o meglio non lo sono propriamente, poiché non tutte rispondono ad altri elementi che invece caratterizzano delle norme tecniche uniformi.

Tra queste ulteriori proprietà va annoverato, ad esempio, l'atteso impiego su vasta scala e per un cospicuo periodo di tempo. Infatti durante la formulazione di qualsiasi standard, molta attenzione viene posta a garantire una sua relativa stabilità nel tempo, un suo uso ripetuto, nonché una sua larga diffusione. Proprio per consentire questa estesa adozione in termini di spazio, di tempo e di soggetti coinvolti, è essenziale che gli standard vengano redatti in forma scritta, pur utilizzando vari supporti (carta, supporti elettronici, supporti multimediali ecc.) e varie modalità grafiche (alfabeto, disegno, fotografia, animazione ecc.). La durata temporale di ogni standard può essere interpretata come una sorta di *ciclo di vita*: quando uno standard non sembra più adeguato a risolvere i problemi per cui era stato formulato, lo si sostituisce con uno nuovo in grado di soddisfare le esigenze più attuali. Nel momento in cui uno standard viene emanato, però, vuole offrire una soluzione valida una volta per tutte, anche se nei limiti del proprio ciclo di vita. Questo vuol dire che se ne potrà abbandonare l'impiego solo quando ne verrà formulato uno nuovo e più idoneo o se ne verificherà l'inefficacia rispetto ad eventuali rinnovate condizioni.

Quest'ultima caratteristica mette in risalto la storicità degli standard e li accomuna ad altri veicoli informativi. Ad esempio, così come tutte le forme linguistiche nella loro capacità di significazione sono fortemente contraddistinte da un punto di vista storico e mostrano una sorta di ciclo vitale che ne delimita l'efficacia, l'accettazione sociale e l'uso [DE MAURO, *Introduzione*: 30-32], così gli standard subiscono la stessa limitazione, secondo periodi di vita più brevi e a volte stabiliti a priori, ma comunque analoghi a quelli di altri codici di comunicazione. La dipendenza da un periodo storico e la conseguente limitazione di norme e stili rispetto a un proprio ciclo di vita è evidente anche per la musica ed è stata più volte rilevata, per esempio nel caso dei princìpi che guidano il dispiegarsi della melodia come efficace modulo espressivo [BARONI-DALMONTE-JACOBONI: 223-339]. A questo proposito vale la pena di ricordare e condividere l'autorevole e ormai classica opinione di HANSLICK [99] secondo cui « Non c'è nessun'arte che metta fuori uso tante forme, e così presto, come la musica. Modulazioni, cadenze, progressioni d'intervalli, concatenazioni di armonie, si logorano a tal punto in cinquant'anni, anzi in trent'anni, che il musicista di gusto non può più servirsene ed è costretto a cercare nuovi mezzi musicali». In modo simile gli standard sembrano condividere lo stesso grado di periodizzazione o persino un grado minore dovuto alla loro veloce obsolescenza rispetto all'incessante rinnovarsi della tecnologia.

Una volta stabilito che cosa siano gli standard e per che cosa vengano utilizzati, possiamo chiederci perché se ne senta la necessità e perché, di conseguenza, vengano elaborati e pubblicati in ambito internazionale. Seguendo la definizione di DE VRIES [155], si può sostenere che comunemente gli standard vengono emanati per risolvere dei problemi di *armonizzazione*. Molto spesso, infatti, durante lo svolgimento di attività collettive, le singole organizzazioni o le persone implicate sentono l'esigenza di trovare un accordo su come comportarsi in situazioni che le coinvolgono tutte insieme e che hanno un effetto diretto sull'esito e sul successo di quanto stanno realizzando. La standardizzazione si occupa cioè di individuare delle regole che, rispondendo alle caratteristiche appena esposte, facilitino le relazioni tra gli individui e/o tra le organizzazioni. Queste entità sono interessate al rispetto degli standard poiché si trovano a dover operare insieme o a fornire strumenti o servizi per il bene comune: devono perciò condividere oggetti, princìpi e procedure o offrire prodotti fruibili generalmente.

La necessità di promuovere la cooperazione in ambito tecnico è un valore tutt'altro che moderno, poiché è stato teorizzato fin dall'antichità classica. Si fonda infatti sulla specializzazione tipica delle tecniche e sul conseguente e inevitabile concorso delle rispettive competenze che è stato individuato e descritto da Platone nella *Repubblica*, laddove viene connesso strettamente al concetto di giustizia [GALIMBERTI: 270-272].

In questo senso la ricerca e la formulazione degli standard è propriamente un'attività economica. Infatti, un rapporto tra le parti fondato su princìpi certi e condivisi riduce i costi di qualsiasi processo produttivo o di qualsiasi altro tipo di operazione collettiva e consente di raggiungere il successo con maggiore probabilità. Oltre a ciò, la standardizzazione include necessariamente il bilanciamento delle esigenze di tutti gli attori coinvolti e il raggiungimento di un compromesso ottimale tra le parti, al fine di evitare ogni forma di spreco o di eccesso.

Ciò a cui si tende attraverso uno standard è l'unificazione di esigenze disparate a vantaggio di relazioni garantite e stabili tra le parti. Tra le innumerevoli soluzioni possibili, questo processo di accorpamento fa emergere soltanto quelle più efficaci e più condivisibili, ma non implica conseguentemente una semplificazione dei comportamenti o dei rapporti. A volte, anzi, la ricerca di un compromesso ottimale tra i soggetti interessati conduce alla formulazione di regole molto complesse e di ardua comprensione per chi non possiede un alto grado di competenza specifica.

L'esito dell'unificazione e in genere dell'applicazione degli standard conduce a una sorta di ordinamento ottimale dei rapporti tra i partecipanti a un'impresa, principio che non è esclusivo della standardizzazione, ma che tuttavia la contraddistingue. L'equilibrio che si raggiunge possiede senza dubbio innumerevoli vantaggi, anche se sacrifica la varietà delle esigenze particolari dei singoli soggetti. Infatti solo in casi sporadici uno standard prende in considerazione e risolve tutti gli aspetti di una questione: ciò avviene ad esempio per gli standard riguardanti entità astratte quali le unità di misura o i linguaggi di programmazione. Nella maggior parte dei casi, invece, vengono affrontate e soddisfatte soltanto le esigenze sentite più diffusamente o quelle sostenute dalle parti che, per motivi diversi, si rivelano in una posizione dominante. Entra qui il concetto della competizione che se ci appare attualissimo nei confronti della tecnica moderna, tuttavia è stato anch'esso teorizzato in epoca classica da Platone nella *Repubblica* e collegato alla competenza, alla specializzazione delle tecniche e alla divisione del lavoro [GALIMBERTI: 261-266].

L'argomento della *posizione dominante* è centrale in questo ambito, poiché è quello che segna il limite tra standard *de iure* e standard *de facto* [SCOLARI, *Standard*: 26-27] e anche quello che guida nel loro uso volontario o obbligatorio. Non sempre, infatti, gli standard sono stabiliti coerentemente e sistematicamente a tavolino da tutte le parti coinvolte, spesso invece la forza di uno dei soggetti impone a tutti gli altri, ben prima che si pensi alla formulazione ufficiale di uno standard, un certo numero di regole aderenti soprattutto alle proprie esigenze. In questo caso siamo di fronte ai cosiddetti standard *de facto*, quelli cioè che si affermano per cause contingenti, dovute, nella maggior parte dei casi, alla capacità dei soggetti che li propongono di imporsi nei confronti dei propri interlocutori o comunque di creare un consenso generale a favore delle proprie soluzioni. Nell'ambito dell'informatica, ad esempio, l'espansione repentina e massiccia di macchine elettroniche e di programmi *software* ha generato un cospicuo numero di standard *de facto* promossi dalle aziende o dalle istituzioni accademiche che per prime hanno formulato soluzioni valide per risolvere problemi tecnici assolutamente inediti. Esempio efficace di questa dinamica tecnica e sociale è l'elaborazione di protocolli e la produzione di macchine e programmi per la comunicazione telematica, la quale si basa ancora su molte regole e consuetudini che, pur non essendo state riconosciute ufficialmente e a livello internazionale come standard, sono adottate abitualmente e, per questo, sono considerate di fatto come tali [Calvo-Ciotti-Roncaglia-Zela: 411-430].

Tuttavia, bisogna precisare che il consenso generale non è necessario affinché uno standard venga adottato e si imponga. Nei casi in cui si tratti di standard riservati o, come vengono denominati tecnicamente, *proprietari* [Scolari, *Standard*: 26-27], le regole previste da essi non sono neanche diffuse pubblicamente e rimangono gelosamente custodite dai tecnici delle parti interessate. Inoltre, nel caso degli standard obbligatori, la loro adozione non è quasi mai l'esito del consenso spontaneo dei soggetti coinvolti, quanto di un'imposizione esterna che li costringe a fare uso, loro malgrado, di norme spesso non del tutto convenienti rispetto alle loro specifiche esigenze. Al contrario, ci sono casi in cui l'uso universale di uno standard è la conseguenza di una scelta generale libera e volontaria, dovuta perlopiù all'efficacia e all'economicità di quanto viene proposto.

Per riassumere i tratti salienti degli standard e della standardizzazione che abbiamo appena analizzato, ricorriamo infine alla completa definizione elaborata da De Vries, poiché ci sembra che riesca a contemplare, meglio delle definizioni iniziali che avevamo proposto, tutte le componenti in gioco. Allo stesso tempo, siamo convinti che attraverso questa definizione si riesca a ottenere una visione unitaria e complessiva della questione e delle sue principali implicazioni. L'autore si concentra, infatti, sull'attività di standardizzazione, ma in questo modo mette in luce anche le caratteristiche degli standard in quanto norme collettive di armonizzazione che regolano la corretta ed efficace relazione tra soggetti.

> La standardizzazione è l'attività che comprende la definizione e la registrazione di una serie limitata di soluzioni in grado di risolvere problemi di armonizzazione attuali o potenziali. Queste

soluzioni sono dirette a vantaggio della parte o delle parti coinvolte nel problema e intendono bilanciare i loro rispettivi bisogni. Inoltre esse sono volte ed esigono un uso ripetuto o continuo durante un certo periodo di tempo da parte di un numero cospicuo di soggetti ai quali sono state destinate.

Standardization is the activity of establishing and recording a limited set of solutions to actual or potential matching problems directed at benefits for the party or parties involved balancing their needs and intending and expecting that these solutions will be repeatedly or continuously used during a certain period by a substantial number of the parties for whom they are meant [DE VRIES: 155].

Evidentemente questa definizione riesce a contemplare la maggior parte delle esigenze che abbiamo analizzato poc'anzi: per questo risulta quanto mai efficace e può essere acquisita come base per ogni nostra ulteriore riflessione. I parametri generali a cui fa riferimento le consentono di adattarsi a gran parte dei casi particolari anche facendo riferimento implicito al solo ambito industriale e commerciale. Le relazioni che gli standard instaurano con la linguistica, la logica formale e altre discipline analoghe ci spingeranno in seguito ad aggiungere nozioni che, quantunque non formalizzate, contribuiranno a chiarire il loro rispettivo ruolo all'interno di una possibile *Teoria degli standard*.

Tuttavia, un elemento che concerne la nostra traduzione della definizione inglese deve essere subito posto in rilievo: abbiamo infatti volutamente scelto di tradurre con *problemi di armonizzazione* la locuzione *matching problems*, nonostante si possa generare una certa confusione con l'uso moderno in ambito tecnico-musicale del termine *armonizzare*. Questa interpretazione ci è sembrata la più appropriata e la più efficace anche perché ci riporta al concetto originale di armonia che, sebbene non nasca in ambito musicale ma propriamente metafisico, ha acquistato già in epoca arcaica un'accezione carica di implicazioni che si ripercuoteranno in tutta la storia della musica europea [GUANTI: 15-16]. Il significato greco-classico di armonia come *unione dei molti* e *accordo dei discordanti* si adatta perfettamente alla definizione di standard che stiamo esaminando e ancora una volta ci avvicina alla speculazione che, a partire dalla scuola pitagorica, è stata condotta in materia musicale.

Un primo esempio di quanto appena affermato è dato dal fatto che un concetto fondamentale suggerito dalla definizione di De

Vries è la necessità della concertazione tra le parti. Tale attività, assieme alla promozione e alla diffusione delle regole di armonizzazione, sono oggi prerogativa degli organismi nazionali e internazionali che si occupano della elaborazione e dell'emanazione degli standard.

Contrariamente a quanto si potrebbe pensare, nonostante l'argomento *standard* dovrebbe verosimilmente portare a una unificazione generale degli obiettivi e degli enti che li perseguono, la sistemazione odierna delle istituzioni che si occupano di elaborare ed emanare standard è invece quanto mai articolata e varia. Si tratta della conferma che, nonostante l'esigenza dell'uniformità e della regolazione in norme condivise sia manifesta e urgente, nella realtà la forza babelica della confusione delle lingue è ancora inarrestabile e vincolante.

La ISO e alcuni altri enti che si occupano di standard

Tra il 1946 e il 1947 prese avvio formalmente l'attività dell'ente internazionale denominato *International organization for standardization* (ISO; <http://www.iso.ch>) nato dall'unione di due organizzazioni già esistenti: la *International federation of the national standardizing associations* (ISA) nata già nel 1929 e lo *United nations standards coordinating comittee* (UNSCC) che era stato istituito invece nel 1944 [*Friendship*]. Questa organizzazione volontaria e non governativa si occupa da allora di seguire il complesso processo di formulazione degli standard e funge da punto di riferimento internazionale per la diffusione delle norme già esistenti e per la promozione di quelle future.

Secondo dati aggiornati al gennaio 2000, la ISO comprende 135 membri che corrispondono per la maggior parte a organismi nazionali di unificazione i quali si occupano di curare per il proprio territorio la diffusione e la promozione degli standard. Per l'Italia è attivo l'Ente nazionale italiano di unificazione (UNI; <http://www.uni.com>) il quale, oltre a rappresentare la nostra nazione all'interno della ISO è il referente ufficiale dell'organizzazione internazionale nel nostro Paese. Si occupa quindi di partecipare alle riunioni dei vari comitati della ISO con propri rappresentanti e di fornire i documenti ufficiali a chi li richiedesse.

La ISO è oggi strutturata in 2.867 settori suddivisi tra comitati tecnici, sottocomitati e gruppi di lavoro ed ha pubblicato già

➡

12.524 documenti che contengono norme internazionali, mentre, alla fine del 1999, aveva in corso di studio e di elaborazione ben 4.975 nuovi standard. Questi pochi dati possono dare un'idea dell'entità di un movimento, come quello della standardizzazione, che ci coinvolge tutti anche se soltanto pochissime persone se ne occupano attivamente.

Per poter essere approvata dalla ISO una norma standard deve superare alcuni stadi che scandiscono il suo percorso di elaborazione e di pubblicazione ufficiale. Si inizia da una nuova proposta di discussione e di studio (*New work item*: NWI) che deve essere accolta e approvata dal comitato tecnico o dal sottocomitato a cui è stata rivolta. Da questa si passa, dopo alcune sessioni di discussione, ad una versione che serve come documento del gruppo di lavoro designato per lo studio e l'elaborazione dello standard (*Working document*: WD). Si giunge poi ad una versione provvisoria riservata al comitato tecnico (*Committee draft*: CD), quindi ad una prima pubblicazione in forma transitoria (*Draft international standard*: DIS). Quest'ultima versione, dopo un certo periodo di tempo in cui lo standard viene collaudato, modificato e approvato dai soggetti coinvolti e aventi diritto di voto (*Final draft international standard*: FDIS), viene infine accettato dal Consiglio della ISO e pubblicato come standard internazionale [SCOLARI, *Standard*: 30-32].

La ISO è considerata unanimemente l'organizzazione che ricopre il più avanzato e il più ampio ruolo tra tutti gli enti che si occupano di standardizzazione, ma non è la sola. Esistono infatti molti altri organismi che formulano standard in ambiti più limitati sia, per esempio, da un punto di vista geografico, come gli enti nazionali di unificazione, sia rispetto ad un più limitato campo di interesse, come è il caso delle associazioni professionali e industriali. Per avere un'idea dell'entità di tali organizzazioni basterà ricordare, quanto agli organismi nazionali, i 135 membri della ISO e consultare le informazioni contenute nelle pagine www ad essi dedicate da parte della stessa organizzazione (<http://www.iso.ch/iso/en/aboutiso/isomembers/index.html>). Altri riferimenti che possono fornire un'immagine di quanto la necessità di standard internazionali sia sentita da parte delle associazioni professionali, industriali e commerciali si possono trovare all'interno della documentazione fornita dal *World standards services network* (WSSN; <http://www.wssn.net/WSSN>) o del *Diffuse project* (<http://www.diffuse.org>). ➡

Solo a titolo di esempio e considerando quanto andremo ad analizzare in seguito, tra le associazioni professionali ricordiamo la *International federation of library associations and institutions* (IFLA; <http://www.ifla.org>). Fondata ad Edimburgo nel 1927, questa associazione non governativa, indipendente e senza scopo di lucro, riunisce oggi 1.622 membri in 143 paesi, dando voce alle istanze del mondo delle biblioteche e dei loro utenti. Tra gli scopi principali della IFLA vi è la promozione e lo sviluppo di servizi di informazione e bilotecari di qualità anche attraverso la redazione e la diffusione di standard operativi che garantiscano la più ampia diffusione delle informazioni. In seguito esamineremo alcuni tra gli standard elaborati per uniformare la descrizione bibliografica, i cosiddetti ISBD (*International standard for bibliographic description*).

Tra le associazioni industriali invece possiamo citare la MIDI *Manifacturers association* (MMA; <http://www.midi.org>). Sorta nel 1984, essa riunisce grandi e piccole aziende che sono coinvolte nella costruzione e commercializzazione di prodotti che si basano sullo standard MIDI [4.1.2.]. Per questo l'associazione si occupa di promuovere e controllare lo sviluppo di queste regole tecniche, preoccupandosi particolarmente di mantenere aperto lo standard e di renderlo passibile di aggiornamenti e di adeguamenti successivi.

1.2. Una teoria autonoma

In precedenza abbiamo indicato quanto, nella comune e più diffusa concezione, gli standard e tutti i problemi ad essi associati vengano inclusi in un ambito tecnico molto specializzato, di valore prettamente strumentale e perciò limitato. Sebbene il settore industriale e in particolare la fabbricazione in serie costituiscano un campo privilegiato di adozione e uso degli standard, non è altrettanto vero che questi siano da mettere in relazione esclusivamente o principalmente con la produzione industriale [DE VRIES]. Non è detto, infatti, che gli standard siano necessariamente connessi alla realizzazione di oggetti tecnici, possono bensì regolare anche delle procedure individuali e collettive, l'erogazione di servizi, la produzione di beni effimeri come la musica; possono cioè indicare quali siano le azioni da svolgere in determinati contesti.

Queste considerazioni che riguardano l'ambito di validità degli standard hanno stretti legami con due idee convergenti che si sono manifestate solo negli ultimi anni, ma che mostrano una progressiva diffusione e affermazione. Da una parte si nota la crescente consapevolezza che i princìpi che regolano la produzione e la diffusione degli standard siano sempre esistiti e anzi siano parte integrante della nostra cultura occidentale. Sotto questo aspetto, abbiamo visto, è possibile scorgere anche nel passato, in ambiti disparati, molti casi di applicazione di una sorta di proto-standard o di pseudo-standard. In secondo luogo va rilevata la crescente convinzione che la tecnica abbia ormai coinvolto tutte le nostre espressioni, tutte le nostre attività e i nostri prodotti, in pratica la vita intera. Persino il nostro modo di pensare e di concepire la realtà è ormai – o forse da sempre – esplicitamente condizionato dall'intervento attivo della tecnica, dalla quale non possiamo prescindere e che si afferma quale garante della nostra capacità di condividere globalmente informazioni, prodotti e addirittura comportamenti.

Oggi si può affermare, quindi, che la limitazione alle attività e ai prodotti tecnologici non è necessaria parlando di standard e che possiamo applicare i criteri della standardizzazione anche a settori ben diversi da quelli economici e industriali, come è il caso già citato del diapason. Questa situazione non si è verificata poiché l'impiego degli standard ha ampliato smisuratamente il suo raggio d'azione, includendo campi che parrebbero lontani, quanto perché il ruolo stesso della tecnica – per costituzione sua propria – ha manifestato progressivamente il suo attivo coinvolgimento in tutte le attività umane e in tutti i loro prodotti, cioè anche in tutte le arti. Infatti, sebbene non vi sia esplicita e comune consapevolezza, la tecnica può essere addirittura concepita come il presupposto fondamentale della nostra capacità cognitiva e della nostra possibilità di intervenire attivamente e creativamente sul mondo in cui viviamo [GALIMBERTI].

Quest'ultima peculiarità ha recentemente suscitato e diffuso tra gli studiosi la motivata opinione che l'argomento *standard* e *standardizzazione* sia da includere in un più ampio campo di indagine. L'esigenza di una riflessione ponderata sui problemi posti dagli standard evidenzia come sia necessaria una lettura più ampia di pratiche tecniche ormai consolidate, ma che rivelano il limite del legame al particolare contingente, allo strumento specifico, ad una visione non lungimirante e aperta. Per questo sono nati alcuni centri internazionali di ricerca specializzata come lo ICSR.

Lo *International center for standards research* (ICSR)

Una documentazione aggiornata sulla recente tendenza allo studio interdisciplinare degli standard si può recuperare presso il sito dello *International center for standards research* (ICSR; <http://www.standardsresearch.org>).

Lo ICSR è una organizzazione *no-profit* che riunisce studiosi, istituti e aziende che si occupano della ricerca sugli standard da qualsiasi punto di vista.

Lo ICSR ritiene che gli standard giochino un ruolo sempre più rilevante nello sviluppo economico, tecnico e sociale. La soluzione dei problemi posti dagli standard ad ogni livello richiede, secondo la visione proposta dallo ISRC, una ricerca interdisciplinare che abbracci temi molto vasti.

Per questo lo ICSR promuove alcune attività di ricerca sugli standard i cui risultati sono diffusi in tutto il mondo tra gli utenti, i ricercatori e coloro che nelle aziende e nelle istituzioni pubbliche hanno il compito di prendere decisioni in merito all'adozione e all'elaborazione degli standard.

Scopi principali dello ICSR sono:

- gestire un forum internazionale e aperto per la ricerca sugli standard che possa sostenere lo *Standards current issues group* (SCIG) e fornire informazioni aggiornate sulle ricerche che sono in corso sugli standard in tutto il mondo;
- promuovere un Centro internazionale di studi avanzati che possa essere punto di riferimento per gli interessi commerciali, accademici o governativi nel campo degli standard. Questi studi possono coinvolgere alcuni temi cruciali che legano gli standard ad altre discipline quali: politica, economia e commercio, diritto e giurisprudenza, istruzione, difesa, sanità, ingegneria dei sistemi, telecomunicazioni, informatica, filosofia, metodologia della ricerca, giornalismo e mass media, *marketing* e quant'altro.

Si tratta di una materia che tocca persino i fondamenti della nostra cultura occidentale e che coinvolge diverse discipline teoriche quali la filosofia, la linguistica, la sociologia e prettamente tecnico-pratiche come l'ingegneria, l'informatica, l'economia, nonché la disciplina giuridica e politica [SCHOECHLE]. Anche in questo campo, dunque, viene ad essere sottolineata l'esigenza di interdisciplinarità che, almeno per quel che riguarda le discipline umanistiche, sembra essere ormai prassi acquisita e che invece, per le materie esclusivamente tecniche, viene richiamata di rado e solo da coloro i quali prediligono una visione complessiva che vada oltre la stretta contingenza.

Il presupposto fondamentale affinché gli standard raggiungano un ambito di interesse più vasto del limitato campo degli addetti ai lavori è che si produca alla base una riflessione approfondita e organica sull'argomento, che esista cioè una sorta di *Teoria degli standard*. Come spesso accade per le discipline moderne, non si tratterebbe certamente di un teoria completamente nuova, ma dell'elaborazione complessiva e organica di temi trattati già, in alcuni casi anche ampiamente, nell'ambito di altre materie e che attendono un riconoscimento unitario e autonomo a partire da una concezione interdisciplinare [HESSER-KLEINE-MEYER; SCHOECHLE]. Emblematico, a questo proposito, è il caso dell'informatica che è nata dalla confluenza di discipline disparate e vive godendo ancora dello scambio reciproco tra gli ambiti di queste stesse discipline [ORLANDI]. Non a caso è impossibile ignorare il legame che tiene molto vicine l'informatica teorica e una possibile *Teoria degli standard*.

Non esiste ancora oggi una vera e propria *Teoria degli standard*, né sembra che esistano trattazioni organiche del problema, capaci cioè di mettere in rilievo da un punto di vista unitario i molti aspetti coinvolti nella questione [DE VRIES: 6-7]. Anche sotto questo aspetto, si tratta di una condizione tipica dei campi applicativi legati alla tecnologia dell'informazione, della comunicazione e della documentazione che soffrono tutti della novità dei loro metodi e dei loro oggetti d'indagine, manifestando una relativa ma evidente instabilità teorica. Un esempio può essere fornito dalla biblioteconomia per la quale negli anni '70 si lamentava una situazione analoga di mancanza di una vera e propria «fisionomia teoretica» [SERRAI: 8] e che recentemente ha invece raggiunto un'accettabile e coerente stabilità.

La ricerca e l'elaborazione di una *Teoria* appropriata richiedono all'inizio una rilettura degli standard odierni da un punto di vista generale, la ricerca dei loro fondamenti epistemologici, degli elementi comuni e dei legami più significativi. Si deve inoltre indagare attentamente il nostro passato, la storia della tecnica, del linguaggio e del pensiero per poter individuare e interpretare da questo punto di vista i momenti salienti che hanno segnato l'evoluzione di questo utilissimo strumento informativo. Sembra quasi che ci si debba soffermare nella fondazione di una *semiotica specifica* riguardante gli standard, cercando di sistemare più rigorosamente ciò che è venuto alla luce a partire da una prassi spontanea e da presupposti teorici poco argomentati [ECO, *Semiotica*: XII].

Per esempio, se volessimo indicare qualche fondamento della nostra tendenza alla standardizzazione, forse dovremmo ricercarlo nella memoria e nella sua capacità di accordare una percezione presente con una passata. Questa facoltà ci consente, infatti, di *ri-conoscere*, di confrontare, di *ri-unire* in una unità dai tratti uniformi ciò che nel mondo è molteplice e non identico. La memoria però può essere considerata generalmente il presupposto di qualsiasi nostra capacità di conoscenza e forse, per questo, può sembrare troppo radicale richiamarla quale origine o fondamento degli standard.

Oppure si potrebbe rammentare, continuando con un certo fondamentalismo, il nostro ritmo biologico costante – del battito cardiaco, del respiro – e identificarlo come stimolo onnipresente verso la ricerca di regolarità e di ripetizione, uniche qualità che consentono qualche previsione e qualche controllo sul mondo da parte dell'uomo. Ma anche in questo caso, forse ci si spinge troppo a fondo, se le costanti del nostro corpo possono essere identificate anche come il presupposto stesso della *ragione* [GALIMBERTI: 76, 93-94].

Comunque, è indubbio che gli standard possano essere concepiti come un'applicazione funzionale di princìpi che sono legati strettamente alla continua indagine sugli *universali*, la quale fin dai primordi della nostra civiltà ha considerevolmente indirizzato la nostra cultura e la nostra tecnica. Da sempre il nostro Occidente si cimenta nell'ininterrotta dialettica speculativa e pratica tra la ricerca di uniformità e la difesa del diverso, tra una natura densa di pezzi unici e perciò difficile da indagare e lo sforzo razionale d'astrazione, d'unificazione, di riduzione. Il senso unitario della realtà scoperto, sentito ed espresso dal pensiero greco, come pure l'attitudine alla classificazione e alla categorizzazione che nondimeno ci perviene dal mondo classico [KITTO], possono essere a buon diritto annoverati tra i fondamenti epistemologici di qualsiasi *Teoria degli standard*. La civiltà occidentale, infatti, non ha mai abbandonato l'idea di origine platonica « che esprime l'unità del molteplice, l'equivalente generale che misura tutte le cose, il prototipo della produzione meccanica e seriale » [GALIMBERTI: 674].

Ma altre caratteristiche degli standard possono essere rintracciate nell'antichità. Ad esempio, il concetto di «azione armonizzata» che realizza una sorta di equità e di giustizia tecnica all'interno di un gruppo e in vista di uno scopo è stata ancora indicata da Platone nella *Repubblica* (I, 351c-352c). In questo senso, anche per Platone, la competitività richiesta dalla tecnica deve piegarsi alla ricerca di una cooperazione, perché questa risulta più efficace rispetto allo scopo che si vuol raggiungere [GALIMBERTI: 270-272].

Allo stesso modo, si può dire che in generale i princìpi che regolano gli standard siano stati riconosciuti come fondamenti della tecnica – intesa nel senso ampio cui abbiamo fatto riferimento in precedenza – fin da quando Aristotele nella *Metafisica* (Libro I, 981b) afferma: «La tecnica si genera quando, da molte osservazioni di esperienza, si forma un giudizio generale e unico riferibile a tutti i casi simili». Scorgiamo, infatti, già in questa asserzione il riferimento a un giudizio collettivo, unico e armonizzato su oggetti e fatti simili e molteplici.

Anche la feconda dinamica esistente tra il linguaggio, la tecnica e il binomio unità/diversificazione, principio che promuove e governa l'odierna produzione di standard, è stata messa in rilievo già nel racconto biblico della Torre di Babele (*Genesi* 11, 1-9). Il fatto che Dio, per interrompere l'opera di costruzione empia e superba, non decida di distruggere direttamente la Torre, ma di privare l'uomo di un linguaggio comune tanto che «se un muratore diceva a un manovale: "Dammi la calce", il manovale gli dava un mattone, e il muratore irato uccideva il manovale» [GRAVES-PATAI: 154], è emblematico di quanto la comunanza di un linguaggio tecnico sia considerata essenziale nell'intraprendere e portare a termine un'opera anche per la Sacra Scrittura. Del resto fin dal Medioevo, come compare nel *De vulgari eloquentia* (I, 7) di Dante Alighieri, le interpretazioni speculative e iconografiche del racconto biblico hanno più volte evidenziato che l'unità d'intenti nella costruzione della Torre, così come l'armonizzazione linguistica interrotta dall'intervento divino siano strettamente connesse alla tecnica, agli strumenti, al fare umano in vista di uno scopo [ECO, *Ricerca*: 367-370].

A tale proposito non si può dimenticare che il ruolo del linguaggio, il suo sviluppo, il suo rapporto con la realtà, la conoscenza e la tecnica e le riflessioni che in questo campo si sono succedute durante tutto l'evolversi della nostra cultura occidentale, sono da annoverare certamente tra gli antecedenti più illustri di ogni *Teoria degli standard*, soprattutto per quel che concerne le implicazioni semantiche di natura razionalista o nominalista [DE MAURO, *Introduzione*: 42-94]. Questa opinione non appare esagerata se si pensa, ad esempio, al progredire del concetto di lingua universale che ha accompagnato la cultura europea almeno a partire dal Medioevo e in primo luogo se si considera lo sviluppo delle cosiddette *lingue filosofiche a priori*, nate con lo scopo di ricercare e proporre un modo unitario di rappresentazione e comunicazione universale [ECO, *Ricerca*: 315-339]. Si deve osservare però che lo scopo di quella ricerca mette in evidenza almeno un duplice aspetto: da una parte l'esigenza di una lingua perfetta che possa dire tutto e esprimere la vera natura delle cose, dall'altra l'aspettativa di una lingua universale che tutti possano comprendere e parlare. Gli standard si legano principalmente a quest'ultima istanza, anche se in alcune versioni cosiddette generali – come per esempio lo *Standard generalized markup language* (SGML) – è necessario notare almeno un anelito di perfezione e completezza, l'attrazione verso la possibilità di uso in qualsiasi situazione particolare e rispetto a qualsiasi oggetto a cui si voglia applicare.

Lo stesso meccanismo simbolico che è alla base della funzione linguistica e semantica, lo « stare al posto di » che esonera dal ridefinire ad ogni atto comunicativo i termini della significazione, è quello che informa gli standard come veicoli di uniformità, di anticipazione e di dominio di un'azione tecnica. Gli standard realizzano in parte e in ambiti limitati quella aspirazione quasi utopistica ad una lingua fondata su rapporti logici formali che, almeno a partire da Leibniz, voleva portare il linguaggio alla precisione ma anche all'angustia del calcolo matematico. Calcolata e riproducibile, nonché prevedibile e priva di equivoci o fraintendimenti è l'azione tecnica guidata dagli standard, così come lo sono i suoi prodotti: esiti tangibili della ribellione di Prometeo.

Dal punto di vista linguistico gli standard si presentano come rigorosamente funzionali e sono perciò chiusi. Infatti, essi non ammettono alcuna ulteriorità semantica che possa trascendere il proprio sistema e risolvono a priori ogni possibile conflitto, poiché non esiste alcun problema al loro interno che possa superare per ampiezza l'ambito di significazione previsto dal loro contesto.

In quanto linguaggi tecnici, gli standard rispondono ad una sorta di «*ragione strumentale* il cui principio regolatore è l'*effi-*

cienza che vale da criterio selettivo per le azioni da compiere rispetto a quelle da non compiere, per le realtà da porre in essere (*efficio*) rispetto alle realtà da non porre in essere perché incompatibili con il grado di efficienza dell'apparato tecnico, o semplicemente perché non convenienti all'impiego di detto apparato» [GALIMBERTI: 252, ma anche 370-383]. Da questo punto di vista, gli standard incarnano in modo espressivo il ruolo di strumenti tecnici che hanno come scopo ultimo l'incremento e la diffusione della tecnica stessa e che quindi contribuiscono alla sua determinazione quale fine da raggiungere e non quale mezzo per ottenere beni e servizi. Gli standard sono dunque la tangibile testimonianza di come la tecnica tenda ad autoalimentarsi e di come abbia assunto un valore preponderante e del tutto imprescindibile nel nostro mondo.

A ciò si aggiunge che in un certo senso e a dispetto del loro spiccato tecnicismo, spesso gli standard, con la loro sintassi brachilogica e molto intricata, assumono dei tratti che ci permettono di paragonarle a delle vere e proprie lingue iniziatiche. Il fatto che siano comprensibili solo a una ristretta cerchia di tecnici specializzati, che circolino comunque all'interno di un selezionatissimo gruppo di persone e che contengano la chiave per la produzione di beni tangibili, costituendone perciò una sorta di patrimonio genetico, fanno di queste norme una sorta di codice riservato agli iniziati. Il riferimento alle lingue magiche non è improprio se guardiamo ad esse privandole di quella «vaghezza e densità simbolica», togliendo cioè quell'aura di sacralità che le renderebbe effettivamente magiche e consideriamo invece la loro tipica diffusione e il loro uso [ECO, *Ricerca*: 193-208].

La stabilità unitaria e unificante perseguita dagli standard non solo è l'effetto della nostra ricerca di dominio sulla molteplicità del mondo, ma è anche lo strumento di espressione e sottolineatura dell'instabile inadeguatezza della realtà nei confronti di una sua visione e interpretazione ideale. Tale insopportabile e inefficiente instabilità è a sua volta motore della nostra attività correttiva, cioè della produzione di pezzi identici, efficienti, riconoscibili e rassicuranti perché controllabili, nonché dell'espletamento di funzioni che, proprio perché ripetibili e ripetute, costituiscono un codice e consentono la loro condivisione e comunicazione.

Questa concezione è un'ulteriore conferma della nota espressione di McLuhan secondo cui il *medium* è il messaggio, ma chiarisce anche la potenza dello strumento tecnico, nel nostro caso dello standard, il quale non ha solo un ruolo passivo, quale nostro prolungamento utile al raggiungimento di uno scopo, ma anche attivo, come stimolo a una nuova e inedita azione tecnica [GALIMBERTI: 625-627]. Illuminante a questo proposito è l'opinione secondo la quale proprio la nascita di uno strumento semiotico condiviso come la notazione abbia determinato un certo sviluppo del linguaggio musicale occidentale, per esempio nel caso della polifonia [NATTIEZ: 55-56]. La regolarità e la condivisibilità della notazione, risolvendo una serie di problemi di armonizzazione – intendendo il termine non in senso prettamente musicale –, ne hanno determinato il ruolo di proto-standard e hanno contribuito a loro volta a renderla motore di nuovi traguardi musicali. Allo stesso modo l'unificazione della forma e delle caratteristiche meccaniche di una tipologia di strumenti musicali ha consentito la nascita di una prassi esecutiva, di scuole interpretative, di nuove composizioni musicali.

Un altro argomento da considerare per giungere all'elaborazione di una *Teoria degli standard* è, a nostro avviso, quello concernente il *modello* e le tecniche di modellizzazione [*Modello*]. In quanto strumento tecnico, il modello è direttamente collegato alla matrice simbolica del linguaggio e alla necessità di una visione e descrizione unificante della realtà: tocca quindi delle questioni coinvolte nella definizione degli standard. Tuttavia il modello, se applicato in un ambito tecnico o scientifico, assume principalmente una destinazione descrittiva e solo secondariamente prescrittiva; in ambito artistico, invece, è perlopiù concepito come stimolo all'emulazione. Al contrario gli standard comprendono una fondamentale componente prescrittiva primaria che guida nella realizzazione di altri prodotti o nell'espletamento di funzioni specifiche e solo in seconda istanza essi possono essere usati anche con intenti descrittivi o emulativi.

« Per modello nella scienza si intende una rappresentazione di certi fenomeni in cui si considerano soltanto alcune loro caratteristiche e se ne trascurano tutte le altre, in quanto inessenziali per la comprensione di quei fenomeni al livello che interessa » [CELLUCCI: 14]. Si tratta, quindi, di una rappresentazione simbolica che privilegia, come gli standard, alcuni aspetti a scapito di altri. Nell'arte, quindi anche nella musica, un modello è oggetto di venerazione o di rifiuto ed è pertinente in quanto viene assunto come termine comparativo del desiderio di uguagliare o dello sforzo di superare ogni antecedente [DAHLHAUS-EGGEBRECHT: 75-91]. Da questo punto di vista esso assume un'analoga posizione rispetto agli standard nel momento in cui questi iniziano a perdere la propria efficacia e vengono messi in discussione in vista di una loro stabilizzazione o, al contrario, di una loro sostituzione.

Gli standard, nel loro ambito più limitato, sono modelli di una concezione ideale e armonizzata relativa ad oggetti o a funzioni ed operano in modo prescrittivo per il raggiungimento della ripetitività e della condivisione nella produzione di tali oggetti o nell'espletamento di quelle stesse attività: solo indirettamente assumono, quindi, la funzione di strumenti descrittivi. Essi incarnano il ruolo di dispositivi e regole per la replicazione, esplicando, in questo modo, una precisa funzione segnica che molto ha a che vedere con i problemi di autenticità e falsificabilità [ECO, *Trattato*: 240-248]. Riguardo al punto di vista dell'emulazione, non è affatto infrequente il caso in cui a partire da uno standard si generi una serie numerosissima di applicazioni ed esiti più o meno normalizzati e differenti pur se derivanti dalla stessa matrice principale. Questi sviluppi potrebbero essere assunti e analizzati senza grande fatica sotto le classi linguistiche dei *dialetti* o da un altro punto di vista sotto le categorie estetiche degli *stili*. Un esempio molto efficace è ancora una volta fornito dal relativamente recente *Standard generalized markup language* (SGML), il quale ha generato una serie numerosissima e potenzialmente infinita di discendenti, i quali rivelano, ad un esame attento, le caratteristiche di proliferazione, evoluzione e circolazione proprie delle lingue e delle arti.

L'argomento dell'*armonizzazione*, che abbiamo più volte incontrato durante la nostra analisi e che abbiamo posto a elemento qualificante di tutto il sistema degli standard, richiama direttamente la ricerca della razionalizzazione dei processi e dei prodotti. Volendo soltanto fornire alcuni spunti e senza alcuna pretesa di approfondire l'argomento, ricordiamo a questo proposito ancora una volta la riflessione teorica proposta da Leibniz e tutti gli esiti tecnici che questa ha stimolato, se non proprio determinato [GALIMBERTI: 45-46]. Ma anche Giambattista Vico, e in seguito e più precisamente Jean-Jacques Rousseau, avevano individuato lo stretto legame esistente tra l'attività commerciale, intesa in senso lato come attività di scambio reciproco tra gli uomini, e la necessità di un linguaggio convenzionale e unitario, e soprattutto di una scrittura condivisibile largamente. Tale legame venne addirittura teorizzato da alcuni linguisti inglesi della seconda metà del XVII secolo in cerca di un idioma universale, i quali vedevano con lungimiranza, nella possibilità di un'unica favella, perfino un efficace incentivo economico [ECO, *Ricerca*:

181-182, 225-226]. Ritroviamo qui i temi già accennati [1.1.] riguardanti il legame tecnico-funzionale tra l'alfabeto, il denaro e gli standard, in quanto tutti possono essere considerati come strumenti che devono essere comuni e che sono necessari per svolgere un'azione efficace e economica.

Nonostante queste autorevoli anticipazioni, soltanto da un paio di secoli e molto lentamente nella nostra civiltà è stata accettatata consapevolmente e con profitto l'idea che tali princìpi potessero guidare la produzione e lo scambio di beni, l'erogazione di servizi e la circolazione delle informazioni tra le popolazioni del mondo intero. Joseph Whitworth, il cui nome è legato ad un particolare tipo di filettatura standard delle viti e dei bulloni da lui stesso inventata, fu tra i primi a proporre la risoluzione dei problemi di unificazione e precisione nella produzione di pezzi di ricambio soltanto nel 1830, ma più di venticinque anni dopo ancora si batteva affinché fosse accettata dai singoli produttori anglosassoni l'adozione generale di principi di produzione standardizzati [LANDES: 146-147]. Come abbiamo visto [1.1.], è addirittura di un secolo più tardi la nascita della ISO, l'organizzazione che si occupa di studiare e di emanare a livello internazionale le norme unificate di produzione di beni e servizi.

Dall'ultimo dopoguerra ad oggi, invece, la diffusione degli standard ha avuto un'accelerazione repentina e molto cospicua. Tutto il fenomeno che viene definito con il termine abusato di *globalizzazione* si fonda su tali princìpi, portandoli alle loro estreme conseguenze ed evidenziando alcuni lati negativi e alcune incognite pericolose che mai si erano presentate nelle epoche passate. I rischi più incombenti riguardano il possibile e già evidente impoverimento delle diversità, i processi di acculturazione che schiacciano le minoranze, il tecnicismo che trasforma l'uomo da autore a mezzo a servizio della tecnica [GALIMBERTI]. La differenza, i numerosi gruppi meno forti, il poco identificabile spirito dell'uomo sono invece sempre più spesso riconosciuti e agognati, non solo da un punto di vista culturale ma persino a livello biologico, come una forza imprescindibile di sviluppo, di benessere e di civiltà.

1.3. I documenti musicali

Con il termine *documento* intendiamo ogni insieme di informazioni e di conoscenze fissato materialmente e suscettibile di essere utilizzato per la consultazione, per lo studio, oppure come prova di un fatto [WEBERE: 47]. Si tratta, come è evidente, di una definizione molto larga che può comprendere al suo interno una straordinaria varietà di oggetti reali, distinti da una non precisata materialità e dall'esistenza di un contenuto informativo, ma indifferenziati quanto ai linguaggi, ai codici e alle modalità di memorizzazione delle informazioni. Se la definiamo in questo modo, la classe dei documenti è in grado di abbracciare qualsiasi oggetto prodotto dall'uomo o su cui l'uomo sia in qualche modo intervenuto, poiché ognuno di essi porta con sé un certo contenuto informativo [MCLUHAN: 46-47]. Infatti, ciò che fa di un semplice oggetto un documento è il punto di vista da cui viene osservato, l'attenzione che stimola da parte di coloro che vogliono acquisire ulteriore conoscenza su di un certo argomento e che per questo si basano su tali testimonianze. Inoltre, proprio grazie a questa ampiezza semantica la definizione che proponiamo è adatta a comprendere anche i documenti musicali i quali, come vedremo, si staccano dalle altre tipologie documentarie poiché si manifestano secondo forme molteplici e complesse.

Della cura e della lettura critica dei documenti, nonché della diffusione del loro contenuto informativo, si occupa la *documentazione*, disciplina ormai consolidata che si lega e a volte si fonde con la biblioteconomia e la scienza dell'informazione. Per definire a sua volta quest'attività possiamo assumere l'espressione proposta dalla *International federation for information and documentation* (FID) che parla a tale proposito della raccolta, dell'ordinamento, della classificazione e della selezione, della diffusione e dell'utilizzazione di ogni tipo di documento.

Se invece vogliamo procedere nel dettaglio, possiamo richiamare anche la definizione dell'UNESCO (<http://www.unesco. org>) che vede nella documentazione una serie di « attività connesse all'individuazione, acquisizione, valutazione, indicizzazione, ordinamento, immagazzinamento, analisi, riassunto, sintesi, traduzione, rielaborazione, pubblicazione, presentazione, comunicazione o diffusione dell'informazione » [CAROSELLA: 21, 24; DIOZZI: 5-6]. Tutte queste attività sono da tempo non solo compito dei bibliotecari e dei documentalisti, ma onere quotidiano di tutti gli storici e in genere dei ricercatori di qualsiasi disciplina, i quali devono raccogliere documenti per poter elaborare nuove teorie o nuove interpretazioni.

La documentazione ha ricevuto negli ultimi decenni un notevole impulso quanto a diffusione e sviluppo di metodologie e

La *International federation for information and documentation* (FID) e altri enti italiani che si occupano di documentazione

La *International federation for information and documentation* (FID; <http://www.kb.nl/infolev/fid/index.html>) è un'associazione professionale internazionale e non governativa che comprende circa 350 membri in 90 paesi.

Gli scopi della FID sono:

* promuovere lo studio e l'applicazione della scienza dell'informazione, della documentazione e della gestione dell'informazione;
* gestire un *forum* per la diffusione e lo scambio di idee, informazioni, conoscenze e competenze tra i professionisti dell'informazione e della documentazione;
* promuovere lo sviluppo professionale degli specialisti dell'informazione e della documentazione;
* promuovere e proteggere gli interessi degli utenti dell'informazione;
* promuovere la cooperazione internazionale nel campo della scienza dell'informazione, della documentazione e della gestione dell'informazione.

La FID basa ogni suo sforzo sui principi di libertà nei confronti dell'accesso alle informazioni che sono compresi nell'Articolo 19 della *Dichiarazione universale dei diritti dell'uomo* (<http://www.onuitalia.it/diritti/index2.html>): «Ogni individuo ha diritto alla libertà di opinione e di espressione incluso il diritto di non essere molestato per la propria opinione e quello di cercare, ricevere e diffondere informazioni e idee attraverso ogni mezzo e senza riguardo a frontiere».

Tra gli enti italiani più rilevanti che si occupano di documentazione ricordiamo l'Associazione italiana per la documentazione avanzata (AIDA; <http://www.aidaweb.it>) e l'Istituto di studi sulla ricerca e documentazione scientifica del CNR (ISRDS; <http://www.isrds.rm.cnr.it>).

tecniche, principalmente a causa dello straordinario aumento della produzione di documenti che caratterizza il mondo contemporaneo [*Documentazione*]. Questo campo teorico e applicativo ha allargato notevolmente la propria competenza raggiungendo oggi il ruolo di grande contenitore che comprende molte altre discipline che avevano mantenuto nel passato una loro indipendenza, come per esempio la biblioteconomia o la bibliografia [SOLIMINE: 42-50]. Infatti, grazie anche all'avvento delle nuove tecnologie e della comunicazione telematica, la documentazione è divenuta materia che coniuga argomenti tipici delle discipline umanistiche con altri invece di natura prettamente tecnico-scientifica. Tra questi ultimi, il ruolo assunto dagli standard, ad ogni livello di applicazione, è molto cospicuo, soprattutto poiché lo scopo principale della documentazione è consentire l'accesso più largo possibile ai documenti e alle informazioni, sfruttando e allo stesso tempo perseguendo la condivisione di regole, oggetti e modelli comuni.

All'interno dell'ampio settore della documentazione, il particolare *status* della musica, specialmente di quella del nostro passato, costringe il documentalista musicale ad una notevole specializzazione e all'approfondimento di alcuni problemi non contemplati in altri settori. Ciò avviene principalmente poiché, come abbiamo visto, mentre i comuni documenti sono contraddistinti da una loro propria tangibilità, cioè dalla loro persistenza fisica nel tempo e nello spazio, la musica è invece, tra le arti, quella che maggiormente si fonda sull'immaterialità.

Se ricordiamo almeno Isidoro di Siviglia – « soni pereunt » (*Etymologiarum sive originum libri XX*: libro III, cap. XV) [MCKINNON: 149-155] – oppure Leonardo da Vinci – « la musica [...] more immediate dopo la sua creazione » [*Scritti*: 250] – comprendiamo come tale caratteristica sia stata riconosciuta largamente fin dall'antichità ed abbia contribuito, tra l'altro, alla duplice considerazione di cui la musica pratica ha goduto per molti secoli rispetto alle altre arti.

Infatti, a partire dai teorici greci, la musica è stata considerata come la forma artistica più espressiva ed efficace, capace di raggiungere l'intimo animo umano e di produrre, congiunta alla poesia e alla danza, quel *pathos* che solo una rappresentazione dinamica e coinvolgente poteva generare. Le arti figurative, invece, secondo l'opinione di Aristide Quintiliano (II-III sec. d. C.), con loro staticità, producono effetti limitati e quindi sono meno adatte all'educazione dell'uomo [GENTILI: 5-6].

Al contrario, in base ad altre opinioni, proprio la caducità della musica e il suo lato effimero, assieme ad altri motivi di natura etica e politica, hanno contribuito nel corso dei secoli a screditare parallelamente la funzione della musica rispetto a quella delle altre forme d'arte. Queste ultime – pittura, scultura, letteratura – sono state giudicate superiori poiché si esprimono attraverso delle manifestazioni stabili che possono essere osservate e analizzate nella loro forma originale anche a distanza di tempo. Curiosamente, proprio l'attività che avrebbe potuto rafforzare la stabilità della musica, cioè la sua scrittura attraverso una notazione, non è stata considerata necessaria fino ad epoca relativamente tarda, relegando la sua tradizione alla sola forma orale-aurale.

Inserito nel flusso del tempo, il suono per sua natura termina di sollecitarci direttamente non appena tace, restando nella nostra memoria solo come evento concretamente irripetibile. Invece, la persistenza di ciò che è visibile consente di sostenere la visione prolungata delle opere figurative nel loro complesso anche a distanza di tempo, permettendone direttamente l'analisi e persino il confronto immediato.

Tale condizione è causa di differenze notevoli tra la musica e le altre arti sia dal punto di vista estetico, sia dal lato prettamente filologico e documentario. Contrariamente a quanto succedeva nel passato, oggi non sembra corretto partire da quelle divergenze fondamentali per formulare degli apprezzamenti o delle condanne, cioè delle valutazioni che condurrebbero ad una sorta di graduatoria tra le arti migliori e quelle peggiori. Sembra invece più idoneo analizzare in modo imparziale e meramente descrittivo le caratteristiche delle varie forme d'arte, esaltando le loro diversità come elemento positivo di arricchimento. Possiamo allora affermare, seguendo una nota distinzione proposta da Nelson Goodman, che mentre la pittura, la scultura e in genere le arti figurative sono arti *autografiche*, contraddistinte dalla possibilità di fruire delle opere direttamente e senza mediazioni, la musica è un'arte *allografica*, la cui fruizione prevede una figura intermedia, quella dell'interprete, e un apparato tecnico, lo strumento musicale o di riproduzione sonora, che si interpongono tra il compositore e l'ascoltatore determinando l'instabilità estetica che è tipica dell'opera musicale [ECO, *Trattato*: 241]. Proprio il coinvolgimento di un maggior numero di agenti che assumono un ruolo veramente creativo è una delle ragioni che rendono la produzione musicale un'attività particolarmente ricca e complessa anche dal punto di vista documentario. Non basterà allora parlare in senso stretto di documenti musicali, intendendo così solo quegli oggetti che rimandano direttamente alla musica, ma si dovrà intendere questo termine in senso lato, comprendendo tutti i documenti *inerenti* la musica, cioè tutti quegli oggetti informativi che la toccano e la documentano anche da lontano, partecipando comunque alla sua creazione e alla sua diffusione.

Da questo punto di vista, comprendiamo quanto sia difficile definire esaurientemente la tipologia dei documenti musicali, in primo luogo poiché, come abbiamo accennato, dell'attività musicale possiamo avere soltanto una documentazione indiretta, in secondo luogo perché questa tipologia di documenti appare straordinariamente articolata e varia. Le conseguenze di una tale situazione sono molte: un esempio può essere fornito dalla posizione della storia della musica nell'ambito delle altre discipline storiche e della storiografia generale. Anche in questo caso la musica mette in evidenza una sorta di posizione ibrida e ribadisce l'attitudine delle discipline musicologiche ad attingere metodi di ricerca da settori differenti. Infatti, doversi riferire a una varia tipologia di documenti indiretti senza avere un oggetto presente del quale dare conto e sul quale concentrarsi, cioè senza avere a che fare direttamente con il suono della musica del passato, è la caratteristica che più avvicina la storia della musica alla storia generale (*événementielle*) e che più la distacca, invece, da altre storie speciali come la storia della letteratura o la storia dell'arte. Anche la storia generale, così come, ad esempio, la storia del teatro e dello spettacolo, si occupa di eventi ormai passati e conoscibili solo tramite la concorrenza di molteplici fonti d'informazione indiretta. D'altra parte, invece, è indiscutibile che la musicologia storica, basandosi su documenti stabili come quelli scritti o quelli iconografici, abbia mutuato e continui a mutuare metodi d'indagine e prospettive di studio proprio dalle discipline storiche che riguardano le altre forme d'arte [SELFRIDGE-FIELD, *Reflections*: 302-304; PALISCA].

« Ad un estremo c'è la pagina di pergamena o di carta nella quale fu registrata per mezzo di vari sistemi grafici (le cosiddette notazioni musicali) almeno l'altezza relativa e la durata relativa dei suoni che costituiscono un determinato evento [...]. All'estremo opposto c'è la pura e semplice annotazione verbale dell'esistenza di un evento sonoro: è il caso della menzione di una fonte perduta contenente una determinata composizione. All'interno di questi due estremi esiste tutta una serie di posizioni intermedie [...] » [GALLO: 71].

Sebbene queste parole siano state scritte riferendosi propriamente alla musica medievale, facilmente si possono estendere agli altri periodi storici. Manoscritti e edizioni musicali, libretti d'opera, documenti d'archivio e figurativi, strumenti musicali, documenti sonori e audiovisivi, fonti di tradizione orale, trattati teorici, periodici musicali sono tutte testimonianze che, come tessere di un mosaico, contribuiscono a fornire l'immagine indiretta della vita musicale di un momento storico e di una società. Si tratta, com'è evidente, di una serie di oggetti molto diversi tra loro, nessuno dei quali contiene proprio quella 'musica che suona' a cui tutti fanno riferimento. Se i libri di musica ne celano il suono attraverso la notazione, i documenti cosiddetti sonori lo tacciono nella sua rappresentazione analogica e digitale e solo se opportunamente sollecitati ci consentono di godere dell'opera musicale. La musica infatti prevede che si produca, ogni volta che si voglia effettuarne la fruizione, un'attività rivitalizzante puramente tecnica (quella degli strumenti di riproduzione del suono) o del tutto creativa (quella degli interpreti); la pittura, ad esempio, prevede invece un unico esercizio figurativo valido una volta per tutte.

Escludendo nel nostro caso la tradizione orale e limitandoci all'occidente, dobbiamo riconoscere il primato dei manoscritti e delle edizioni musicali nei riguardi delle altre fonti. Fino agli inizi del nostro secolo, essi sono stati i principali veicoli di trasmissione della musica. La loro funzione non è stata certamente quella di un semplice promemoria, ma anzi, essi hanno condizionato materialmente la diffusione della musica come pure le forme del comporre, stimolando e indirizzando lo sviluppo dello stile musicale.

Oggi, i manoscritti e le edizioni musicali sono i documenti principali che ci permettono di recuperare i testi musicali del passato. Nel dinamico rapporto tra copie manoscritte e a stampa, la *recensio* di tutte le fonti esistenti è essenziale ai fini della ricerca filologica e storica, da una parte per restituire un testo emendato, dall'altra per studiarne la propagazione e il successo. In quest'opera minuziosa, se si esalta il manoscritto autografo, non si può certo ignorare, soprattutto quando quest'ultimo vien meno, eventuali copie di concordanza, le cui varianti non sempre possono essere ridotte a semplici errori, ma, al contrario, spesso testimoniano una diversa prassi esecutiva, a volte persino stabilita o concessa dall'autore [FEDER].

Per quel che riguarda propriamente la ricerca storica, i manoscritti, nella loro unicità e nella loro qualità di *reperti* legati a un contesto sociale e culturale distinto, assumono un'importanza particolare. Diversamente dalle edizioni che, seppur con dei limiti, presuppongono una diffusione di massa e sono soggette a necessità commerciali tendenti a uniformare l'oggetto e il mercato, il manoscritto riflette i gusti e corrisponde alle risorse economiche, alle esigenze sociali, politiche e artistiche del suo proprietario o del suo committente, conservando, quindi, l'immagine caratteristica di quel segmento di vita culturale in cui è stato prodotto e utilizzato. Da ciò segue che lo studio di un singolo manoscritto fornisce di riflesso preziose informazioni anche sull'ambiente di cui esso faceva parte, non solo centrando l'attenzione sul contenuto propriamente musicale, ma anche osservando la sua struttura fisica e, nel caso sia possibile, analizzandolo in relazione a tutto il materiale appartenente allo stesso nucleo, allo stesso fondo. Infine vanno ricordate tutte quelle notizie che il manoscritto musicale fornisce accessoriamente, ma che contribuiscono alla definizione del suo contesto, cioè, ad esempio, il cenno a un possessore, a un dedicatario, a un interprete, come pure a un particolare evento musicale del quale il codice è la diretta emanazione.

Come avviene per tutte le altre arti, anche la musica presenta alcune discontinuità nella documentazione della propria evoluzione storica. Ciò non accade, per esempio, per le testimonianze più vicine alle opere musicali del passato, vale a dire per le loro rappresentazioni attraverso la notazione o per le immagini iconografico-musicali, per le quali è possibile usufruire di una documentazione alquanto omogenea e quantitativamente in crescita nel corso dei secoli. Diverso è invece il caso delle fonti letterarie o critiche riguardanti la musica. Queste ultime subiscono incrementi ragguardevoli in certi periodi storici, per esempio durante la nascita dell'opera o della cantata e, al contrario, diminuzioni altrettanto rilevanti in altre epoche, come durante il periodo dello sviluppo della sinfonia classica e del quartetto da camera [STRUNK: XVII-XVIII]. Tale discontinuità è da mettere in relazione con l'interesse che gli sviluppi musicali suscitano nel pubblico e nei critici contemporanei.

Possiamo osservare, inoltre, che la particolare configurazione documentaria della musica rende indistinte e problematiche le categorie di *monumento* e *documento* [LE GOFF], ancor più di quanto non succeda per le altre arti. Le due classi possono essere distinte rispetto al grado e alla natura dell'intenzionalità che traspare oggi, ma che riguarda il momento della loro produzione. I monumenti, infatti, sono quegli oggetti che sono stati volutamente prodotti nel passato al fine di perpetuare nel futuro il proprio presente; i documenti, al contrario, sono quegli oggetti che pur testimoniando in modo evidente un periodo storico, ci giungono dal passato privi di una diretta intenzionalità testimoniale.

Queste due categorie vengono spesso ricordate nelle trattazioni storiche e guidano anche tradizionalmente nella pubblicazione moderna delle opere musicali antiche [BASSO], ma rivelano per se stesse limiti sottili. Da molti anni infatti la distinzione tra i monumenti e i documenti non appare più così manifesta come nel passato. Ciò a tutto vantaggio dei documenti che, assumendo nella considerazione dello storico caratteristiche tipiche dei monumenti, hanno di fatto inglobato nell'opinione degli storici anche quest'ultima categoria.

Senza approfondire la questione a livello teorico, è comunque utile sottolineare che è molto difficile stabilire se e in quale grado tutto quello che ci rimane della musica del passato – in primo luogo quanto trasmessoci attraverso la notazione – sia da considerare testimonianza intenzionale. Non è facile capire, cioè, se nell'antichità scrivendo la musica si volesse veramente lasciare al futuro una traccia dell'attività musicale di una certa epoca. D'altra parte è oltremodo complicato determinare quanto una testimonianza musicale indiretta possa essere definita un monumento o invece soltanto il documento di qualcosa che è possibile unicamente ricostruire, al pari di quanto succede, per esempio, alle rappresentazioni grafiche tridimensionali dei monumenti archeologici scomparsi realizzate a partire dai dati desunti da uno scavo. Lo stesso concetto di *opera musicale* viene ad essere toccato, rivelando tutte le sue questioni irrisolte [INGARDEN].

Da quanto è stato detto finora, appare chiaro che uno dei limiti più rigidi in cui è costretta la conoscenza della musica e della sua storia è dato dalla possibilità di reperire il numero di fonti sufficiente ad un'adeguata documentazione. Basti pensare che l'impossibilità di reperire e confrontare un numero sufficiente di fonti musicali pratiche ha condizionato le trattazioni di storia della musica fino a tutto il Settecento, rendendole essenzialmente delle esposizioni di teoria musicale [GALLO: 10]. Ma la conoscenza di un'adeguata quantità di fonti confrontabili non sarebbe possibile senza l'aiuto di strumenti e guide di natura diversa, oggi quasi sempre condizionati dalle nuove tecnologie informatiche: inventari di biblioteche, cataloghi di musei, repertori bibliografici e discografici di vario genere. È necessaria per questo un'opera sistematica di censimento e catalogazione che permetta di realizzare tali strumenti di lavoro. Questi, fornendo notizie sintetiche sulle singole fonti, rendono possibile non solo il loro reperimento, ma anche la scelta preliminare del materiale necessario ad ogni ricerca specifica.

Quest'ultimo è tra i compiti della *documentazione musicale e musicologica*, uno tra i settori più specialistici della documentazione che però non è stato ancora riconosciuto in modo particolare. Nonostante ciò, riteniamo di dover sottolineare come le peculiarità delle testimonianze musicali richiedano una competenza specialistica e interdisciplinare piuttosto rara, che difficilmente trova spazio nelle istituzioni generali preposte alla conservazione e alla fruizione dei documenti, quali le biblioteche, gli archivi e i musei. Tale specializzazione non può che partire dal riconoscimento e dalla sistemazione delle tipologie di documenti che possono testimoniare la musica, passando poi per l'individuazione delle loro qualità informative, già evidenziate efficacemente dalla tradizione musicale e musicologica, ma senza tralasciare l'incessante rinnovamento tecnologico che pervade la nostra epoca.

In attesa di un dibattito autorevole su questi argomenti, ci è sembrato utile fornire una proposta di sistemazione tesa ad individuare i vari generi e le singole specie di quei materiali che, testimoniando in diverso modo la nostra civiltà musicale, possono essere definiti documenti e che sono o dovrebbero essere oggetto di analisi e di studio specifico, richiedendo almeno una tutela e una documentazione di base.

Proposta di classificazione dei documenti musicali

1. SUPPORTI

    1.1. Supporti grafici

        1.1.1. Manoscritti
            1.1.1.1. Manoscritti musicali
            1.1.1.2. Trattati teorico-musicali e storici
            1.1.1.3. Libretti d'opera
            1.1.1.4. Epistolari, diari, libri di famiglia
            1.1.1. ... Altro

        1.1.2. Edizioni a stampa
            1.1.2.1. Edizioni musicali monografiche e in serie
            1.1.2.2. Trattati teorico-musicali
            1.1.2.3. Trattati storici, critici, manuali, biografie, dizionari, enciclopedie, bibliografie
            1.1.2.4. Libretti d'opera
            1.1.2.5. Periodici d'interesse musicale

1.1.2.6. Manuali, trattati tecnici e normativi d'interesse musicale (standard, leggi, trattati di acustica, fisiologia, tipografia ecc.)
1.1.2.7. Materiali minori a stampa (manifesti, locandine, programmi di sala ecc.)
1.1.2. ... Altro

1.1.3. Documenti d'archivio e letteratura grigia
1.1.3.1. Documenti tecnici, amministrativi privati e pubblici o giudiziari (scritture contabili e artistiche, fogli paga, bilanci, contratti di appalto, borderò, censure, bandi ecc.)
1.1.3.2. Materiali preparatori di documenti tecnici, amministrativi e legislativi (standard, decreti, leggi ecc.)
1.1.3.3. Documenti relativi alla messinscena (disposizioni sceniche, appunti di regia, appunti tecnici, elenchi di attrezzeria ecc.)
1.1.3.4. Documenti relativi alla progettazione di edifici e di apparati effimeri (licenze, atti notarili, piante, progetti, rapporti tecnici ecc.)
1.1.3. ... Altro

1.1.4. Memorie di massa digitali
1.1.4.1. Floppy disk, hard disk
1.1.4.2. Nastri magnetici
1.1.4.3. A lettura laser (CD-ROM, CD-I, DVD)
1.1.4. ... Altro

1.2. Supporti sonori
1.2.1. Meccanici
1.2.2. Magnetici
1.2.3. Digitali a lettura laser (CD, DVD)
1.2. ... Altro

1.3. Supporti iconografici
1.3.1. Pittorici
1.3.2. Scultorei
1.3.3. Relativi ad arti applicate
1.3.4. Disegni (tra cui bozzetti di scene o costumi)
1.3.5. Stampe
1.3.6. Fotografici
1.3.7. Audiovisivi
1.3.7.1. Pellicole cinematografiche
1.3.7.2. Supporti magnetici analogici
1.3.7.3. Supporti digitali a lettura laser (CD-ROM, CD-I, DVD)
1.3. ... Altro

2. STRUMENTI

2.1. Per la produzione del suono
    2.1.1. Idiofoni
    2.1.2. Membranofoni
    2.1.3. Cordofoni
    2.1.4. Aerofoni
    2.1.5. Elettrofoni
    2.1. ... Altro

2.2. Per la produzione musicale e spettacolare
    2.2.1. Edifici teatrali, sale da concerto, chiese, palazzi nobiliari ecc.
    2.2.2. Scenografie
    2.2.3. Costumi
    2.2.4. Attrezzeria, macchinari e accessori (proiettori, macchine per effetti speciali, maschere, gioielleria, trovarobato)
    2.2.5. Laboratori di scenotecnica e di illuminotecnica, sartorie ecc.
    2.2. ... Altro

2.3. Per la stampa della musica
    2.3.1. Caratteri mobili e matrici di incisione litografica e calcografica
    2.3.2. Torchi e macchine per la stampa
    2.3.3. Accessori (per la fusione dei caratteri, bulini, punzoni ecc.)
    2.3.4. Sistemi elettronici per la stampa della musica
    2.3. ... Altro

2.4. Per la costruzione di strumenti musicali
    2.4.1. Attrezzi di liuteria
    2.4.2. Attrezzi di organaria
    2.4. ... Altro

2.5. Per la registrazione del suono e delle immagini
    2.5.1. Meccanici
    2.5.2. Magnetici
    2.5.3. Digitali
    2.5.4. Accessori (filtri, modificatori ecc.)
    2.5. ... Altro

2.6. Per la riproduzione del suono e delle immagini
    2.6.1. Lettori
    2.6.2. Amplificatori
    2.6.3. Riproduttori
    2.6. ... Altro

2.7. Per la fruizione a distanza del suono e delle immagini
    2.7.1. Per la trasmissione
    2.7.2. Per la ricezione
    2.7. ... Altro

È chiaro come ogni elenco di questo tipo possa somigliare ad una classificazione rigida, bisognosa di modifiche e integrazioni ed anche opinabile: il nostro intento è solo quello di suscitare una riflessione e una discussione. Sebbene la struttura gerarchica ricalchi quella delle note classificazioni di tipo biblioteconomico, in realtà ciò che proponiamo non possiede la congruità e l'esaustività di uno dei sistemi collaudati di suddivisione del sapere.

Lo scopo principale di questo ordinamento è consentire la visione complessiva degli oggetti che in qualche modo sono coinvolti nella produzione e nella diffusione della musica. Per la maggior parte, questi oggetti non si trovano riuniti in nuclei omogenei, quanto piuttosto occupano realmente posizioni disparate. Di conseguenza il nostro schema concettuale non dovrebbe toccare, durante l'attività di documentazione, la fase di raccolta delle notizie, la quale invece dovrebbe salvaguardare l'unità dei vari contesti. È infatti opinione condivisa che a prescindere dalla varia tipologia dei materiali, occorre sempre curare nella documentazione l'unità degli ambienti che vengono presi sotto esame. «La schedatura ideale è quella che riesce a contestualizzare l'oggetto catalogato, che riesce cioè a storicizzarlo ed a spiegarne la presenza in un determinato ambiente, in un determinato momento storico ed in una specifica situazione culturale. Solo a queste condizioni un catalogo potrà essere utile allo studioso che lo consulta» [Agostino Ziino in TANGARI-TORTORETO: 18] Così, ad esempio, una raccolta libraria che contenga libri musicali e non musicali non va smembrata, poiché la disposizione del materiale ci fornisce utilissime informazioni circa la storia della collezione. L'archivio di un teatro potrebbe contenere spartiti, bozzetti scenografici, contratti e scritture e, nella sua unità, rappresenta la manifestazione tangibile del complesso delle attività musicali. Se venisse smembrato, anche solo in fase di descrizione, secondo un criterio classificatorio avulso dalla sua reale conformazione e stratificazione storica, perderebbe irrimediabilmente il suo ruolo documentario complessivo.

Lo schema che proponiamo potrebbe avere la funzione di griglia sistematica e selettiva per la posizione dei vari oggetti – e quindi anche delle loro descrizioni – all'interno di una struttura astratta di documentazione che rispecchi organicamente il complesso dei materiali connessi alla musica rispettandone le caratteristiche tecniche e funzionali. Oltre a guidare nella realizzazione di apposite strutture di archiviazione dei dati capaci di contenere e di accomunare informazioni molto diverse tra loro, questo sistema può essere utile quando si voglia recuperare e analizzare una singola tipologia documentaria prescindendo dai luoghi di conservazione e dalle raccolte a cui i singoli esemplari appartengono realmente.

Il grado di approfondimento o di dettaglio non è alto e ha inteso rispecchiare le ricerche finora più sviluppate e gli interessi scientifici più manifesti. La suddivisione privilegia innanzitutto la materialità dell'oggetto, le sue caratteristiche tecniche, la sua funzionalità e solo in ultima istanza il suo contenuto informativo. Alcune classi comprendono oggetti che di norma vengono studiati specificamente da discipline lontane dalla musicologia e dalla documentazione musicale, tuttavia, inserendo tali beni all'interno dello schema generale, si è voluto evidenziare il loro coinvolgimento nella produzione e nella diffusione della musica.

Il primo grande gruppo, quello dei «supporti», vuole distinguere quei materiali che assumono il valore di testimonianza culturale sia in se stessi in quanto oggetti, sia, soprattutto, come supporti portatori di un testo in massima parte indipendente da essi. Il secondo, quello degli «strumenti», riunisce invece gli oggetti che principalmente posseggono un valore documentario in se stessi e in misura minore quali portatori di un testo indipendente. Questi ultimi, nel caso specifico, costituiscono l'apparato tecnico che permette ai vari livelli la fruizione della musica.

Nel gruppo dei supporti sono stati distinti quelli che tramandano testi scritti, testi sonori e testi iconografici. Per quel che riguarda i testi scritti, oltre alla tradizionale distinzione tra manoscritti e edizioni a stampa, è stata aggiunta la categoria della letteratura grigia e delle memorie di massa che ormai cominciano ad essere supporti comuni di archiviazione. Nella categoria delle edizioni musicali non si è ritenuto necessario in questo caso distinguere tra pubblicazioni monografiche e pubblicazioni in serie. Anche le testimonianze che interessano l'iconografia musicale sono state incluse tra i supporti e suddivise secondo una tipologia materiale o tecnica, includendo anche i recenti documenti audiovisivi.

Abbiamo voluto evidenziare la posizione degli standard all'interno dello schema generale, sia come pubblicazioni ufficiali

(1.1.2.6.), sia nella fase preparatoria che accompagna attraverso opportuni documenti riservati la loro approvazione definitiva (1.1.3.2.). Questo tipo di documenti palesano una duplice manifestazione: si trovano, infatti, sia come documenti normalmente pubblicati, sia in quanto rapporti e relazioni di lavoro da includere nella cosiddetta letteratura grigia [ALBERANI-DE CASTRO PIETRANGELI: 282].

Per quanto riguarda le memorie digitali (1.1.4.) ci siamo mantenuti ad un livello di distinzione che prende in considerazione soltanto la tipologia tecnica e non il contenuto. Ogni tipo di memoria, infatti, può contenere informazioni prettamente musicali, vale a dire la notazione, ma anche informazioni verbali o iconografiche concernenti la musica.

Se escludiamo i dispositivi per la produzione del suono, ovverosia proprio gli strumenti musicali, il grande gruppo degli *strumenti* è quello che quantitativamente oggi interessa meno la musicologia storica. Questa ancora concentra la maggior parte dei suoi interessi sui testi e solo in stretta misura si occupa degli apparati tecnici che permettono la fruizione della musica, con la conseguenza che la tecnologia della musica non è ancora entrata tra le discipline musicologiche di grande sviluppo. In particolare, tre delle sette categorie previste per gli strumenti – 2.5. *Strumenti per la registrazione del suono e delle immagini*; 2.6. *Strumenti per la riproduzione del suono e delle immagini*; 2.7. *Strumenti per la fruizione a distanza del suono e delle immagini* – appartengono esclusivamente al mondo contemporaneo e ancora non hanno raggiunto lo stadio in cui, uscendo realmente o solo scientificamente dall'uso quotidiano, diventeranno oggetto di ricerca e di tutela.

Come abbiamo accennato, si tratta di una struttura che rimane ad un livello generale e che non manca di alcuni precedenti illustri. La suddivisione di grado più alto è quella che maggiormente si distacca da altre classificazioni basate, per esempio, solo sulla tipologia del materiale di cui le fonti sono costituite o sulla modalità della loro realizzazione. Comunemente queste classificazioni, se escludiamo gli strumenti per la produzione o la riproduzione della musica, non includono per esempio altri tipi di dispositivi tecnici non direttamente coinvolti nella realizzazione del suono [WEBERE]. Per alcune specificazioni delle due categorie primarie, abbiamo mutuato alcune strutture da classificazioni già ben consolidate. In particolare si è fatto riferimento agli ordinamenti riconosciuti a livello internazionale per gli strumenti musicali [WACHSMANN], a quelli proposti per il materiale iconografico–musicale [FERRARI BARASSI, *Iconografia*; TESSARI], a quelli elaborati dall'Istituto centrale per il catalogo e la documentazione (ICCD) del Ministero per i beni e le attività culturali tramite le sue schede di catalogo [<http://www.iccd.beniculturali.it/standard/index.html>; NEGRI ARNOLDI: 75-80] e a quelli proposti per i documenti teatrali e dello spettacolo [D'AMICO].

In questa sede, il nostro interesse primario è concentrato sui *prodotti tecnologici musicali*, in particolare su quegli oggetti musicali che, all'interno della classificazione precedente, abbiamo incluso nella categoria dei « supporti ». Tralasciando quindi di soffermarci sulla classe degli « strumenti », per i quali comunque è prevista una normativa standard di documentazione, faremo riferimento ai metodi utilizzati per individuare e descrivere i libri di musica, i dischi e i CD, i supporti audiovisivi e i documenti digitali come *file*, CD-ROM, DVD ecc. Per questi ultimi ci occuperemo anche dei vari formati attraverso i quali vengono distribuiti e diffusi.

Da questo particolare punto di vista è possibile individuare almeno tre funzioni in cui gli standard trovano una loro necessità e un loro privilegiato ambito di applicazione: la produzione, l'identificazione e la rappresentazione degli oggetti musicali. Di queste tre funzioni, la prima si serve degli standard per garantire il formato uniforme dei suoi prodotti, mentre le altre due utilizzano gli standard per consentire un riferimento secondario e univoco all'oggetto, nonché permettere la sua documentazione. Si dovrà parlare perciò di numeri standard identificativi, di modelli standard di rappresentazione e di formati standard di produzione.

Funzioni	Standard
Produzione	Formati
Identificazione	Numeri
Rappresentazione	Modelli

Nella trattazione che seguirà, non ci muoveremo secondo la stessa sequenza progressiva, ma inizieremo con gli argomenti tecnici che riteniamo più semplici per poi passare a temi più complessi e di maggiore interesse per la documentazione. Inizieremo quindi con l'esaminare i numeri standard, passando in seguito ai modelli di descrizione, per finire con i formati di produzione.

Anche nella realtà la successione normale di queste funzioni può essere modificata, poiché, ad esempio, è possibile identificare un prodotto con un numero standard già prima che questo venga ad essere effettivamente realizzato. Tuttavia, per i nostri scopi è utile tenere sempre a mente la successione cronologica comune di queste funzioni, così come l'abbiamo proposta nella precedente tabella. Attraverso quello schema sarà possibile in ogni momento ricollocare ogni singolo standard all'interno della sequenza generale che accompagna nel suo ciclo di vita ogni prodotto musicale: a partire dalla sua realizzazione fino alle mutevoli modalità di fruizione diretta o mediata.

Alcuni centri istituzionali italiani che si occupano di documenti musicali: ICCD, ICCU, Discoteca di Stato

L'Istituto centrale per il catalogo e la documentazione (ICCD; <http://www.iccd.beniculturali.it>) è uno dei quattro Istituti centrali del Ministero per i beni e le attività culturali.

Promuove e coordina l'attività di catalogazione dei beni culturali italiani, curando l'unificazione e la diffusione dei metodi attraverso l'elaborazione delle metodologie catalografiche, la predisposizione di strumenti di controllo, la gestione del Sistema informativo del Catalogo dei beni ambientali, architettonici, archeologici artistici e storici, demoantropologici e la realizzazione di progetti culturali con Istituzioni nazionali e internazionali.

Lo ICCD si struttura in: Direzione, Segreteria tecnica, Beni archeologici, Beni architettonici, Beni storico-artistici, Pubblicazioni, Archivio catalogo, Servizi informatici, Fototeca Nazionale, Museo della Fotografia, Laboratorio fotografico, Aerofototeca, Ufficio tecnico, Ufficio amministrativo.

L'Istituto centrale per il catalogo unico delle biblioteche italiane e per le informazioni bibliografiche (ICCU; <http://www.iccu.sbn.it>), anch'esso tra i quattro Istituti centrali del Ministero per i beni e le attività culturali, svolge funzioni di catalogazione e documentazione del patrimonio librario conservato nelle biblioteche pubbliche curando l'unificazione dei metodi. Principale espessione dell'attività dell'ICCU è il Servizio bibliotecario nazionale (SBN), la rete informatizzata che consente la gestione del catalogo collettivo nazionale delle biblioteche italiane.

➡

« A supporto dell'attività di catalogazione delle biblioteche in Italia, l'Istituto ha la responsabilità di indirizzare, produrre, adattare alla realtà italiana e diffondere le norme standard per la catalogazione delle diverse tipologie di materiali dai manoscritti ai documenti multimediali » [<http://www.iccu.sbn.it/istituto.html>].

Per quello che riguarda i documenti musicali va citata la base-dati *SBN-Musica* che fa parte del catalogo collettivo citato precedentemente e che contiene notizie bibliografiche riguardanti manoscritti ed edizioni a stampa musicali [PARMEGGIANI].

La Discoteca di Stato (<http://www.dds.it>) « è la principale collezione pubblica italiana di documentazione sonora. Come le analoghe fonoteche nazionali degli altri Paesi, garantisce la conservazione e la fruizione del suo patrimonio composto da documenti su disco, nastro, CD e video ».

Inoltre la Discoteca di Stato provvede all'acquisizione, alla documentazione, alla conservazione e la divulgazione del patrimonio sonoro nazionale, sia edito che inedito e delle fonti orali della storia e della cultura italiana.

2. I NUMERI

Per iniziare la trattazione prettamente tecnica sugli standard, dedichiamo uno spazio autonomo ai *numeri*. Forse avremmo dovuto parlare più correttamente di *codici identificatori standard* o più semplicemente di *identificatori*, poiché intendiamo, con il termine generico *numeri*, tutte quelle sequenze di simboli che permettono di identificare univocamente dei supporti o delle opere musicali. Questi codici ci consentono di effettuare un rimando diretto agli oggetti a cui fanno riferimento e di conseguenza ci consentono il loro recupero, facilitando la loro documentazione.

Anche in questo caso si possono mutuare alcuni esempi tratti dalla vita di tutti i giorni per introdurre sia gli strumenti specifici, cioè gli identificatori, sia i motivi che ne determinano la diffusione e l'uso. Infatti, se per esempio facciamo riferimento agli identificatori personali, notiamo che ognuno di noi è individuato non solo da un nome e cognome, ma anche da una serie di codici che lo distinguono in determinate occasioni e in certi ambiti e che designano un suo aspetto particolare. Il codice fiscale è senz'altro l'esempio più noto di identificatore univoco, ma possiamo citare anche il numero dell'assistenza sanitaria, il numero di conto corrente bancario o postale e persino il nostro numero di telefono che, specialmente dopo l'avvento massiccio della telefonia cellulare, può a buon diritto essere utilizzato come un codice di identificazione [MILLER]. Tali identificatori assumono nella maggior parte dei casi le caratteristiche di univocità richieste dai codici standard, mentre in altre occasioni, come accade per il numero telefonico, lasciano spazio a possibili incongruenze e non garantiscono una corrispondenza biunivoca rigorosa tra numero e persona. In altre parole, mentre il nostro codice fiscale si riferisce esclusivamente a noi stessi, attraverso il nostro numero di telefono ci si può riferire alla nostra persona, ma anche, per esempio, ai nostri familiari.

Da molto tempo, specialmente in ambito industriale e commerciale, si è manifestata la necessità di individuare singole classi di prodotti o addirittura singole unità di prodotto attraverso codici identificativi univoci che permettano, durante qualsiasi fase del procedimento produttivo o di vendita, la distinzione di ogni esemplare e la sua conseguente gestione informativa [Green-Bi-de]. Tale esigenza è cresciuta notevolmente da quando l'uso degli strumenti digitali ha sostituito quasi completamente con nuove procedure automatizzate le consuetudini informative che nel passato affiancavano la produzione e la diffusione dei prodotti commerciali. Ieri questi processi venivano svolti tramite la comunicazione in forma scritta su carta, mentre oggi si esercitano attraverso lo scambio di informazioni digitali acquisite, per esempio, attraverso la lettura ottica di codici a barre e elaborate o comunicate con strumenti dalla potenza tecnica sempre maggiore. Gli identificatori assumono da questo punto di vista un ruolo di notevole importanza, in particolar modo, come abbiamo accennato, nell'ambito del commercio tradizionale ed elettronico, ma anche, per esempio, in quello della tutela del diritto d'autore.

Anche la musica ha evidenziato la necessità dell'individuazione univoca di opere e supporti, soprattutto a causa del coinvolgimento sempre più ampio dei dispositivi digitali nella creazione e nella diffusione musicale, al pari di quanto è avvenuto progressivamente, come abbiamo visto nei capitoli precedenti, in tutte le arti. La formulazione di tali identificatori è avvenuta sia in modo analogo a quanto succedeva nel mondo musicale in epoche passate, sia secondo sistemi inediti e tipici dell'era digitale che stiamo vivendo.

Il motivo per cui ci occupiamo in questa sede degli identificatori standard musicali è duplice. Da una parte perché molto spesso non si tratta di semplici sequenze di cifre, ma di complessi codici descrittivi o come viene detto impropriamente « intelligenti », che posseggono cioè un significato decifrabile e che sono costituiti indistintamente da cifre arabe o romane, da segni alfabetici e di interpunzione. La loro varia articolazione e la loro specifica sintassi consentono di elaborare in pratica infinite sequenze diverse che, a loro volta, garantiscono l'univocità del legame e quindi la corrispondenza biunivoca tra codice e oggetto o opera. Tuttavia la loro forma si presenta in molti casi criptica al non esperto, il quale non riesce a comprendere in che modo e perché un gradevolissimo pezzo di musica debba essere nominato da una freddissima e incomprensibile sequenza di numeri e lettere.

In secondo luogo, vogliamo dedicarci all'esame di questi particolari codici di identificazione, poiché il sistema di individuazione di opere e supporti tramite una numerazione non è affatto sconosciuto al mondo musicale, tanto da poter affermare che gli

Gli identificatori univoci nel commercio e nel diritto d'autore

Per avere un'idea della consistenza del movimento che spinge all'adozione degli identificatori standard nel campo del commercio basterà prendere atto della documentazione disponibile sui siti dello *European article number international* (EAN Int.: <http://www.ean-int.org>), un'organizzazione che si occupa di sviluppare e diffondere alcuni metodi di identificazione dei singoli articoli commerciali attraverso un codice a barre, o dello *Uniform code council* (UCC: <http://www.uc-council.org>), anch'esso impegnato, insieme ad EAN, a diffondere tale metodologia di identificazione. È interessante inoltre esaminare lo stato di avanzamento degli standard relativi all'identificazione univoca automatica, scorrendo quanto è pubblicato sul sito del sottocomitato della ISO che si occupa di questo argomento (ISO-IETC JTC1/SC31: *Information technology–Automatic identification and data capture technique*; <http://www.uc-council.org/sc31/home.htm>), o anche del sottocomitato che si occupa invece dell'identificazione dei documenti (ISO TC46/SC9: *Information and documentation–Presentation, identification and description of documents*; <http://www.nlc-bnc.ca/iso/tc46sc9/index.htm>).

Per ciò che riguarda invece il problema del diritto d'autore si potranno esaminare le informazioni fornite dalla *World intellectual property organization* (WIPO; <http://www.wipo.int>) e in particolare i documenti sui vari progetti riguardanti l'identificazione delle opere intellettuali soggette a tutela [*Current*]. Una rassegna di questi progetti e dei sistemi per la difesa del diritto d'autore si potrà consultare sul sito gestito da *El.pub* (*Electronic publishing*) all'indirizzo specifico <http://www.elpub.org/top 007.htm>.

odierni sistemi siano gli esiti diretti di quelli che hanno consentito di distinguere opere ed edizioni nel passato. Da tempo, infatti, la musica ha a che fare con dei numeri identificativi che hanno lo scopo di individuare univocamente le composizioni, così come le singole edizioni di un'opera. I musicisti, i critici musicali e anche i semplici appassionati si riferiscono alle opere di molti compositori semplicemente citandole attraverso il proprio *numero d'opus e di ordine* o il loro *numero di catalogo tematico*. Allo stesso modo chi si occupa di editoria musicale o di catalogazione dei libri di musica conosce bene il cosiddetto *numero di lastra* o il *numero editoriale* che contraddistingue una singola edizione musicale. Gli studiosi e gli appassionati di discografia sono invece abituati a identificare le registrazioni sonore o i dischi con i *numeri di matrice e di presa*. Ecco perché abbiamo scelto di intitolare generalmente questo capitolo ai *numeri*.

Effettivamente, se la musica è stata considerata fin dall'antichità, a partire almeno da Pitagora e dai pitagorici, come un'espressione di rapporti numerici [GUANTI: 11-23] è anche vero che da quando si è diffusa la notazione musicale e, in particolare, con l'avvento della polifonia, molte opere musicali sono state identificate e designate da locuzioni che contenevano delle espressioni numeriche: ad esempio per specificare la modalità (es.: *Magnificat primi toni*) o il numero delle voci e degli strumenti (es.: *Dixit Dominus quattuor vocibus*; *Canzone a due, violino e leuto*) o, per esempio, dei cori (es.: *Salve Regina a due cori*).

In seguito anche l'eventuale pubblicazione dell'opera musicale venne identificata tramite un'espressione numerica (es.: *Liber primus*) e così l'intera produzione di un compositore venne in molti casi suddivisa in opere contraddistinte anch'esse da un ordine numerico detto numero d'*opus* o numero d'opera (es.: *Opera decima*). Ancor oggi moltissime composizioni musicali, in special modo strumentali, vengono citate attraverso il numero d'opera e di ordine che hanno acquisito per tradizione bibliografica e musicologica (es.: Ludwig van Beethoven, *Sonata per pianoforte n. 28 op. 101*). Tali numeri contraddistinguono la composizione e consentono di riferirsi ad essa univocamente e senza originare equivoci [FULLER].

A partire dal secolo XIX la disciplina bibliografico-musicologica ha inaugurato la consuetudine di catalogare sistematicamente l'intera produzione di alcuni compositori attraverso i cosiddetti *cataloghi tematici* [BROOK]. Questi documenti ordinano le composizioni cronologicamente o secondo un criterio musicale, cioè per forme e temi, e assegnano ad ogni singola opera una sigla che comunemente è composta da un gruppo di lettere che indica il repertorio bibliografico (es.: *K* per il catalogo tematico di L.R. van Köchel sulle opere di Wolfgang Amadeus Mozart [KÖCHEL]; *Hob* per il catalogo di A. van Hoboken sulle opere di Joseph Haydn [HOBOKEN]; *RV* per il catalogo di P. Ryom sulle opere di Antonio Vivaldi [RYOM]) e un numero progressivo che identifica univocamente l'opera (es: Wolfgang Amadeus Mozart, *Concerto per violino e orchestra K 219*; Joseph Haydn, *Die Schöpfung, Hob XXI: 2*; Antonio Vivaldi, *Concerto n. 1 in mi maggiore, RV 269 « La Primavera »*).

Molto importanti per lo studio dell'editoria musicale e più vicini nella prassi di redazione e d'uso agli odierni identificatori standard sono i cosiddetti numeri di lastra o editoriali. Questi ultimi hanno contraddistinto e continuano a caratterizzare le edizioni musicali secondo sequenze consecutive e, in molti casi, possono essere determinanti per la datazione delle pubblicazioni dei singoli editori e per la ricerca sulla loro attività produttiva [KRUMMEL, *Literature*: 9-10; ANTOLINI, *Editoria*: 17-18].

Inoltre dobbiamo considerare che l'editoria musicale ha per lungo tempo adottato la forma della pubblicazione seriale, diffusa sotto forma di abbonamento o di sottoscrizione. Gran parte delle edizioni musicali dell'Ottocento, ad esempio, venivano stampate e distribuite in grande quantità come periodici o collane e venivano identificate con una numerazione consecutiva, come anche oggi si effettua per tutte le pubblicazioni in serie [ANTOLINI, *Nuove*].

Ricordiamo come la musicologia recente, nell'ambito dell'attività internazionale di inventariazione di tutti i libri di musica promossa dal *Répertoire international des sources musicales*, ha iniziato ad utilizzare il numero che ogni fonte a stampa possiede all'interno dei cataloghi RISM per indicare univocamente una particolare edizione e riferirsi ad essa all'interno di altri cataloghi o di saggi scientifici. Questo numero, pur non essendo riconosciuto come uno standard *de iure*, lo è di fatto nel limitato ambito degli studi musicologici, poiché svolge il ruolo di identificatore univoco delle edizioni musicali antiche.

Durante il primo periodo della registrazione sonora e della pubblicazione dei supporti sonori in forma di cilindro o disco, la registrazione veniva effettuata completamente in un'unica sessione, senza la possibilità di un ulteriore intervento di modifica o di correzione. Ogni registrazione era contraddistinta da un numero di matrice che veniva aggiunto al supporto principale identificandolo all'interno della produzione di una stessa casa discografica. A volte, qualora fosse necessario ripetere l'esecuzione e la rispettiva acquisizione del suono, al numero di matrice si aggiungeva un identificatore della *presa* che veniva a far parte integrante dell'identificatore della registrazione. Spesso questo numero veniva impresso anche sulle copie dei dischi immessi sul mercato per la distribuzione, caratterizzandone di fatto l'edizione. In seguito anche i supporti sonori furono accompagnati da un

Il *Répertoire international des sources musicales* (RISM)

Il RISM è un organismo internazionale che «ha il compito di documentare la tradizione a stampa e manoscritta della musica in tutto il mondo» [SCHLICHTE, *RISM*: 9]. Nell'ambito del programma del RISM, i dati inviati dai gruppi nazionali e raccolti presso la *Zentralredaktion* che risiede a Francoforte, vengono periodicamente pubblicati in forma stampata, su CD-ROM o, in alcuni casi, sono consultabili *on-line*.

Le pubblicazioni del RISM sono suddivise nelle Serie A, B e C.

La Serie A è suddivisa in due parti: la serie A I che comprende il catalogo delle fonti musicali a stampa anteriori al 1800 in ordine alfabetico per autore; la serie A II che prevede le schede relative ai manoscritti musicali redatti nel periodo 1600-1800.

La serie B invece contiene la catalogazione di particolari tipi di fonti musicali suddivise per tipologia. B I-II: miscellanee di musica pubblicate tra il 1500 e il 1799; B III: teoria musicale dall'età carolingia sino a ca. il 1500; B IV: manoscritti di musica polifonica dallo XI al XVI secolo; B V: manoscritti contenenti tropi e sequenze; B VI: scritti concernenti la musica pubblicati fino al 1800; B VII: intavolature per liuto e per chitarra; B VIII: il *Kirchenlied* tedesco; B IX: fonti ebraiche di musica e di teoria musicale; B X: fonti arabe di musica e teoria della musica; B XI: fonti antiche di musica e teoria musicale; B XII: fonti persiane di musica e di teoria musicale; B XIII: fonti per l'innodia; B XIV: manoscritti contenenti processionali.

La serie C comprende il censimento delle biblioteche utili per la ricerca musicologica, con il volume C III che contiene le informazioni riguardanti l'Italia. Infine abbiamo un volume che non rientra nelle serie principali e che contiene l'elenco delle sigle RISM delle biblioteche [KEIL].

L'Italia ha finora contribuito notevolmente a quest'opera di censimento, fornendo una notevole quantità di schede che però rappresentano solo una parte del patrimonio esistente nel nostro paese.

Ulteriori informazioni sul RISM si possono trovare alla pagina <http://www.rism.harvard.edu/rism/Welcome.html>.

numero di catalogo editoriale, al pari delle pubblicazioni a stampa. Quando si pubblicavano dischi che portavano un solo lato inciso, il numero indicava l'incisione, ma conseguentemente anche il supporto. Più tardi, quando si diffuse la produzione di supporti che portavano entrambi i lati incisi, si passò da una duplice numerazione, una per ogni lato, a un numero unico che non identificava più la registrazione, ma il supporto e di conseguenza entrambi i lati incisi del disco [IASA, *Rules*: Introduction].

Come abbiamo visto, tutti questi codici identificativi risultano essere molto utili non solo nella pratica musicale, ma anche, se non soprattutto, nell'ambito degli studi musicologici, i quali per comodità di riferimento ne fanno un uso molto assiduo. Sotto questo aspetto la musica e la musicologia hanno affrontato da tempo problemi di documentazione che nel passato apparivano sconosciuti o almeno lontani da altre forme di comunicazione. Recentemente, invece, anche altre discipline scientifiche e umanistiche hanno dovuto affrontare e risolvere problemi analoghi, facendo ricorso a metodi simili a quelli consolidati in campo musicale. Infatti, la diffusione delle tecnologie digitali ha evidenziato al massimo la necessità di identificatori univoci per tutti i tipi di documenti e di opere e ha favorito l'elaborazione di una cospicua quantità di differenti sistemi di espressioni alfanumeriche che se da una parte si rivelano molto pratiche ed efficaci, dall'altra nascondono problemi non sufficientemente argomentati di natura estetica, tecnica e giuridica.

Tali questioni riguardano non tanto i criteri di formulazione dei numeri standard, né la connessione biunivoca che si deve instaurare con l'oggetto codificato, quanto piuttosto la frequente difficoltà a determinare univocamente l'oggetto che si vuole identificare. Ciò può succedere almeno per due motivi: o perché si vuol fare riferimento non ad un singolo oggetto, ma ad un gruppo di oggetti, ad una categoria; oppure perché l'oggetto che si vuole identificare sfugge ad una determinazione stabile e permanente.

Il primo ordine di problemi è ben noto alla filologia, la quale ha lo scopo di ricostruire un testo a partire dai suoi testimoni scritti. Spesso un'opera non è costituita da un testo fissato e riconosciuto dall'autore, ma dall'insieme di quelle versioni tramandate dalle fonti manoscritte che abbiamo a disposizione e che devono essere vagliate dai critici per determinare una lezione accettata [FEDER]. Inoltre, i recenti studi di bibliografia testuale hanno dimostrato che anche riferirsi univocamente alla pubblicazione a stampa di un'opera può portare, specie nel periodo più antico della tipografia, a fraintendimenti e ad errori nella restituzione di un testo, poiché non sempre i vari esemplari di un'edizione presentano una lezione identica e criticamente accettabile di un testo [FAY].

D'altra parte è sempre più urgente la necessità di riferirsi univocamente non solo ad un'opera nella sua totalità, ma anche alle diverse parti che la costituiscono complessivamente. Questo vale, ad esempio, per i libri, la cui articolazione e il cui contenuto parziale può essere oggetto di interesse e di scambio e quindi deve essere passibile di identificazione univoca. Allo stesso modo, un singolo articolo di una rivista può essere diffuso autonomamente e perciò ha bisogno di essere individuato senza equivoci per poter essere recuperato e distribuito. Anche nella musica l'esigenza di distinguere le singole parti che costituiscono un'opera è particolarmente sentita, poiché spesso l'unitarietà di una composizione è tutt'altro che esplicita. Un'opera musicale può configurarsi, infatti, come il montaggio di numerosi pezzi, i quali, a loro volta, possono già possedere o possono assumere in un secondo tempo una completa autonomia. A titolo di esempio, potremmo citare il teatro musicale che da sempre ha visto l'uso autonomo delle arie d'opera, sia da parte dei cantanti che degli editori musicali, ma anche – e questo è molto più importante – da parte degli stessi compositori.

Per ciò che riguarda, invece, la difficoltà a individuare stabilmente una composizione, basti ricordare la dibattuta questione dell'identità dell'opera musicale, per aver chiari i problemi messi in campo dalla richiesta di un codice identificativo univoco [INGARDEN]. Da questo punto di vista non si sa in effetti a che cosa l'eventuale identificatore debba far riferimento, se alla partitura in notazione, se ad una sua possibile esecuzione, oppure ad una sua concezione ideale e impossibile da identificare realmente. La musica può per questo essere di modello per altre forme di comunicazione come, ad esempio, la letteratura, le quali solo recentemente si sono trovate ad affrontare seriamente questo tipo di problemi. Ciò è accaduto da quando la rapida diffusione degli strumenti informatici ha consentito e richiede lo scambio digitale del contenuto, non considerando la reale manifestazione fisica dell'opera che nel passato sembrava imprescindibile. L'instabilità dell'opera d'arte letteraria, analoga a quella della musica pur se a un grado minore, era conosciuta da sempre in ambito filologico, ma veniva pressoché ignorata dall'industria editoriale per la quale il contatto fisico con il libro era garanzia dell'univocità e della riconoscibilità del contenuto. Oggi l'informatica e la telematica hanno minato in modo irrimediabile anche tale sicurezza, sollevando dei quesiti che solo in questi ultimi anni hanno stimolato un dibattito autorevole. Ad esempio, recentemente la IFLA ha proposto una sistemazione ragionata di tali problemi dal punto di vista della documentazione e della biblioteconomia, redigendo una sorta di prontuario di requisiti necessari ad ogni tipo di registrazione bibliografica [*FRBR*]. Di questa guida pratica ci occuperemo dettagliatamente nel capitolo dedicato ai *Modelli*. Per ora basti dire che ancora una volta la risoluzione tecnica delle difficoltà di ordine documentario costringono almeno ad affrontare temi più profondi di natura semantica ed estetica. Pur non occupandosi esclusivamente e a fondo del materiale musicale e tantomeno dei problemi concernenti la determinazione dell'opera musicale, questa guida prende spesso ad esempio la musica per illustrare alcune questioni basilari di descrizione e documentazione che riguardano l'identificazione delle opere e i rapporti che queste instaurano con le proprie eterogenee manifestazioni.

Oltretutto, accenniamo soltanto al fatto che, legate a tali problemi teorici ed estetici, sorgono nuove pressanti questioni di natura giuridica riguardanti il tema controverso del diritto d'autore nell'era della transazione e del commercio elettronico [GERVAIS]. Questi argomenti sono saliti alla ribalta della cronaca grazie ad alcuni casi eclatanti di violazione del diritto d'autore così come era stato concepito e gestito fino a qualche anno fa in campo musicale. Non a caso, come vedremo, proprio il settore della tutela della proprietà intellettuale è tra quelli che spingono maggiormente verso la definizione e l'adozione di specifici identificatori univoci riguardanti le opere d'ingegno. Le società che si occupano della loro tutela, infatti vedono nei codici di identificazione dei validi strumenti tecnici di base che possono semplificare notevolmente il controllo della diffusione delle opere artistiche e intellettuali.

Tra i problemi prettamente tecnici che sono oggi in discussione riguardo agli identificatori univoci, due ci sembrano particolarmente interessanti e carichi di conseguenze. Da una parte la scelta tra i codici descrittivi e quelli definiti invece non descrittivi e dall'altra la questione della cosiddetta *granularità*, vale a dire la necessità di frammentare o accrescere nel dettaglio il codice rappresentativo originario di un oggetto per indicare il suo contenuto parziale e analitico [GREEN-BIDE].

La differenza tra codici descrittivi e non descrittivi sta nel fatto che mentre i primi sono portatori di significato attraverso la loro struttura e la loro sintassi, descrivendo in modo sintetico l'oggetto a cui si riferiscono, i secondi sono invece numeri casuali che hanno l'unica proprietà di essere univocamente riferiti a un contesto preciso e individuabile. Proseguendo con gli esempi iniziali, mentre il codice fiscale può essere considerato un codice descrittivo, in quanto nella sua formulazione sono riconoscibili le informazioni anagrafiche essenziali della persona a cui si riferisce, il numero di conto corrente bancario o postale è invece un codice non descrittivo, poiché è costituito da una sequenza di cifre che ha soltanto lo scopo di distinguere un particolare rapporto economico. Il codice fiscale ci fornisce informazioni sull'individuo che distingue, mentre il numero di conto corrente bancario o postale nella maggior parte dei casi non ci dice quasi nulla, per esempio, sull'intestatario o sul tipo di relazione che intercorre tra soggetto e azienda di credito.

Sia i codici descrittivi che quelli non descrittivi sono dotati da un punto di vista tecnico di lati positivi e negativi. Da una parte la nostra società dell'informazione spinge sempre più ad utilizzare degli identificatori non descrittivi, casuali, in quanto sono semplici, possono essere generati automaticamente e in pratica non hanno limiti quantitativi: possono cioè rappresentare una serie pressoché infinita di oggetti. Ma non si può al contrario disconoscere la capacità dei codici descrittivi di essere maggiormente informativi e di consentire all'utente non solo di leggere e interpretare queste formule, ma addirittura di generarne autonomamente di nuove per identificare univocamente oggetti di propria creazione, conoscendo le regole di composizione. Purtroppo, però, non si può pensare a una così ampia serie di codici descrittivi diversi e capaci di identificare una innumerevole quantità di oggetti. Tra gli identificatori univoci di cui tratteremo dettagliatamente nei prossimi paragrafi, alcuni possono essere ascritti alla categoria dei codici descrittivi, altri invece si possono annoverare tra quelli non descrittivi.

Codici descrittivi	Codici non descrittivi
ISBN	ISSN
ISMN	ISAN
ISRC	ISWC

Per quel che concerne, invece, la granularità, questa tocca ogni identificatore che caratterizza un oggetto le cui parti distinte possono a loro volta necessitare di una distinzione univoca. Abbiamo già accennato agli articoli di una rivista e, nel campo musicale, alle arie d'opera. Volendo precisare ulteriormente basti pensare che se è necessario un codice identificativo riguardante la totalità di un'opera drammaturgica, vi è anche il bisogno di altri codici che identifichino, per esempio, i singoli atti e quindi le singole scene. All'interno delle scene sarà poi necessario identificare univocamente eventuali recitativi, separandoli dalle arie; in un'aria potrebbe essere addirittura necessario identificare univocamente un singolo gruppo di battute corrispondenti a un verso del libretto fino ad arrivare al dettaglio della singola battuta, se non della singola nota.

Questo esempio può sembrare esagerato, ma dobbiamo tenere presente che comunemente noi utilizziamo molti metodi complessi di riferimento dettagliato che ci sono indispensabili per qualsiasi nostra attività. Se pensiamo, per esempio, a come normalmente un direttore d'orchestra comunica ai suoi musicisti il punto esatto da cui ricominciare a suonare durante una prova, capiamo che l'indicazione della pagina della partitura e della battuta specifica compongono effettivamente un codice identificativo di tipo granulare che consente agli esecutori di recuperare agevolmente e senza equivoci il punto esatto da cui ripartire.

Per i documenti realizzati e diffusi in forma elettronica il bisogno di un sistema che consenta l'identificazione a un livello progressivo di dettaglio sembra effettivamente cruciale. Infatti è assolutamente impossibile recuperare all'interno di un documento elettronico una sua parte o raggiungere direttamente un punto preciso nel documento se questo non è stato individuato e segnalato esplicitamente. La documentazione delle risorse elettroniche ha assolutamente bisogno di tali strumenti di identificazione, poiché non ha altri mezzi per riferirsi univocamente agli oggetti in forma digitale nei loro componenti.

La più grande difficoltà dei codici identificativi granulari risiede nel fatto che non si può prevedere in anticipo il grado di dettaglio che può essere necessario in qualsiasi occasione e d'altra parte non si può neanche predeterminare un livello fisso di approfondimento oltre il quale non si possa andare. La soluzione che sembra più efficace è quella di elaborare dei codici identificativi aperti che consentano di instaurare delle relazioni gerarchiche e che quindi permettano di collegare attraverso uno specifico riferimento il codice della parte con quello dell'oggetto nella sua totalità [GREEN-BIDE]. Due esempi di standard di identificazione che contemplino questa possibilità, anche se a un basso livello di dettaglio, sono lo *International standard serial number* (ISSN) e lo *International standard audiovisual number* (ISAN) che esamineremo rispettivamente nei successivi paragrafi 2.2. e 2.5. Questi codici prevedono all'interno della loro struttura una serie numerica volta, appunto, alla determinazione di singole parti dell'oggetto nel suo insieme, ove questo sia possibile. Un altro esempio che si spinge ad un maggiore livello di dettaglio è il cosiddetto *Publisher item identifier* (PII) di cui parleremo brevemente in 2.7., un codice adottato all'interno dell'industria editoriale tecnico-scientifica statunitense per identificare i singoli contributi facenti parte di una pubblicazione. Quest'ultimo identificatore viene composto a partire dagli identificatori standard dedicati ai libri o alle pubblicazioni in serie [*PII*; PASKIN].

I codici di cui tratteremo in questo capitolo sono già stati approvati dalla ISO o sono in via di studio e di approvazione [PASKIN]. Ciò non toglie che singole organizzazioni produttive, commerciali o artistiche possano elaborare al loro interno dei sistemi di identificazione univoca che non sono pubblici e che rispondono esclusivamente alle esigenze interne della stessa struttura che le utilizza. Questi sistemi ovviamente non vengono riconosciuti all'esterno e non consentono il dialogo collettivo tra organizzazioni che intendessero cooperare: non sono infatti armonizzati. È certamente impossibile anche solo fornire un censimento attendibile concernente i codici identificarori riservati e non-standard, sia perché è difficilissimo conoscerne la reale consistenza, data la loro disseminazione e la loro molteplicità, sia poiché è molto difficile recuperare su di essi informazioni attendibili e controllate. Solo lo studio specifico della singola organizzazione può mettere in luce i sistemi di identificazione adottati ai vari livelli della produzione e della diffusione all'interno di uno stesso ente, così come comunemente accade, per esempio, quando si effettua una ricerca su un editore musicale attraverso l'analisi dei numeri editoriali.

Rispetto ai codici identificativi univoci, la musica si trova in una situazione molto interessante poiché, per la sua specifica situazione documentaria, coinvolge un numero notevole di standard diversi, in modo alquanto singolare al confronto di qualsiasi altro tipo di oggetto. Lo schema che segue esemplifica la complessa situazione in cui si trova l'opera musicale.

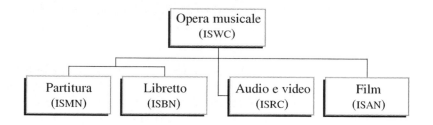

Un'opera di teatro musicale, per esempio, sarà contrassegnata in quanto tale da uno *International standard musical work code* (ISWC), la sua partitura a stampa verrà identificata da uno *International standard music number* (ISMN), il suo libretto sarà invece distinto da uno *International standard book number* (ISBN), la sua registrazione audio o video verrà contraddistinta da uno *International standard recording code* (ISRC), mentre la trasposizione in forma cinematografica sarà caratterizzata da uno *International standard audiovisual number* (ISAN).

Possiamo però proseguire ulteriormente nel dettaglio poiché se, ad esempio, il testo poetico dell'opera o la partitura sono stati pubblicati all'interno di una edizione in serie, cioè di una collana, a questo verrà attribuito anche uno *International standard serial number* (ISSN); se invece, come vedremo, si reperirà su un sito Internet potrà essere contraddistinto anche da un suo specifico *Uniform resource name* (URN). Senza contare che se volessimo estrarre solo una parte dell'opera, quest'ultima potrebbe essere identificata da un *Book item and component identifier* (BICI) e così via.

2.1. *International standard book number*: ISBN

Il primo codice identificativo standard a cui facciamo riferimento è lo *International standard book number*. Piuttosto che interessare esclusivamente i documenti musicali, questo numero viene applicato in genere al materiale librario, quindi ai libri che non contengono prevalentemente notazione, ma informazioni *sulla* musica come i libri di storia e teoria musicale [*ISBN*; *Norme ISBN*; ORMEZZANO: 309-316; DE CASTRO: 3-5]. Considerando che la sua struttura è stata di modello per l'elaborazione di altri codici identificativi più specifici, ISBN è particolarmente esemplificativo e può essere preso come punto di riferimento per gli altri numeri a cui rivolgeremo in seguito la nostra attenzione. Infatti condivide con tutti gli altri codici identificatori alcune caratteristiche essenziali, tra cui principalmente il rispetto della corrispondenza biunivoca tra codice e oggetto, per il quale un codice identificativo può essere utilizzato una e una sola volta per indicare uno e un solo oggetto.

Lo *International standard book number* (ISBN) è il codice internazionale di identificazione dei libri stabilito dalla norma ISO 2108:1992 – *Information and documentation-International standard book numbering (ISBN)*. Pubblicato in prima edizione nel 1970 dalla ISO dopo alcuni anni di discussioni e riunioni internazionali, ISBN è oggi adottato in circa 150 paesi ed è considerato uno dei veicoli più importanti per la diffusione delle pubblicazioni a stampa sia a livello nazionale che internazionale.

L'attività di attribuzione dei codici ISBN è distribuita su scala nazionale ad alcuni enti che si occupano di distribuire, all'interno della propria area linguistica o del proprio stato, i codici identificativi univoci ai singoli editori, garantendo allo stesso tempo la congruità dei numeri assegnati alle edizioni da questi ultimi. Per l'Italia, il compito di presiedere a quest'opera è stato assegnato all'Associazione italiana editori (AIE; <http://www.aie.it>).

In ambito internazionale, invece, esiste a Berlino la *International ISBN agency* che coordina l'attività di tutti i centri nazionali, verificando a sua volta i codici che sono stati attribuiti nei singoli paesi. Inoltre l'agenzia internazionale promuove l'adozione di questo standard anche attraverso alcune pubblicazioni, tra cui segnaliamo *The publishers international ISBN directory*, vale a dire l'elenco di tutti gli editori a cui è stato attribuito un prefisso numerico valido all'interno del codice ISBN.

Il codice ISBN identifica univocamente una particolare edizione di un libro pubblicata da uno specifico editore, anche se questa non viene diffusa necessariamente sotto forma di volume a stampa.

Per capire cosa effettivamente voglia dire *libro non a stampa* e per cogliere tutte le implicazioni che questa distinzione determina nei confronti della musica, basterà riferirsi alle istruzioni fornite dall'agenzia internazionale per distinguere ciò che, pur non essendo in forma stampata, è idoneo o al contrario non idoneo a possedere un codice ISBN.

1. Audiocassette
Idonei:

I. Cassette contenenti testo recitato. Si tratta principalmente di narrazioni di storie o recita di poesie, ma possono essere anche nastri contenenti qualsiasi tipo di istruzioni. La musica può essere presente, ma solo come introduzione o sottofondo che accompagna la parola parlata.

II. Cassette contenenti suoni non musicali accompagnati da testo parlato. Per esempio, suoni di uccelli accompagnati da un commento verbale.

III. Cassette contenenti filastrocche e ninnananne per bambini accompagnate o non accompagnate da musica.

IV. Cassette contenenti lezioni di musica o di tecnica musicale. La musica può essere presente, ma deve essere secondaria rispetto alla testo parlato.

Non idonei:

V. Cassette contenenti musica o in cui la musica costituisce l'elemento più rilevante.

VI. Cassette contenenti canzoni (accompagnate o non accompagnate da musica strumentale), a meno che le canzoni siano presentate in forma poetica non accompagnata o consistano di rime recitate come descritto in 1.III.

VII. Cassette contenenti inni sacri, canto gregoriano, monodia.

VIII. Cassette contenenti altri suoni presentati in forma musicale.

2. Nastri e dischetti per computer
[...]

3. Compact disc
Idonei:

I. Compact disc contenenti testo, grafica statica o immagini in movimento che sono completi in se stessi e il cui contenuto è stato progettato principalmente come mezzo di istruzione o educazione. Per esempio, dischi il cui contenuto sia comparabile a quello fornito dalle opere di consultazione a stampa.

II. CD contenenti giochi e attività per bambini volti principalmente ad educare attraverso la combinazione di testo e immagini [...].

In tutti questi casi, la musica o qualsiasi altro suono possono essere presenti ma solo se saranno subordinati al testo e alle immagini.

Non idonei:

III.   CD contenenti musica o in cui la musica costituisce l'elemento più rilevante.

IV.   CD contenenti canzoni (accompagnate o non accompagnate da musica strumentale), a meno che le canzoni siano presentate in forma poetica non accompagnata o consistano di rime recitate.

V.   CD contenenti inni sacri, canto gregoriano, monodia.

VI.   CD contenenti altri suoni presentati in forma musicale.

VII.   [...]

4. Video

Idonei:

I.   Video educativi specificamente indirizzati ai bambini sino ai 16 anni.

II.   Video didattici che impartiscono istruzioni pratiche circa un qualsiasi soggetto, il contenuto dei quali è confrontabile con quello fornito dai libri a stampa. Per esempio, un video che insegna come giocare a golf o come realizzare dei giocattoli di legno.

Non idonei:

III.   Video musicali.

IV.   Video intesi a scopi ricreativi generici, senza considerare se il contenuto sia reale o di fantasia, come video contenenti film, documentari o cronache di eventi sportivi.

5. Film

[...] [*ISBN*: 30-32, traduzione nostra; cfr. anche *Norme ISBN*: 6-8].

Come risulta da queste indicazioni, ISBN può essere applicato a forme disparate di diffusione dei libri, per esempio audiolibri, microforme, CD-ROM, dischetti magnetici o persino pubblicazioni *on-line*, purché sia garantita una versione stabile e monografica del contenuto. Uno ISBN è anche attribuibile al *software*, cioè ad alcuni programmi per computer i quali vengono considerati alla stessa stregua delle pubblicazioni monografiche. Sono escluse, invece, dall'attribuzione di uno ISBN tutte le pubblicazioni propriamente musicali, il cui contenuto, cioè, è prevalentemente costituito da notazione, nonché tutte le registrazioni sonore di contenuto musicale, per ognuna delle quali è stato istituito un apposito codice standard al quale abbiamo già accennato e di cui parleremo dettagliatamente in seguito. Nonostante queste istruzioni siano minuziose, resta sempre incerto il limite sottile che spesso separa, per esempio, un'audiocassetta non musicale da una musicale, analogamente a quanto accade in molti casi distinguendo un libro di musica da uno che non può dirsi tale.

Ogni ISBN è sempre preceduto dall'acronimo che contraddistingue il sistema – *ISBN* appunto – ed è poi composto da 10 cifre ripartite in quattro gruppi di lunghezza variabile, ma che devono essere chiaramente distinti tra loro:

1) indicatore della nazione o del gruppo linguistico;
2) indicatore dell'editore;
3) indicatore dell'edizione;
4) numero di controllo.

Un esempio di codice ISBN è 88-7075-415-4. Come si può notare i gruppi numerici sono separati da un trattino e individuano:

- 88 = nazione e gruppo linguistico: Italia;
- 7075 = editore: Editrice Bibliografica;
- 415 = identificatore dell'edizione: ANTONIO SCOLARI, *Gli standard OSI per le biblioteche. Dalla biblioteca-catalogo alla biblioteca-nodo di rete*, Milano, Editrice Bibliografica, 1995 (Bibliografia e biblioteconomia, 48);
- 4 = numero di controllo: cifra da 0 a 9 o X per indicare 10. Questo numero consente a un particolare algoritmo automatico di verificare la congruità del codice ISBN nella sua interezza e quindi di accettarlo o rifiutarlo. In questo modo è possibile controllare automaticamente le procedure produttive o commerciali basate su ISBN. L'algoritmo prevede di moltiplicare ogni singola cifra del codice per il proprio peso o posizione (da 10 a 1 partendo da sinistra), i prodotti ottenuti vengono sommati tra loro e poi divisi per 11. Se il quoziente che si consegue non comprende alcun resto, il codice ISBN è congruo, se invece produce un resto il codice ISBN è sbagliato, viene rifiutato e deve essere rettificato.

Considerando l'esempio precedente avremo allora:

$$[(8 * 10) + (8 * 9) + (7 * 8) + (0 * 7) + (7 * 6) + (5 * 5) + (4 * 4) + (1 * 3) + (5 * 2) + (4 * 1)] / 11 = 28 \text{ senza resto.}$$

Il codice è corretto.

Lo ISBN può essere integrato facilmente all'interno del sistema di identificazione degli oggetti commerciali stabilito dallo

European article number international (EAN) e gestito in Italia da INDICOD (<http://www.indicod.it>). Attraverso questo sistema, un codice di tredici cifre nel formato a barre, leggibile quindi attraverso le tecnologie di rilevamento ottico, può indicare qualsiasi prodotto commerciale [*Norme ISBN*: 13-15]. Lo ISBN in questo caso viene privato del proprio numero di controllo, che è sostituito con quello proprio dello EAN, e viene preceduto da tre cifre che contraddistinguono la tipologia di prodotto: 978 per i libri a stampa verbali. Quindi il codice a barre secondo EAN del libro che abbiamo preso ad esempio sarà:

Lo ISBN è sicuramente molto utile per gestire la produzione, la distribuzione e il commercio dei libri, poiché individua la particolare manifestazione libraria o non libraria di un'opera. Possiede anche una sua efficacia, per esempio, nella conduzione di alcuni servizi bibliotecari essenziali, quali l'acquisto, l'inventariazione, la distribuzione, il prestito e persino la catalogazione, specialmente nel caso in cui questa si svolga attraverso delle procedure di derivazione dei dati da altri cataloghi già esistenti.

Può invece generare dei fraintendimenti se utilizzato, per esempio, da un utente comune per individuare ed eventualmente richiedere o acquistare un'opera, a prescindere dalla sua manifestazione [MILLER]. Infatti richiedere un libro esclusivamente attraverso il proprio ISBN può determinare una risposta negativa, qualora la biblioteca o il libraio non posseggano esattamente quella particolare edizione. Al contrario, libraio o biblioteca potrebbero possedere altri tipi di manifestazioni dell'opera richiesta, le quali potrebbero comunque soddisfare i bisogni informativi dell'utente anche se posseggono dei codici ISBN diversi.

Queste difficoltà derivano dal fatto che ISBN non si applica all'opera, ma proprio alla sua manifestazione libraria o non libraria.

Altre critiche possono sorgere proprio dallo stesso fraintendimento o dall'allargamento del significato dello ISBN dall'edizione all'opera. Fra tutte è da ricordare il fatto che ISBN risulta troppo concentrato su chi pubblica i libri e per niente volto all'identificazione di chi effettivamente possiede i diritti di un'opera, cioè l'autore [GREEN-BIDE]. Ciò non è stato un problema fino a che per diffondere un'opera c'era assoluto bisogno della sua trasposizione in forma fisica, cioè della produzione di un libro. Viceversa, oggi la mancanza di attenzione per gli autori risulta cruciale poiché, per diffondere un'opera, un'autore non ha più la necessità di stamparla, ma la può distribuire direttamente sotto forma elettronica, riproponendo autonomamente le stesse necessità di identificazione.

Pur essendo un codice descrittivo e forse proprio per questo, negli ultimi tempi ISBN sta rivelando dei limiti che nel passato non erano stati sufficientemente valutati. Soprattutto, è invalsa ormai la convinzione che l'utilità di ISBN sia circoscritta all'ambito della produzione e del commercio editoriale e che difficilmente esso possa essere impiegato efficacemente, per esempio, nel settore specifico della documentazione.

Informazioni sullo ISBN

Ulteriori notizie tecniche in italiano sullo ISBN e sulle norme di attribuzione a ciascuna edizione sono disponibili in *Norme ISBN*, ORMEZZANO e DE CASTRO, nonché in rete sulle pagine specifiche dell'AIE all'indirizzo <http://www.aie.it/ISBN/intro.asp> e dell'Editrice Bibliografica all'indirizzo <http://www.alice.it/publish/law.pub/codiinte.htm>. Quest'ultima pagina si occupa anche dell'uso del codice EAN.

I siti informativi internazionali più importanti sono invece quelli della *International ISBN agency* (<http://www.isbn.spk-berlin.de>) o dell'azienda statunitense R.R. Bowker: <http://www.isbn.org>. Notizie sulle modalità di passaggio dallo ISBN al codice a barre EAN si potranno invece recuperare alla pagina specifica <http://www.ean-int.org/books.html>.

2.2. *International standard serial number*: ISSN

Accanto a ISBN, accenniamo al numero ISSN che risulta particolarmente importante per i periodici e le collane musicologiche e di musica a stampa [*ISSN*; CAPRONI: 71-72; ORMEZZANO: 315-316; DE CASTRO: 1-2]. Queste edizioni possono essere contraddistinte da tale numerazione standard internazionale al fine di evidenziarne le caratteristiche di pubblicazioni in serie. Infatti, all'interno di questa tipologia specifica viene inclusa ogni

> pubblicazione su qualsiasi supporto, pubblicata in parti successive, generalmente in ordine numerico o cronologico, che si intende essere pubblicata senza limite di tempo. Questa definizione esclude tutte le opere destinate a essere pubblicate in un numero definito di parti. L'ISSN si applica alla totalità delle pubblicazioni in serie, siano esse passate, presenti o che saranno pubblicate in un prevedibile futuro. Le pubblicazioni in serie includono periodici, quotidiani, pubblicazioni con cadenza annuale (come i rapporti, gli annuari, i repertori), riviste, collane, memorie, relazioni, atti, ecc. di società [*ISSN*].

Ne fanno parte quindi tutte le pubblicazioni periodiche di argomento musicale o che contengono effettivamente musica a stampa o registrazioni sonore, ma anche le collane di pubblicazioni monografiche e le serie di edizioni musicali.

Lo *International standard serial number* (ISSN) è un codice internazionale che identifica univocamente il titolo chiave di una pubblicazione seriale all'interno dello *International serials data system* (ISDS), una rete di centri nazionali di controllo della numerazione che convergono tutti verso un unico ufficio internazionale che risiede a Parigi. Per l'Italia, il centro che si occupa di attribuire un numero ISSN alle pubblicazioni in serie e di controllare la congruità delle assegnazioni è il Centro nazionale ISDS che risiede presso l'Istituto di studi sulla ricerca e la documentazione scientifica del Consiglio nazionale delle ricerche di Roma (<http://www.isrds.rm.cnr.it/HyperDocs/issn/Iissn.html>).

ISSN è definito dallo standard ISO 3297:1998 – *Information and documentation-International standard serial number (ISSN)*. È composto da otto numeri così ripartiti: sette numeri identificativi e privi di alcun riferimento alla lingua, al paese di pubblicazione o ad altro, seguiti da un numero di controllo che si calcola attraverso un algoritmo analogo a quello di ISBN. Si tratta quindi di un codice non descrittivo che per essere interpretato richiede la consultazione diretta della banca-dati centrale dello ISDS.

Ovviamente anche alle pubblicazioni in serie è possibile applicare, come per lo ISBN, un codice a barre secondo lo schema EAN, inserendo lo ISSN all'interno della serie di tredici cifre. Questa volta, però, il codice identificativo del prodotto relativo alla pubblicazione in serie sarà 977, mentre il carattere di controllo sarà ricalcolato secondo le norme specifiche dello EAN.

All'interno del *database* centrale ISDS ogni codice è collegato a un record descrittivo della rivista che comprende, a sua volta, l'indicazione del luogo di pubblicazione, dell'editore, dell'eventuale ente promotore e dell'anno di prima pubblicazione. Seguono poi informazioni riguardo alla posizione dell'argomento prevalente all'interno della Classificazione decimale universale (CDU), alla frequenza di pubblicazione, alla lingua, all'alfabeto e al tipo di mezzo utilizzato per la diffusione. A titolo di esempio, di seguito riportiamo l'immagine del record riguardante la «Rivista italiana di musicologia» che è possibile estrarre dal database di *ISSN On-line* (<http://online.issn.org>).

ISSN Online

There are 1018643 records in the database

[...]

                  ISSN 0035-6867
             Key title Rivista italiana di musicologia
    Abbreviated key title Riv. ital. musicol
       Place of publication Firenze
              Publisher Leo Olschki
         Issuing body (550) Società Italiana di Musicologia
      Related title(s) Quaderni della rivista italiana di musicologia ISSN = 0394-4395
           UDC number 780
               Status Currently published title (C)
           Start date 1966
             End date 9999
             Country Italy (ITA)
           Frequency Semiannual (F)
          ISSN Centre Italy (D)
                Type Periodical (P)
             Alphabet Roman (extended) (B)
            Language Multiple languages - Multilingual (MUL)
               Media Printed text (TX)

ISSN Online v4.1 Copyright © 1998-2000 ISSN International Centre [...]

In Appendice I abbiamo elencato la lista italiana delle pubblicazioni in serie relative alla musica recuperabili all'interno del database ISDS. Nell'elenco che proponiamo si troverà il titolo della pubblicazione, il rispettivo codice ISSN e le date di inizio e fine della diffusione.

2.3. *International standard music number*: ISMN

Lo *International standard music number* è il corrispondente dello ISBN per le edizioni a stampa musicali ed è quello che maggiormente si avvicina, quanto allo scopo e all'uso, al numero editoriale utilizzato ancora oggi per organizzare la produzione libraria delle singole case editrici musicali.

La vicinanza tra lo ISMN e lo ISBN fa condividere al codice musicale gran parte dei vantaggi mostrati dal codice puramente librario, soprattutto per quello che riguarda la sua praticità d'uso e la sua utilità nel favorire la circolazione dei libri di musica. D'altra parte tale analogia fa condividere allo ISMN anche gran parte delle difficoltà proprie dello ISBN, in particolare per ciò che riguarda il loro comune riferimento all'edizione e non all'opera propriamente detta.

Inoltre, proprio una delle differenze principali che distinguono ISMN da ISBN ci mostra ancora una volta come le caratteristiche estetiche e di comunicazione della musica tocchino in modo singolare anche argomenti prettamente tecnici e li condizionino secondo modalità peculiari. Infatti lo ISMN si differenzia dallo ISBN principalmente poiché non possiede l'indicatore della nazione o del gruppo linguistico. Questa scelta è stata determinata dalla convinzione che la musica sia un linguaggio internazionale o, effettivamente, universale [*ISMN*].

Altre differenze riguardano il primo carattere del codice che deve essere sempre una *M*, in modo da identificare in maniera inequivocabile la musica da tutte le altre pubblicazioni a stampa, e il numero di controllo che deve essere calcolato, come vedremo, su un modulo di 10 anziché di 11.

ISMN è oggi definito dalla norma ISO 10957:1993 – *Information and documentation-International standard music number (ISMN)*. È composto complessivamente da 10 caratteri suddivisi in quattro gruppi:

* lettera M che contraddistingue il codice relativo ai libri di musica;
* gruppo di cifre numeriche di quantità variabile che designa l'editore;
* gruppo di cifre numeriche di quantità variabile che designa l'edizione;
* carattere di controllo utile alla verifica della correttezza del codice.

Ovviamente poiché i due elementi maggiormente identificativi, ossia i due gruppi numerici attibuiti all'editore e all'edizione, non possono eccedere assieme le otto cifre, verrà attribuito agli editori che hanno una notevole quantità di produzione editoriale musicale un codice massimo di 3 cifre. In questo modo tali editori avranno a disposizione una quantità massima di edizioni identificabili univocamente di 100.000 unità (da 00000 a 99.999). Al contrario e progressivamente, editori che hanno una produzione musicale esigua o addirittura sporadica, riceveranno un codice identificativo di 7 cifre e potranno così identificare univocamente soltanto 10 edizioni (da 0 a 9).

La tabella che segue espone i codici per l'editore previsti da ISMN e il rispettivo massimo di pubblicazioni identificabili [ISMN].

Estremi dell'identificatore di editore	Massimo di edizioni identificabili
000-999	100.000
1000-3999	10.000
40000-69999	1.000
700000-899999	100
9000000-9999999	10

La mancanza di alcuni intervalli numerici all'interno degli identificatori degli editori è stata resa necessaria dalla realizzazione di particolari algoritmi che consentano di distinguere automaticamente i gruppi che compongono il codice ISMN a prescindere dall'esistenza del trattino separatore o dello spazio.

Esaminiamo ad esempio il codice ISMN immaginario M435667678. Poiché non è consentito alcun codice identificativo di editore che inizi per 4 al di sotto di 40000 e al di sopra di 69999, è ovvio che, escludendo il numero di controllo 8, l'editore sarà identificato dal codice 43566, mentre l'edizione dal codice 767.

Anche se, come abbiamo accennato, non esiste la ripartizione per gruppi linguistici prevista da ISBN, tuttavia l'agenzia internazionale che si occupa di coordinare l'attività dei gruppi nazionali ha segnalato un certo ambito di codici relativi agli editori appartenenti alle singole nazioni. Questa attribuzione non fa parte dello standard vero e proprio, ma di alcuni suggerimenti forniti dall'agenzia per consentire il migliore funzionamento del sistema. All'Italia sono stati indicati i seguenti ambiti:

Ambito	Quantità di editori	Edizioni identificabili
039-041	3	100.000
2151-2200	50	10.000
52001-53000	1.000	1.000
705001-706000	1.000	100
9001001-9001300	300	10

In totale all'Italia, una tra le nazioni che è stata dotata maggiormente, è stato suggerito l'uso di 2.353 codici diversi che possono identificare gli editori, ma solo tre con una produzione cospicua di un massimo di 100.000 edizioni diverse.

Un esempio reale di codice ISMN è M-041-34164-4, relativo alla seguente pubblicazione:

Giuseppe Verdi, *Messa da requiem per l'anniversario della morte di Manzoni, 22 maggio 1874,* rid. per canto e pianoforte di Jay Rosenblatt condotta sull'edizione critica a cura di David Rosen, Milano, Ricordi-Chicago and London, The University of Chicago Press, 1996.

Dopo la lettera M, obbligatoria per lo ISMN, abbiamo

- 041 = editore: Ricordi;
- 34164 = identificatore dell'edizione;
- 4 = numero di controllo.

Quest'ultimo viene ricavato in modo leggermente diverso da come abbiamo visto per lo ISBN. Infatti il peso di ogni singola cifra del codice non è progressivo, ma alterna la quantità 3 alla quantità 1 partendo da sinistra verso destra. La lettera M vale sempre 3 e il risultato della somma ottenuta sarà diviso non per 11, ma per 10. Per il codice precedente avremo quindi:

$[(3 *3) + (0 * 1) + (4 *3) + (1 * 1) + (3 * 3) + (4 * 1) + (1 * 3) + (6 * 1) + (4 * 3) + (4 *1)] / 10 = 6$ senza resto.

Il codice è corretto.

Lo ISMN si applica alle pubblicazioni contenenti per la maggior parte notazione musicale, quindi non ai libri che parlano di musica o il cui contenuto prevalente non è la notazione musicale, come per esempio i trattati di teoria musicale. In questo caso tali libri saranno identificati da uno ISBN. Allo stesso modo lo ISMN non si applica alle registrazioni sonore o audiovisive, per le quali è previsto lo ISRC e lo ISAN, di cui parleremo tra poco. Tuttavia, quando ad esempio il testo di un'opera musicale o un commento è stato pubblicato come parte integrante della partitura, anche se fisicamente separato, e non è disponibile altrimenti che allegato a quest'ultima, eccezionalmente potrà essere identificato dallo stesso ISMN del libro musicale, anche si tratta di un libro esclusivamente verbale. Allo stesso modo, le registrazioni sonore e audiovisive che siano parti integranti delle pubblicazioni propriamente musicali, potranno essere identificate da uno ISMN.

Quindi si può applicare lo ISMN alle seguenti tipologie di pubblicazioni: partiture, partiture tascabili, singole parti staccate e insiemi di parti staccate, antologie musicali, pubblicazioni musicali in forma microfilmata, elettronica o braille.

Come è evidente le regole di inclusione o di esclusione sono tutt'altro che precise e vincolanti e lasciano un margine di decisione assolutamente ampio e foriero di discussioni. Probabilmente è questa una delle cause che limitano ancora oggi l'uso dello ISMN e ne impediscono l'adozione generalizzata tra gli editori musicali. Infatti, al contrario di quanto avviene per lo ISBN, sono ancora poche le pubblicazioni musicali a cui venga attribuito un codice ISMN, tanto che è frequente il caso di edizioni prive del loro codice specifico, ma provviste, ad esempio, di un proprio ISBN. Altrettanto frequente è il caso in cui, non solo per superare ogni dubbio sull'effettiva quantità di notazione necessaria per definire un libro come prevalentemente costituito da musica, si attribuisca alla stessa pubblicazione sia il codice ISBN che quello ISMN. È il caso del volume contenente la *Messa da requiem* di Giuseppe Verdi che abbiamo preso come esempio, il quale possiede anche il codice ISBN 88-7592-012-5. Qualora poi lo stesso volume appartenga addirittura ad una pubblicazione in serie, potrebbe verificarsi il caso che venga aggiunto anche il codice ISSN, realizzando una triplice identificazione, ma allo stesso tempo compromettendo di fatto l'univocità perseguita originariamente [*ISMN*: 9.].

Ancora una volta le esigenze particolari della musica richiedono particolari modalità di applicazione che, per esempio, consentano ad ogni forma di presentazione di un'opera musicale (partitura, serie di parti staccate, singola parte staccata) l'attribuzione in sequenza di un diverso codice ISMN. Se, per esempio, un'opera strumentale viene pubblicata e sarà disponibile contemporaneamente nella forma di partitura, serie completa delle parti staccate, parte di violino primo, parte di violino secondo, parte di violoncello e basso, serie delle parti degli altri strumenti, tutta la pubblicazione sarà contraddistinta da ben sei codici diversi, a prescindere dal fatto che si tratti dello stesso contenuto musicale [*ISMN*: 6.].

Comunemente sulle pubblicazioni musicali lo ISMN viene ad essere preceduto dal suo particolare acronimo, *ISMN* appunto, e deve essere posizionato sul retro del libro musicale e, quando ciò sia possibile, anche accanto alla dichiarazione del *copyright*. Può inoltre essere trasformato nel corrispondente codice EAN, per consentire la lettura ottica e la gestione più efficiente del sistema di commercio dei libri di musica. Prendendo come esempio il codice ISMN dell'edizione verdiana che abbiamo esaminato poc'anzi, si avrà allora la sequenza 9790041341644, poiché:

- 979 = identificativo del prodotto: libro musicale;
- 0 = equivalente della lettera M, che è fissa per lo ISMN;
- 041341644 = parte rimanente del codice ISMN, comprensivo del codice di controllo originale, diversamente da quanto avviene per lo ISBN e lo ISSN.

ISMN M-041-34164-4

9 790041 341644

Come per lo ISBN, in ambito internazionale esiste a Berlino la *International ISMN agency* (<http://www.ismn.spk-berlin.de>) che coordina l'attività dei centri nazionali, promuovendo l'uso dello ISMN attraverso azioni di pubblicità, convegni, corsi e pubblicazioni. In Italia, il compito di assegnare i codici ISMN agli editori e di controllare la corretta attribuzione della parte relativa alle edizioni è, anche in questo caso, delegato all'Associazione italiana editori presso l'Editrice Bibliografica di Milano.

Informazioni sullo ISMN

Sul sito della *International ISMN agency* (<http://www.ismn. spk-berlin.de>) è possibile recuperare ulteriore documentazione, come anche presso i servizi di documentazione della Biblioteca nazionale del Canada dove è possibile leggere un utile manuale per l'utente (<http://www.nlc-bnc.ca/6/12/s12-200-e.html>).

2.4. *International standard recording code*: ISRC

Originariamente sviluppato dalla *International federation of phonographic industry* (IFPI), ISRC è un codice identificativo adottato a partire dal 1986 per identificare univocamente e internazionalmente una registrazione sonora, un video musicale oppure una collezione di registrazioni sonore o di video. Viene indicato ufficialmente con la denominazione ISO 3901:2001 – *Information and documentation–International standard recording code (ISRC)* ed è stato elaborato dal sottocomitato ISO TC46/SC9 (<http://www.nlc-bnc.ca/iso/tc46sc9/index.htm>) che ne ha curato recentemente alcuni miglioramenti, confluiti nella nuova versione dello standard disponibile a partire dall'ottobre del 2001.

Questo codice viene utilizzato particolarmente dai produttori di supporti audio e video, ma è utile anche alle organizzazioni che curano la tutela del diritto d'autore, alle biblioteche e alle mediateche, alle radio e alle televisioni [ISRC]. Oggi lo ISRC non è direttamente visibile e utilizzabile da parte del grande pubblico, soprattutto poiché ancora non esistono cospicui archivi che consentano di recuperare effettivamente le singole registrazioni sonore attraverso questo codice. Non ha dunque l'evidenza dello ISBN o dello ISSN, ma il suo impiego crescente e il legame che lo associa all'incessante evolversi della tecnologia, lascia immaginare considerevoli benefici che potranno riguardare non solo l'industria di produzione, ma anche le nuove forme di diffusione musicale, come la radio digitale (*Digital audio broadcast*, DAB) o la distribuzione di musica tramite Internet, e persino il controllo e la gestione internazionale del diritto d'autore.

Lo ISRC non va confuso con il codice numerico e a barre che molto spesso appare sul retro, per esempio, dei CD musicali, il quale è invece il cosiddetto UPC (*Universal product code*) del quale parleremo in 2.7. Lo ISRC non si riferisce infatti al supporto con il quale vengono diffuse le registrazioni audio o i video musicali, ma proprio alle registrazioni stesse, a prescindere da quale sia la forma di distribuzione o l'ente che si occupa del suo commercio. Per questo motivo non entra in conflitto con i particolari metodi di identificazione dei prodotti adottati dalle singole case discografiche, ma anzi può integrarsi con essi.

Comunemente lo ISRC dovrebbe essere applicato ad ogni singola registrazione audio o video al momento in cui questa è stata preparata completamente ed è pronta per essere trasferita sul supporto cosiddetto *master*, adatto alla riproduzione in copie multiple. Qualsiasi cambiamento venga effettuato alla registrazione originale dopo l'assegnazione di uno ISRC, per esempio la variazione della propria durata complessiva oppure un completo o parziale *re-mix*, richiede un'ulteriore individuazione univoca del nuovo oggetto musicale e l'attribuzione di un nuovo codice identificatore. Anche le registrazioni già esistenti da qualche tempo e appartenenti, ad esempio, al patrimonio pregresso di un produttore musicale dovranno ricevere un proprio ISRC, ma verranno comunque riferite all'odierno possessore dei diritti d'autore. Allo stesso modo, un oggetto musicale o audiovisivo derivante dal restauro di una registrazione storica, dovrà essere identificato separatamente dall'originale attraverso un proprio codice ISRC. Tuttavia, quando una registrazione viene ad essere pubblicata su un nuovo tipo di supporto, nel passaggio ad esempio da un disco in vinile a un CD, non c'è bisogno di un nuovo codice, anche se il passaggio avviene mediante un'ulteriore masterizzazione.

Ogni ISRC viene attribuito da chi per primo detiene i diritti d'autore sulla singola registrazione. In seguito, quello stesso ISRC accompagna l'oggetto audio o video per tutta la sua vita, anche se tali diritti saranno ceduti ad altro individuo o ad altro ente. Lo ISRC consente il riferimento univoco alla registrazione ed è quindi uno strumento utilissimo per lo scambio di questa tipologia di oggetti musicali, per la loro diffusione e per la loro documentazione.

Nell'ambito internazionale esiste una *International ISRC agency* presso la *International federation of phonographic industry* (IFPI: <http://www.ifpi.org>) con sede a Londra, mentre in Italia l'agenzia nazionale che cura il controllo e la diffusione dello ISRC risiede presso la Federazione industria musicale italiana (FIMI: <http://www.fimi.it>) che ha sede a Milano.

Lo ISRC è composto da dodici caratteri suddivisi in quattro elementi alfanumerici, composti cioè da numeri arabi e caratteri latini:

1) indicatore della nazione (due caratteri);
2) indicatore della persona fisica o giuridica che ha prodotto la registrazione (tre caratteri);
3) anno di riferimento (due caratteri);
4) codice di designazione della registrazione (cinque caratteri).

L'indicatore della nazione è composto da due caratteri alfabetici che sono stati stabiliti anch'essi dalla norma ISO 3166 – *Information and documentation-Code for the representation of names and countries and their subdivision*. Per l'Italia il codice è il consueto IT. Questo indicatore si riferisce alla nazione di residenza di colui che ha effettuato la registrazione, cioè il produttore, o del possessore dei diritti sulla registrazione nel momento in cui tale oggetto musicale viene ad essere inventariato presso la *International ISRC agency*.

Il secondo gruppo designa chi ha effettivamente prodotto la registrazione, cioè il responsabile del processo di masterizzazione completo. Può verificarsi però il caso in cui una registrazione musicale completa venga ad essere ceduta con tutti i suoi diritti prima che venga ad essere segnalata presso l'agenzia internazionale dello ISRC. In questo caso con il secondo gruppo di caratteri non verrà designato chi ha prodotto originariamente la registrazione, ma chi le ha attribuito lo ISRC e lo ha segnalato all'agenzia nazionale o a quella internazionale. Si tratta di un insieme di tre caratteri alfanumerici che consentono una capacità massima di più di 46.500 codici identificativi diversi.

L'indicatore di anno si riferisce alla data in cui la registrazione sonora è stata completata. Comunemente la produzione finale e la masterizzazione di una registrazione audio o video coincide con l'assegnazione di un codice ISRC, tranne nei casi in cui venga assegnato uno ISRC alle registrazioni prodotte nel passato e che vengono identificate univocamente solo in un secondo tempo. Si indica tramite due caratteri numerici che segnalano il decennio; per esempio per indicare il 2001 si userà il numero 01. Questo sistema non pone difficoltà almeno sino all'anno 2040, poiché non esistono registrazioni effettuate prima del 1940 che siano state contraddistinte da uno ISRC; per gli anni successivi si sta elaborando un sistema alternativo che consenta di non generare equivoci.

Il quarto gruppo di cifre corrisponde al numero sequenziale attribuito dal produttore stesso alla registrazione sonora o video, all'interno di tutta la produzione di uno stesso anno. Questo insieme di caratteri non può consistere di meno di cinque cifre, le quali devono essere raggiunte facendo eventualmente precedere il numero da alcuni zeri. Così il codice di designazione 567, ad esempio, diverrà all'interno dello ISRC uno 00567.

A fronte di ogni codice identificativo completo ISRC, per ogni registrazione deve esistere presso i produttori musicali un registro di brevi schede descrittive che possano costituire un primo elemento di documentazione. Queste descrizioni possono servire, per esempio, per differenziare nell'ambito dello ISRC le registrazioni sonore da quelle videomusicali, distinzione auspicata anche per rispondere alle esigenze del diritto d'autore. Altrimenti, lo stesso sistema ISRC può, tramite opportuni accorgimenti, identificare diversamente e in modo leggibile le registrazioni audio da quelle audiovisive, per esempio attribuendo due codici diversi allo stesso produttore al fine di distinguere la sua produzione sonora da quella in video.

Informazioni sullo ISRC

Ulteriori notizie tecniche sullo ISRC si possono recuperare sul sito dell'agenzia internazionale presso la IFPI, alla pagina <http://www.ifpi.org/isrc/index.html> dove è disponibile un manuale completo e aggiornato [*ISRC*], nonché sul sito web del sottocomitato ISO TC46/SC9 all'indirizzo specifico <http://www.nlc-bnc.ca/iso/tc46sc9/3901.htm>. La guida all'uso dello ISRC riferita al 1998 è anche disponibile in lingua italiana presso il sito della FIMI alla pagina <http://www.fimi.it/isrc.asp>.

2.5. *International standard audiovisual number*: ISAN

Lo *International standard audiovisual number* è un codice progettato per identificare univocamente le opere audiovisive. Si tratta di uno standard che è ancora nella fase di studio finale da parte del sottocomitato ISO TC46/SC9 e che, mentre scriviamo, ha ottenuto da poco l'approvazione complessiva del documento DIS. Sta quindi attendendo l'approvazione conclusiva, nonché la pubblicazione ufficiale da parte della ISO, la quale oggi lo identifica con la denominazione ISO DIS 15706.2 – *Information and documentation-International standard audiovisual number (ISAN)*.

L'intento di questo sistema di codifica numerica è simile a quello di tutti gli altri codici standard: identificare univocamente un'opera audiovisiva in tutto il mondo, favorendo in questo modo la sua circolazione e la gestione di tutte le attività connesse alla sua diffusione e alla sua fruizione e superando le barriere linguistiche e nazionali [*ISAN-FAQ*]. Si tratta di un codice volontario che verrà adottato per scelta libera da parte dell'insieme dei soggetti coinvolti nella gestione e diffusione delle opere audiovisive. Tuttavia, la sua praticità e la sua utilità sarà sicuramente tale da portare in breve tempo ad un uso generalizzato se non proprio onnicomprensivo.

La struttura di ISAN prevede sedici cifre esadecimali, ossia facenti parte di un sistema di numerazione a base 16, divise in due parti: dodici cifre che rappresentano l'opera nella sua completezza e quattro cifre che servono, quando è possibile, per identificare le singole sezioni che la compongono, come episodi, atti o tempi. Oltre a ciò, è in fase di studio un ulteriore sottosistema di identificazione che permetta di distinguere le varie versioni di una stessa opera, prendendo il codice ISAN come radice di una serie di ramificazioni che possano distinguere trasposizioni in altra lingua, adattamenti ecc. Sia le quattro cifre rappresentanti le parti dell'opera, sia il progettato sistema di identificazione delle varie versioni sono entrambi esempi di esplicitazione di quella cosiddetta granularità cui abbiamo accennato nell'introduzione a questo capitolo.

Lo ISAN è stato concepito per essere gestito da apparati automatici: la scelta del sistema numerico esadecimale ne è una conferma. Infatti, soltanto nel caso in cui questo codice debba essere presentato o redatto in una forma leggibile dall'uomo per essere elaborato manualmente, viene aggiunta al codice una cifra di controllo, allo scopo di verificarne la congruità. Le possibili applicazioni di questo codice all'interno di basi di dati elettroniche che contengano informazioni sulle opere audiovisive sono molteplici e si allargano dal commercio elettronico alla gestione dei proventi derivanti dalla tutela della proprietà intellettuale e artistica, dalla lotta contro la pirateria alla documentazione economica e scientifica. Il coinvolgimento di questo standard identificativo nel controllo dei diritti d'autore è confermato dall'interesse dimostrato dalla *Confédération internationale des sociétés d'auteurs et de compositeurs* (CISAC; <http://www.cisac.org>), la quale fa parte del gruppo di lavoro che studia lo ISAN. Tuttavia non esiste un legame diretto tra ISAN e *copyright*: l'attribuzione di un ISAN non implica infatti in nessun paese un'automatica inclusione nel novero delle opere da tutelare.

Lo ISAN è un codice non descrittivo: non porta, infatti, nessuna informazione sull'oggetto che identifica. Ha lo scopo di individuare univocamente l'opera audiovisiva a prescindere dalla forma in cui questa viene ad essere pubblicata e diffusa. Un film, ad esempio, avrà lo stesso ISAN sia che venga distribuito in forma di pellicola, di videocassetta o in DVD, ma anche se, per esempio, in un altro paese sarà divulgato con un altro titolo e con i testi tradotti. Questo codice, però, deve essere riferito all'opera audiovisiva considerata complessivamente, non potrà quindi essere attribuito ai suoi singoli elementi, come per esempio alla sola sceneggiatura, alla sola colonna sonora o a immagini singole e statiche.

Come abbiamo visto per i rapporti tra ISBN e ISMN, anche per questo identificatore si possono verificare dei casi equivoci in cui non è possibile distinguere chiaramente tra un'opera audiovisiva, alla quale si può attribuire uno ISAN, e invece un video musicale, che bisogna identificare tramite uno ISRC. Nei documenti

ufficiali dello ISAN esiste la seguente definizione di «opera audiovisiva»:

> Un'opera che consiste in una sequenza di immagini correlate tra
> loro, con o senza accompagnamento di suoni, che è stata prodot-
> ta per essere visibile nella forma di immagini in movimento at-
> traverso l'uso di opportuni strumenti, ma senza considerare il
> particolare *medium* in cui è stata fissata inzialmente o successi-
> vamente [*ISAN-FAQ*; traduzione nostra].

Sebbene questa definizione abbracci una numerosissima categoria di opere audiovisive che nulla hanno a che vedere con la
musica, tuttavia il coinvolgimento della musica sotto moltissimi
aspetti è esplicito. Basti pensare alle pellicole contenenti film musicali, le registrazioni di concerti dal vivo, le trasposizioni cinematografiche e televisive delle opere di teatro musicale. È altresì
evidente l'ambito comune che associa i video musicali e le opere
audiovisive propriamente dette, ossia film, registrazioni di eventi
musicali dal vivo ecc. Probabilmente in questo caso sarà possibile
identificare lo stesso oggetto sia con uno ISRC che con uno ISAN,
così come avviene per ISMN e ISBN, in modo da consentire il recupero dell'oggetto audiovisivo attraverso entrambi i sistemi.

Altre analogie legano strettamente lo ISAN con lo ISRC, soprattutto per quanto riguarda l'applicazione del codice che, anche in
questo caso, sarà archiviato sul *master* originale dell'opera, prima che questa venga riprodotta in copie multiple per la distribuzione. Nel momento in cui questo standard sarà approvato, verrà
istituita un'apposita agenzia internazionale che gestirà l'attribuzione dei codici e la diffusione del sistema, coadiuvata dalle varie agenzie nazionali responsabili dell'applicazione dello ISAN in
ogni paese.

Informazioni sullo ISAN

Notizie tecniche ulteriori sullo stato di approvazione di questo
codice identificativo standard e sulle modalità della sua applicazione si potranno trovare sul sito web del sottocomitato ISO
TC46/SC9 all'indirizzo specifico <http://www.nlc-bnc.ca/iso/
tc46sc9/wg1.htm>, ma anche presso il sito della CISAC, all'indirizzo specifico <http://www.iswc.org/csd/csdweb.nsf/Home
EN?OpenForm>.

2.6. *International standard musical work code*: ISWC

Lo *International standard musical work code* è un sistema relativamente nuovo e ancora nella fase di elaborazione finale da parte della CISAC (*International confederation of author's and composers' societies*). È oggi contraddistinto dalla locuzione ISO FDIS 15707 – *Information and documentation-International standard musical work code (ISWC)* e, a causa del suo stato provvisorio, non è stato ancora diffuso ampiamente all'interno della comunità internazionale e manca perciò di una documentazione pubblica dettagliata.

Nato per l'identificazione univoca e internazionale delle opere musicali, ha quasi subito mostrato la sua utilità e la sua praticità d'uso stimolando anche la nascita di nuovi codici per l'identificazione delle opere letterarie o grafiche. Al contrario di ISBN, ISSN e ISMN che vengono attribuiti al supporto librario che consente la diffusione di un'opera e di ISRC e ISAN che invece sono assegnati ad una particolare esecuzione registrata dell'opera musicale o audiovisiva, ISWC è stato concepito per identificare univocamente proprio l'opera nel suo contenuto intellettuale, non tangibile, privo di riferimenti espliciti alla sua manifestazione reale e materiale. Abbiamo già accennato più volte alle difficoltà che porta con sé la determinazione dell'opera da questo punto di vista, soprattutto per le composizioni appartenenti al passato. Per lo ISWC dobbiamo sottolineare che la spinta maggiore all'elaborazione e alla diffusione di questo identificatore standard non venga dall'ambito della documentazione, ma dalle società che hanno il compito di gestire i diritti d'autore. Queste organizzazioni hanno iniziato la sperimentazione del codice già prima che questo diventi uno standard riconosciuto e pubblicato dall'ISO, poiché la disponibilità di un codice identificativo capace di distinguere un'opera musicale in qualsiasi parte del mondo consente a tali società di controllare la diffusione e l'uso di un'opera con maggiore facilità e precisione. Una spinta rilevante all'incremento dell'interesse per ISWC da parte dei soggetti coinvolti nella tutela della proprietà intellettuale è venuto dalla repentina diffusione dei mezzi digitali di comunicazione telematica, i quali hanno aperto scenari inediti di distribuzione delle opere, all'interno dei quali l'identificazione numerica univoca di un'opera appare uno strumento davvero indispensabile.

Lo ISWC non può che ricordare la numerazione delle opere musicali fornita dai cataloghi tematici e dai cataloghi delle opere musicali del passato cui abbiamo già accennato, non tanto nella sua struttura, non descrittiva e arbitraria, quanto negli scopi che si prefigge e negli usi secondari che può stimolare. Ciò che maggiormente interessa da un punto di vista documentario sono i problemi che suscita il legame tra il codice e l'opera. Questa relazione viene espressa, infatti, attraverso una serie di dati descrittivi dell'opera collegati allo specifico codice ISWC. L'identificatore, infatti, diviene la chiave diretta di accesso a tali informazioni raccolte in database centrali e distribuiti [PASKIN]. La descrizione dell'opera, a sua volta, ripropone in parte le informazioni presenti comunemente nei cataloghi bibliografici dedicati alla musica, soprattutto per quel che concerne la determinazione dell'opera attraverso l'indicazione delle responsabilità e del titolo uniforme: modelli di rappresentazione che esamineremo in dettaglio nel prossimo capitolo.

Lo ISWC è composto da 10 cifre numeriche precedute dalla lettera T che riporta al vocabolo in lingua inglese *tune*. Nell'intento generale, al posto del primo carattere alfabetico vi potrà essere ad esempio una L per le opere letterarie o altre lettere per distinguere opere di altra natura. Le cifre successive costituiscono una serie univoca caratterizzata da un gruppo composto da un massimo di nove caratteri, la vera e propria sequenza distintiva, e un numero di controllo calcolato secondo criteri analoghi a quelli già visti per gli altri codici identificativi.

Altre analogie legano questo identificatore agli altri che abbiamo esaminato in precedenza. Ad esempio, ogni versione differente di un'opera avrà un suo proprio ISWC, sia che si tratti di un arrangiamento, di un adattamento, di una trascrizione o quant'altro. Questo si verifica per assicurare la salvaguardia di chi ha effettuato l'elaborazione e per identificare autonomamente il suo contributo originale. Il collegamento della nuova versione con l'opera principale sarà garantito da un legame informativo incluso nel database descrittivo di supporto. Allo stesso modo, a singole parti di un'opera che devono essere distinte rispetto agli autori verranno attribuiti degli ISWC diversi, come nel caso delle cadenze, delle arie incluse in opere di altri compositori, delle opere pasticcio ecc. Nonostante ciò, questo codice non è legato reciprocamente al diritto d'autore, poiché non necessariamente un'opera che possiede uno ISWC deve essere tutelata dalle società predisposte a questo compito [PASKIN].

2.7. Altri codici identificativi che interessano la musica

I codici identificativi di cui abbiamo trattato finora non sono certamente i soli che interessano la musica. Abbiamo infatti scelto, tra tutti gli identificatori oggi vigenti, quelli che si rivolgono esclusivamente alla musica, aggiungendo alla nostra selezione soltanto quelli che, pur non concentrandosi unicamente su di essa, sono però particolarmente rilevanti per la sua documentazione.

Nella realtà esistono molti altri codici identificativi standard che sono implicati nella diffusione della musica e che toccano, anche se marginalmente, la documentazione. Alcuni di essi sono già collaudati e attivi da molto tempo, altri invece sono ancora in fase di studio poiché sono legati in modo particolare all'avvento dei mezzi di comunicazione digitale telematica.

Non è nostra intenzione, né sarebbe veramente possibile in questa sede trattare di tutti gli identificatori standard che in qualche modo sono coinvolti nella produzione e diffusione musicale. Tuttavia accenneremo a quelli che ci sembrano maggiormente rilevanti.

In primo luogo ricordiamo il codice EAN che consente l'identificazione univoca dei prodotti commerciali attraverso la lettura ottica di una serie di barre, metodologia di cui abbiamo già parlato nel caso di ISBN, ISSN e ISMN. Questo identificatore, che come abbiamo visto si può comporre anche integrando i codici librari, viene attribuito quasi sempre anche ai CD musicali, pur componendosi in modo diverso: lo troviamo sull'involucro plastico del CD o sulla copertina. Le tredici cifre di EAN non vengono usate però nel nord America, dove invece vige il cosiddetto *Universal product code* (UPC), un codice di dodici caratteri numerici elaborato e amministrato dallo *Uniform code council* (UCC;

<http://www.uc-council.org>). Quest'ultimo è un codice di dodici cifre che troviamo applicato sotto forma di codifica a barre sui CD musicali prodotti in negli Stati Uniti o nel Canada. Ha una funzione analoga a quella dello EAN con il quale mantiene un rapporto stretto di conversione semplice e automatica.

Per quello che riguarda invece l'identificazione univoca dei singoli contributi all'interno di una pubblicazione in serie o di una pubblicazione monografica, abbiamo già accennato al codice elaborato e utilizzato per scopi interni da alcune case editrici scientifiche e tecniche statunitensi, cioè il cosiddetto *Publisher item identifier* (PII). Questo codice è in grado di identificare non solo il titolo della pubblicazione in serie attraverso il suo ISSN, ma anche il singolo fascicolo o volume che viene pubblicato, nonché un particolare contributo all'interno dello stesso [*PII*; PASKIN]. Tuttavia, per estendere a tutto il mondo dell'editoria gli strumenti per l'identificazione univoca delle singole parti di una pubblicazione, negli Stati Uniti lo *American national standard institute* (ANSI: <http://www.ansi.org>) attraverso la propria *National information standards organization* (NISO: <http://www.niso.org>) ha elaborato un codice per le pubblicazioni in serie denominato *Serial item and contribution identifier* (SICI: ANSI-NISO Z39.56-1996) e uno non ancora approvato definitivamente per le pubblicazioni monografiche che viene denominato *Book item and component identifier* (BICI). Questi ultimi due identificatori, sebbene nascano in ambiente anglosassone, hanno già portato la *International organization for standardization* ad abbandonare in loro favore l'aggiornamento dello standard ISO 9115:1987 – *Information and documentation-Bibliographic identification of contributions in serials and books (Biblid)* [*SICI*; *BICI*; PASKIN]. Non sembra che siano stati diffusi esempi di applicazione di questi codici ai libri musicali, tuttavia anche la musica può essere coinvolta, come abbiamo più volte ripetuto, nella distinzione di singole parti di un'opera all'interno di una pubblicazione miscellanea o monografica. Va aggiunto che proprio recentemente la ISO ha iniziato la discussione di una proposta di standard di base denominato ISO CD TR21449 – *Information and documentation-Content delivery and rights management: functional requirements for identifiers and descriptors for use in the music, film, video, sound recording and publishing industries*. Poco è stato prodotto finora intorno a questa proposta, ma solo leggendo la titolazione odierna, tutto fa pensare che si affronteranno i problemi legati al controllo della diffusione di singole parti di opere anche musicali. Questo standard, infatti, vorrà definire quali debbano essere i requisiti funzionali degli identificatori univoci volti a distinguere il contenuto delle opere musicali, principalmente per tutelare la proprietà intellettuale e artistica.

Come abbiamo più volte sottolineato, proprio sul tema della gestione dei diritti d'autore la discussione riguardante i codici identificatori univoci è stata particolarmente fervente negli ultimi anni. Infatti si ritiene essenziale istituire un metodo di identificazione univoca delle opere per consentire il controllo e la gestione dei proventi derivanti dalla tutela della proprietà intellettuale: un esempio da noi già esaminato in 2.6. è lo ISWC. Tuttavia la complessità del ciclo di creazione e diffusione dei contenuti intellettuali originali, letterari, musicali, figurativi o audiovisivi, si è dimostrata tale da suggerire l'elaborazione di veri e proprî sistemi complessivi di identificazione capaci di includere in un unico ambiente omogeneo tutti i codici identificativi esistenti.

Un esempio di questi sistemi è il cosiddetto *Common information system* (CIS) realizzato dalla CISAC per comprendere all'interno di un'unica struttura tutti i codici identificativi legati alla tutela del diritto d'autore, con particolare attenzione alla musica. Fanno parte di questo sistema alcuni codici che già conosciamo nonché altri di cui non abbiamo parlato, tutti collegati a veri e propri database informativi riguardanti le opere da tutelare [HILL; JANSEN]. Il CIS comprende quindi:

- IPI (*Interested parties information*): codice volto a identificare la persona o l'ente che detiene il diritto d'autore su un'opera;
- TIS (*Territory information system*): sistema per la definizione dei territori geografici coinvolti nella tutela;
- ISWC (*International standard musical work code*);
- WID (*Musical works information database*): banca dati contenente tutte le informazioni da riferire alle singole opere musicali (autore, data ecc.) che possono essere recuperate automaticamente;
- SCRI (*Sound carriers and recordings information*): database che ha lo scopo di collegare la singola opera musicale alle informazioni riguardanti le sue registrazioni sonore e i supporti che la diffondono;
- ISAN (*International standard audiovisual number*);
- AV Index (*Audiovisual index*): database contenente informa-

zioni sui titoli delle produzioni audiovisive e le rispettive case di produzione;

- IDA (*International documentation on audiovisual works*): database contenente informazioni sugli autori delle opere audiovisive, sui detentori dei diritti per consentire una corretta redistribuzione dei proventi ricavati dall'attività di tutela.

Un legame con il problema del diritto d'autore si può trovare nell'ambito specifico della documentazione e della biblioteconomia, per il quale da alcuni anni la IFLA sta studiando la definizione di uno *International standard authority data number* (ISADN). Questo numero ha lo scopo di identificare univocamente e internazionalmente ogni singola voce di autorità, vale a dire ogni singolo nome di autore personale o collettivo e ogni singolo titolo uniforme che distingue universalmente un'opera, entrambi nella loro forma accettata e riconosciuta per tradizione letteraria, musicale o bibliografica. In questo senso anche i compositori musicali o i titoli delle opere musicali entrano a far parte della casistica da sottoporre al controllo di autorità.

Se pensiamo che in biblioteca un'opera viene recuperata, nella maggior parte dei casi, attraverso una ricerca sul catalogo basata sul nome dell'autore e/o sul titolo, comprendiamo facilmente come la disponibilità di una forma accettata per questi due elementi sia necessaria per consentire l'accesso completo alle pubblicazioni. Uno pseudonimo nel caso dell'autore, una forma alternativa nel caso del titolo se non fossero controllate e riferite ai nomi e ai titoli accettati impedirebbero il recupero di tutte le pubblicazioni contenenti un'opera particolare.

In questi ultimi anni le liste di autorità, i cosiddetti *authority file*, sono aumentate in modo considerevole poiché ogni catalogo, in effetti, ne possiede o ne rappresenta almeno una. Quindi, la necessità di individuare a livello internazionale ogni singola voce di autorità attraverso un codice alfanumerico che possa essere condiviso, appare particolarmente sentita dal mondo della documentazione e della biblioteconomia [BONANNI]. In questo modo, avremmo infatti a disposizione uno strumento comune per il riferimento univoco agli autori e alle opere.

In realtà, il momento di complessa evoluzione in cui si trova tutto il settore degli identificatori univoci nel campo della documentazione ha sollevato il rischio di una sovrapposizione di iniziative che minerebbe l'efficacia del sistema di identificazione. Anche rispetto a quanto stiamo esponendo, tale minaccia è evidente se pensiamo per esempio a ciò che dovrebbe rappresentare uno IPI nel sistema CIS e, d'altra parte, agli scopi dello ISADN. Per questo, da qualche anno è stata evidenziata la necessità di un sistema complessivo di identificazione che eviti le sovrapposizioni e consenta un agile gestione dei codici.

Una tale esigenza è particolarmente sentita nell'ambito del commercio elettronico, poiché è divenuto molto difficile gestire la diffusione di un'opera e tutelare il diritto d'autore in un momento come quello odierno in cui sia le opere sia le loro manifestazioni sono identificate in modo assai eterogeneo. Il problema è stato esaminato molto dettagliatamente all'interno di un progetto internazionale denominato *Interoperability of data in e-commerce systems* (<indecs>; <http://www.indecs.org>). L'analisi condotta ai fini specifici di questo progetto ha portato alla formulazione di uno schema che cerca di contemplare tutti gli elementi messi in gioco e che è servito da punto di partenza per l'elaborazione di un ulteriore codice di identificazione il quale aspira a diventare onnicomprensivo e viene denominato *Digital object identifier* (DOI; <http://www.doi.org>) [*DOI*].

Riassumiamo gli esiti della discussione svoltasi nell'ambito di <indecs> attraverso il diagramma che segue.

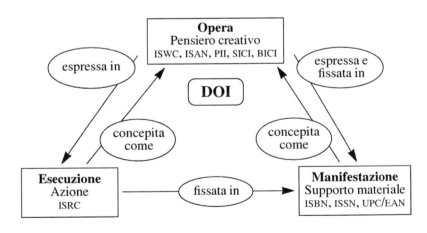

Questo schema, evidentemente, appare un vero e proprio modello semiotico più che un'esemplificazione di natura meramente tecnica, a conferma del coinvolgimento dei temi legati alla comunicazione anche nella discussione degli identificatori standard. Ciò che ha guidato nella formulazione di questo diagramma è il presupposto secondo cui sia l'opera, sia l'eventuale esecuzione, sia anche una particolare manifestazione tangibile delle stesse può essere oggetto di tutela specifica della proprietà intellettuale. Se l'opera deve essere considerata come prodotto del pensiero creativo a prescindere dalle sue eventuali versioni e manifestazioni, cioè in un senso astratto molto vicino all'idea di *testo originale* o *archetipo* tipica della filologia, anche una singola esecuzione può essere concepita come opera autentica grazie all'apporto creativo offerto dai singoli interpreti. Sia l'opera, sia la sua esecuzione possono essere a loro volta trasferite e fissate su un supporto materiale, il quale ulteriormente può essere il prodotto di una concezione originale e quindi può essere astrattamente concepito come opera degna di tutela.

Su questa premessa teorica si basa il DOI che vuole identificare univocamente, ma soprattutto in modo stabile e permanente, un certo contenuto intellettuale di natura digitale a prescindere non solo dalla forma che questo possa assumere, ma anche dalla sua manifestazione fisica reale. In questo modo può essere possibile gestire efficacemente la tutela del diritto d'autore, poiché ogni oggetto informativo distinto da un DOI sarà direttamente connesso a chi ne possiede la proprietà intellettuale e artistica [PASKIN].

Per spiegare meglio l'orizzonte a cui il DOI fa riferimento, basti pensare al fatto che con lo sviluppo e la diffusione delle tecnologie digitali la connessione stretta tra il contenuto intellettuale di un'opera e il suo supporto fisico, legame che in passato sembrava imprescindibile, si è sgretolata. Ad esempio, oggi un utente può, dopo aver individuato il contenuto intellettuale di cui ha bisogno, richiederne una copia a stampa, secondo la tradizionale diffusione editoriale oppure tramite l'odierna metodologia *print on-demand*, o una versione audiovisiva, su cassetta, CD o DVD, o persino una copia in forma di file digitale.

L'opportunità di recuperare tutte le possibili manifestazioni fisiche di un oggetto informativo a partire dal suo codice identificativo, è uno degli scopi principali del DOI che ha l'ambizione di consentire un collegamento diretto con tutti gli oggetti disponibili o, quando questo legame sia riservato, con il servizio che ne consente il recupero gratuito o a pagamento. Per fare un esempio musicale, un utente dovrebbe poter recuperare attraverso il codice univoco DOI, una volta identificata la composizione di suo interesse, tutte le esecuzioni e tutti i supporti disponibili sul mercato o in biblioteca, ma anche tutte le partiture e i video. Facilmente attraverso il DOI, si dovrebbe recuperare il contenuto desiderato collegandosi direttamente con l'archivio bibliografico che conserva la partitura, con la discoteca che possiede una particolare registrazione, venendo a conoscenza anche delle regole di prestito o di copia, ma persino con il negozio che può vendere il libro o il disco o con il sito che fornisce il file digitale in tutti i formati disponibili [*DOI*]. Per questo il codice DOI può integrare al suo interno i codici che abbiamo analizzato dettagliatamente in precedenza e sembra essere quello che possiede maggiori potenzialità di applicazione e diffusione.

Un ultimo accenno che riguarda gli identificatori univoci va fatto a proposito del tentativo di stabilizzare gli indirizzi Internet che ci consentono di recuperare i contenuti informativi di cui abbiamo bisogno. Chiunque abbia mai navigato tramite un browser ha potuto sperimentare la frustrazione di non trovare più disponibile un documento già consultato in precedenza allo stesso indirizzo, poiché questo per motivi contingenti o tecnici è stato modificato. Il *World wide web consortium* (W3C; <http://www.w3.org>) ha da tempo discusso e proposto un sistema denominato URI (*Uniform resource identifiers*) che vuole attraverso il cosiddetto URN (*Uniform resource name*) rendere stabile la possibilità di recuperare un documento all'interno della rete a prescindere dall'effettivo cambiamento della sua posizione reale. È facile capire come quest'ultima impresa sia particolarmente interessante per la circolazione della musica, la quale ha trovato in Internet un mezzo adattissimo di diffusione, grazie anche ai diversi formati dei file audio che sono stati elaborati e che stanno per diventare il veicolo privilegiato di fruizione musicale.

Informazioni sugli altri codici identificativi riguardanti la musica

Notizie sul codice EAN e sui suoi rapporti con UPC si possono trovare alla pagina specifica di EAN Int. all'indirizzo <http://www. ean-int.org/products.html>, così come all'interno del sito dello UCC alla pagina <http://www.uc-council.org/reflib/00810/index.html>.

Sul PII si può consultare la pagina <http://www.elsevier.nl/inca/homepage/about/pii>. Per il SICI si veda quanto è disponibile presso il sito della *Berkeley digital library SunSITE* <http://

→

---

sunsite.berkeley.edu/SICI>, mentre sul BICI si consulti la pagina specifica della NISO all'indirizzo <http://www.niso.org/standards/dsftu.html>.

Sulla proposta dello standard ISO CD TR21449: *Content delivery and rights management: functional requirements for identifiers and descriptors for use in the music, film, video, sound recording and publishing industries* si possono trarre notizie aggiornate sulla pagina specifica del sottocomitato ISO TC46/SC9 all'indirizzo <http://www.nlc-bnc.ca/iso/tc46sc9/21449.htm>.

Il sito della CISAC (<http://www.cisac.org>) è il più accreditato per conoscere gli sviluppi del sistema CIS, mentre per lo ISADN si veda la pagina del *Working group on the minimal level authority record and the ISADN* della IFLA all'indirizzo <http://www.ifla.org/VI/3/p1996-2/mlar.htm>.

Per quanto riguarda il DOI il sito informativo di riferimento è quello della *International DOI foundation* (<http://www.doi.org>).

Infine, sullo URI si veda la pagina ad esso dedicata dal W3 Consortium all'indirizzo <http://www.w3.org/Addressing>, nonché il sito del gruppo di lavoro che si è occupato della definizione del sistema, cioè lo *Uniform resource identifier (URI) working group* all'indirizzo <http://www.ics.uci.edu/pub/ietf/uri>. Per una informazione più ampia rispetto alle implicazioni degli identificatori univoci nella gestione di Internet si veda il sito della *Internet engineering task force* (IETF; <http://www.ietf.org>). Quanto allo URN si veda il sito del gruppo di lavoro che sta elaborando lo standard, all'indirizzo <http://www.ietf.org/html.charters/urn-charter.html>.

3. I MODELLI

Precedentemente abbiamo accennato alle implicazioni che i modelli e le attività di modellizzazione evidenziano nei confronti degli standard [1.2.], rilevando, tra l'altro, la preferenza accordata in ambito scientifico alla definizione di queste strutture simboliche per facilitare la descrizione di oggetti e di fenomeni. Un favore analogo è evidente anche nella documentazione, la quale riserva una posizione considerevole all'elaborazione dei modelli e al loro uso generalizzato per scopi diversi. In particolare, nel settore documentario si mette in risalto la funzione descrittiva del modello, poiché lo si utilizza principalmente nella catalogazione, cioè per rappresentare in forma simbolica ogni singolo documento sia nella sua materialità, così come nel suo contenuto informativo. Oltre a ciò, la documentazione esalta il valore prescrittivo del modello, perché è quello che consente di ottenere rappresentazioni dei documenti che siano uniformi e condivisibili. Infatti, quando uno schema simbolico diventa la norma alla quale conformarsi nell'espletamento dell'attività catalografica, si ottengono rappresentazioni che rispondono agli stessi requisiti comuni e possono essere per questo riconosciute e comprese largamente. Da questo punto di vista alcuni tra i modelli documentari mostrano le caratteristiche di standardizzazione che abbiamo analizzato nei capitoli precedenti, poiché vengono stabiliti in ambito internazionale secondo procedure di armonizzazione, assumono un ruolo normativo e sono definiti e conosciuti comunemente proprio come standard. Altri, invece, rimangono in un ambito più limitato e assumono un ruolo normativo e unificante solo all'interno delle singole comunità nazionali o tra gruppi di studiosi che si occupano di particolari tipologie di documenti.

La documentazione ha compreso molto presto che rappresentare i documenti secondo schemi simbolici omogenei e condivisibili sia uno dei cardini su cui fondare parte della propria attività di diffusione delle informazioni e della cultura. Oggi tale convinzione risulta generalmente acquisita e la documentazione ha posto tra i suoi compiti istituzionali la catalogazione dei documenti secondo modelli uniformi, allo scopo di dare atto della loro esistenza e dell'eventuale loro disponibilità, nonché per diffondere le informazioni in essi contenute.

Considerando i suoi tratti generali, la catalogazione comprende almeno due fasi distinte: la descrizione dei documenti e la determinazione dei punti di accesso ad essi. Queste attività hanno lo scopo di ottenere delle rappresentazioni catalografiche che siano capaci di rispondere ai bisogni informativi dell'utenza. La descrizione fisica e contenutistica dei documenti dà atto delle loro peculiarità materiali, indicando anche gli elementi che consentono di precisarne il contenuto. Per determinare i punti di accesso, invece, si svolge generalmente una fase di analisi, di intestazione e di indicizzazione che ha lo scopo di individuare alcune parole-chiave che permetteranno in seguito di scegliere sia le rappresentazioni catalografiche sia, in seconda istanza, i relativi documenti. Infatti quando un utente ha la necessità, ad esempio, di consultare un oggetto musicale o librario, lo cerca a partire da alcuni termini verbali – nella maggior parte dei casi il nome dell'autore, il titolo dell'opera oppure il suo argomento – i quali assumono il ruolo di dispositivi che ci collegano ai documenti e ci permettono in questo modo la loro fruizione.

Entrambe le attività di descrizione e d'indicizzazione catalografica rientrano nel generale compito della gestione documentaria, la quale produce una sorta di catena ininterrotta di oggetti informativi legati da alcune relazioni che esprimono un certo grado di parentela. Tali documenti secondari – schede descrittive, indicizzazioni, abstract – vengono proprio realizzati a partire da un capostipite – il documento oggetto dell'analisi e della descrizione – e costituiscono attorno ad esso un alone di informazioni succedanee che può interessare ambiti anche molto lontani e costituire così un efficace e allargato strumento per la sua ricerca e il suo recupero [DIOZZI: 20-21].

Le rappresentazioni simboliche prodotte grazie alla descrizione e all'indicizzazione vengono riunite generalmente nei cataloghi, cioè sotto forma di serie di informazioni strutturate disposte secondo uno o più criteri di ordinamento. Tali cataloghi sono sempre più spesso archiviati in forma elettronica, mentre nel passato erano perlopiù erano stampati su schede cartacee o pubblicati in forma di libro. La consultazione di questi cataloghi consente a chiunque di avere cognizione dei documenti che sono disponibili, permettendogli inoltre di eseguire la scelta preventiva solo di quelli che gli sono effettivamente necessari. In questo modo è possibile instaurare un sistema di mediazione incentrato sul catalogo che aggancia efficacemente le esigenze informative degli utenti ai documenti stessi.

3.1. Modelli per la catalogazione

La rappresentazione catalografica di un documento prevede un momento significativo di descrizione, una fase, cioè, volta a esporre « in ordine fisso e in modo omogeneo [...] una serie di dati relativi agli elementi di natura fisica, testuale e storica [...] ritenuti essenziali e capaci di permetterne l'esatta individuazione patrimoniale e scientifica » [PETRUCCI: 12]. A questa attività iniziale, segue poi la determinazione dei percorsi attraverso i quali un utente potrà recuperare la notizia catalografica, cioè la scelta e la formulazione dei punti di accesso all'informazione, di cui parleremo in seguito.

La serie dei dati descrittivi riflette l'itinerario critico cui normalmente è sottoposta ogni fonte storica e si articola quasi come una successione di risposte a un questionario di base comune al maggior numero di ricerche specializzate. Per rendersi conto di ciò, basta confrontare le normative catalografiche vigenti con i metodi di critica delle fonti consigliati dagli storici i quali, pur non adottando delle regole standard di documentazione, tuttavia nascondono sotto la loro personale sistemazione dei dati l'aspirazione a un linguaggio comune e rigoroso [CHABOD: 91-93; MARROU: 102-103].

Inoltre, la griglia di domande spesso è condizionata da implicazioni di ordine amministrativo, poiché risponde alla necessità di inventariare e tutelare il patrimonio informativo e culturale di una comunità, nonché, come abbiamo più volte sottolineato, tende al raggiungimento della massima condivisione possibile delle informazioni e degli stessi documenti che le tramandano.

Questo obiettivo viene perseguito attraverso la formulazione e l'adozione di schemi specifici astratti che contemplano le informazioni necessarie ad una corretta ed efficace descrizione e li esprimono sotto forma di schede catalografiche a stampa o di record bibliografici in forma elettronica. Proprio a questo scopo sono nati i cosiddetti *standard internazionali per la descrizione bibliografica* che a dispetto del loro nome non si interessano soltanto di libri, ma di tutti i documenti che posseggono al pari del libro la qualità di supporti e media informativi.

Il bisogno di un modello standard per la rappresentazione simbolica dei documenti è emerso consapevolmente almeno a partire dalla metà del XIX secolo, soprattutto per quanto riguarda la catalogazione dei documenti bibliografici [SOLIMINE: 132-143]. Da allora è iniziato un movimento di elaborazione e di adozione degli standard catalografici che gradatamente ha coinvolto tutto il settore della biblioteconomia e della documentazione e che, durante gli ultimi trent'anni, ha ricevuto un impulso notevolissimo [ANDERSON].

Anche in Italia la normativa riguardante la catalogazione del materiale librario è andata uniformandosi progressivamente agli standard internazionali almeno a partire dal 1961, data in cui, nell'ambito della *International conference on cataloguing principles* tenutasi a Parigi per iniziativa della IFLA, vennero individuati i principi fondamentali su cui regolare la scelta e la forma dell'intestazione del catalogo alfabetico per autori e titoli [GUERRINI: 45-92].

Per quel che concerne i libri di musica e i materiali affini, come le registrazioni sonore, molto presto si è affermata l'opinione che per la loro catalogazione fossero necessarie norme specifiche che in qualche modo differissero da quelle dedicate ai documenti verbali. Ciò era necessario in primo luogo perché tali documenti tramandano delle informazioni musicali, sia che esse vengano archiviate in forma scritta attraverso la notazione, sia che si trovino sotto forma di registrazioni sonore, ma anche perché il materiale musicale mantiene delle caratteristiche di natura bibliografica assolutamente particolari. Vediamone alcune attraverso il nostro libero adattamento delle parole di Anders Cato:

1. *Titoli.* Un libro a stampa usualmente possiede un *titolo proprio* attraverso il quale può essere identificato molto facil-

mente, in special modo se questo titolo è espresso in combinazione con il nome di un autore, di un curatore o di un responsabile equivalente. Gran parte delle opere musicali, invece, non hanno un *titolo proprio* ma ne posseggono uno che consiste del nome di una forma o di un genere musicale unito alle informazioni riguardanti l'organico vocale-strumentale, il numero d'opera, la tonalità e quant'altro. Solo l'insieme di queste informazioni rende unico il titolo di un documento musicale e quindi, per rendere facilmente identificabili le composizioni contenute in un documento, è necessario redigere e aggiungere alla registrazione catalografica un tipo speciale di titolo detto *titolo uniforme* o *convenzionale* [...].

2. *Editori e date di pubblicazione*. Lo stesso materiale musicale è spesso pubblicato durante un periodo di tempo molto lungo. Un'opera musicale a stampa che, per esempio, sia stata pubblicata all'inizio del XIX secolo può verosimilmente apparire successivamente nella stessa forma fisica, usando le stesse lastre di stampa, per più di un secolo, a volte per opera dello stesso editore, a volte grazie a un altro.

3. *Numeri editoriali*. Al fine di identificare propriamente un'edizione musicale i vari numeri editoriali sono di grande aiuto. Per i libri di musica a stampa esistono i cosiddetti numeri di lastra e i numeri di edizione, per le registrazioni sonore ci sono i numeri di matrice e di presa. Dal 1996 è stato introdotto inoltre lo ISMN [...].

4. *Intestazioni principali*. Il problema delle intestazioni principali nella musica si presenta molto più complesso di quanto non sia per i libri verbali. Nelle pubblicazioni di musica vocale occorre decidere quale persona sia la più importante per attribuire correttamente una responsabilità, se il compositore o l'autore del testo. Quando una composizione è stata arrangiata o in qualche modo modificata bisogna stabilire quanto decisive siano state le modifiche per capire se attribuire l'intestazione principale al compositore o all'arrangiatore. Quando abbiamo a che fare con le registrazioni sonore ci troviamo di fronte a un altro tipo di responsabilità che va presa seriamente in considerazione per stabilire l'intestazione principale, ovverosia l'interprete musicale [CATO].

Pur considerando queste specificità, l'esigenza di uno standard catalografico per i libri di musica ha seguìto di pari passo quanto si andava sviluppando per il materiale librario comune, anche se con un certo ritardo e solo quando la discussione sulle procedure previste per i libri non musicali erano approdate a una definizione della normativa quantomeno regolare. Oggi si può ragionevolmente affermare che anche il movimento di elaborazione di norme catalografiche internazionali per la descrizione della musica svoltosi negli ultimi cinquant'anni si riassume nell'incessante ricerca di princìpi e pratiche uniformi, cioè di standard che consentano la massima diffusione delle informazioni musicali. Tuttavia, se per la descrizione di alcune tipologie di documenti musicali (musica a stampa, documenti sonori, risorse elettroniche) si è giunti alla definizione di veri e propri standard, che comunque non vengono adottati all'unanimità, altri elementi della catalogazione come l'intestazione e l'indicizzazione si basano ancora sulle norme locali che, sebbene si dimostrino abbastanza omogenee, non sono ancora del tutto uniformate in ambito internazionale. Da questo punto di vista la tendenza più forte non è quella di sacrificare i modelli locali in favore di uno standard dominante, quanto piuttosto di elaborare uno schema massimamente flessibile, capace di contemplare le normative specifiche o almeno di favorirne la compatibilità. In questo modo si verifica anche l'occasione di uno scambio relativamente semplice di informazioni raccolte secondo schemi eterogenei, poiché ogni norma locale può riferirsi a un modello standard che, anche se non è adottato specificamente, è tuttavia condivisibile.

Recentemente, una ricerca svolta all'interno di un progetto finanziato dalla Comunità europea e denominato *Harmonica* (<http://www.svb.nl/project/harmonica/harmonica.htm>, ha rilevato che per catalogare i documenti musicali librari o affini i modelli dominanti sono quelli forniti dalle regole anglo-americane di catalogazione bibliografica [AACR2] o dagli standard descrittivi studiati dall'IFLA [ISBD(PM); ISBD(NBM)]. La struttura della descrizione prevista dalle regole anglo-americane è molto simile a quella proposta dagli standard ISBD e per questo è assolutamente compatibile, ma in più le AACR2 forniscono indicazioni per scegliere e redigere le intestazioni. Le biblioteche o i centri di documentazione che invece si basano su ISBD devono integrare tale modello con regole specifiche locali che consentano di formulare gli accessi principali. Si verifica così una differenziazione che, pur motivata da esigenze specifiche e circoscritte, ostacola di fatto la massima condivisione delle informazioni documentarie [*Cataloguing*].

Un discorso a parte chiedono le altre tipologie di documenti musicali, come per esempio le rappresentazioni iconografiche [FERRARI BARASSI, *Catalogo*; TESSARI] o gli strumenti musicali

[MEUCCI; *Proposte*; DONATI], per le quali non esiste un modello standard internazionale di descrizione, ma solo norme nazionali o che fanno riferimento ad associazioni di studiosi o a progetti di ricerca che da anni si occupano di questi problemi e che hanno adottato schemi non ancora generalmente accettati e diffusi. Non ci occuperemo dettagliatamente in questa sede dei modelli di catalogazione dedicati a queste tipologie di documenti, ma concentreremo la nostra attenzione sui documenti librari musicali, sui documenti sonori e sulle risorse elettroniche.

Tratteremo in primo luogo e in senso generale i problemi della modellizzazione catalografica riguardante i documenti musicali, esaminando gli schemi non standard più comuni, quindi ci occuperemo degli standard descrittivi consolidati, come ISBD(PM), ISBD(NBM) e ISBD(ER).

3.1.1. I libri di musica a stampa

I modelli catalografici che si occupano dei libri di musica possono essere distinti da un punto di vista descrittivo rispetto alla tecnica di produzione dei libri stessi. Riproponendo una separazione che appare valida anche per i libri verbali, edizioni a stampa e manoscritti richiedono modelli diversi che esprimono pienamente la loro differenza materiale. Al contrario, per quel che concerne la determinazione e la forma dell'intestazione principale, sia i manoscritti sia i libri a stampa vengono rappresentati comunemente attraverso il nome dell'autore e il titolo uniforme o convenzionale dell'opera in essi contenuta.

Alcune tappe fondamentali hanno segnato l'evoluzione recente dei modelli di catalogazione dei libri di musica a stampa a partire dagli anni Cinquanta del Novecento. In primo luogo va ricordato l'impegno della *International association of music libraries* (IAML) che a partire dal 1957 promosse lo studio e la pubblicazione del *Code international de catalogage de la musique*. Questo codice fornì, in cinque volumi, il primo modello internazionale per la catalogazione dei documenti musicali [IAML, *Code*]. A partire dallo studio comparativo della prassi catalografica propria di alcune tra le più importanti biblioteche musicali del mondo nella seconda metà degli anni Cinquanta e dall'analisi dei principali testi teorici del tempo riguardanti la catalogazione dei libri musicali [GRASBERGER], l'opera della IAML propose tre modelli distinti rispetto alla tipologia dei principali materiali musicali. Nel 1961 venne pubblicato un codice ristretto per la

La *International association of music libraries, archives and documentation centres* (IAML)

La *International association of music libraries, archives and documentation centres* è un'associazione non governativa che riunisce le biblioteche, gli archivi e i centri di documentazione musicali di tutto il mondo. I suoi 2000 membri individuali e istituzionali rappresentano infatti 45 paesi in cui la IAML esercita la propria attività di promozione delle biblioteche musicali, di sostegno dello scambio di informazioni tra gli operatori del settore e di stimolo allo svolgimento di progetti di cooperazione tra i soci. In particolare la IAML si occupa di sostenere il controllo bibliografico delle pubblicazioni musicali, promuove l'elaborazione di standard catalografici per la musica e favorisce l'attuazione di progetti internazionali di natura bibliografico-musicale, contribuendo in questo modo alla diffusione dei documenti concernenti la musica e della cultura musicale in genere. Ulteriori informazioni sulle attività della IAML sono reperibili all'indirizzo Internet <http://www.cilea.it/music/iaml/iamlhome.htm>.

Dal 1994 esiste in Italia una sezione nazionale della IAML che promuove nel nostro Paese la diffusione e la promozione delle attività dell'associazione. In particolare, recentemente la sezione italiana ha curato il Convegno Internazionale IAML-IASA tenutosi a Perugia nel 1996 e la relativa pubblicazione degli atti [*Canoni*]. Per ulteriori informazioni sulla IAML-Italia si consulti il sito: <http://web.genie.it/utenti/i/iamlit/>.

catalogazione delle edizioni musicali [FEDOROFF], mentre si dovette aspettare il 1971 per l'uscita del codice di catalogazione completa [CUNNINGHAM]. Le norme dedicate alla catalogazione dei manoscritti videro la luce nel 1975 [GÖLLNER] e l'opera si concluse con la pubblicazione nel 1983 del modello catalografico internazionale dedicato ai documenti sonori [WALLON].

In Italia, se prescindiamo da alcune sporadiche indicazioni nei primi codici di catalogazione, è mancata qualsiasi indicazione specifica per la musica sino alla pubblicazione del *Manuale di catalogazione musicale* edito dall'ICCU nel 1979 [*Manuale*]. Questo volume comprendeva una serie di modelli catalografici dedicati, come il *Code international*, alle principali tipologie di documenti musicali: musica a stampa, manoscritti musicali e registrazioni

Il titolo uniforme o convenzionale nella descrizione dei documenti musicali

Il *titolo uniforme* o *convenzionale* è un titolo aggiunto che permette di identificare l'opera contenuta in un documento musicale a prescindere dal *titolo proprio* o da altre indicazioni presenti sulla fonte [TANGARI, *Libro*]. Comunemente il titolo convenzionale adottato per i documenti musicali viene assimilato al titolo uniforme (*filing title*) utilizzato per le opere letterarie, anche se: « Per le opere musicali esso è [...] molto più importante che per altre edizioni, sia perché un'opera musicale può essere pubblicata in vari paesi con titolo tradotto in lingue diverse, sia perché la stessa opera può essere pubblicata con titoli diversi, in tempi diversi, anche nello stesso paese, sia perché un compositore può scrivere più opere aventi tutte per titolo il nome di una medesima forma musicale » [*Manuale*: 15]. In effetti il titolo convenzionale adottato per i documenti musicali fornisce una sintetica descrizione tecnico-musicale per tipologie e non solo un titolo accettato per tradizione storico-musicale o bibliografica (es.: [Concerti. vl, orchar, bc. RV 269. La primavera]). Si tratta dunque di un titolo di indicizzazione formale, una sorta di ibrido che contempla sia le funzioni proprie del titolo (uniforme o meno), sia quelle della rappresentazione del contenuto. Esso infatti ha lo scopo di identificare univocamente e tramite informazioni tecniche l'opera tramandata dal documento musicale, adottando però criteri di selezione tipologica che comunemente, nella bibliografia letteraria, vengono adottati per l'indicizzazione formale o semantica.

sonore. Per i libri di musica a stampa questo modello intendeva principalmente integrare con esempi specifici le norme di intestazione per autore definite dalle *Regole italiane di catalogazione per autori* [RICA], pur cercando di prendere in considerazione il *Code international* da poco pubblicato dalla IAML. Oltre a ciò, esso proponeva uno schema di descrizione bibliografica e alcune indicazioni per l'ordinamento delle schede cartacee di catalogo. La sezione più importante di questo modello è indubbiamente l'analisi sistematica ed esemplificativa del titolo uniforme o convenzionale che per i libri di musica assume un ruolo indispensabile e assolutamente specifico. Per questo argomento, la proposta italiana si basò cospicuamente sulle indicazioni fornite qualche anno prima dal codice per la catalogazione dettagliata della musica a stampa pubblicato dalla IAML [CUNNINGHAM].

In seguito, lo schema proposto dal *Manuale* fu compreso tra i riferimenti utilizzati durante la realizzazione della sezione dedicata alla musica a stampa del catalogo collettivo costituito nell'ambito del *Servizio bibliotecario nazionale* [ICCU, *SBN MusEd*].

Nel 1994 la IAML costituì un apposito gruppo di lavoro per studiare quali elementi fossero obbligatori e quali invece potessero essere considerati opzionali in una descrizione bibliografica relativa ai documenti musicali che mantenesse la propria funzionalità informativa di base. I risultati di questo studio vennero pubblicati nel 1998, dopo un lungo lavoro di confronto e discussione [*Core*]. Secondo quanto stabilito dal gruppo di lavoro della IAML

una registrazione bibliografica di base è
- una registrazione bibliografica che raggiunge un livello di completezza compreso tra il minimo e il massimo;
- una registrazione bibliografica che contiene elementi informativi giudicati essenziali sia per l'identificazione sia per l'accesso al documento;
- una registrazione che enfatizzi la razionale assegnazione di punti di accesso descrittivi e per soggetto e mostri una grande tolleranza per le pratiche catalografiche locali;
- dinamica. Una registrazione biliografica di base può muoversi gradualmente dal livello base al livello pieno di completezza o rimanere al livello base ed essere usato senza modifiche;
- distinta dal fatto che tutti i suoi punti di accesso sono sotto il controllo della forma del nome (*authority control*) e sono rappresentati da apposite registrazioni nell'archivio nazionale degli accessi accettati (*national authority file*).

Una registrazione bibliografica di base non è
- il sostituto della catalogazione di livello minimo o di livello completo. Le istituzioni preposte alla catalogazione possono scegliere di redigere sia registrazioni complete, sia registrazioni di livello base o un misto tra le due;
- definita da regole che stabiliscano a grandi linee tutti i casi per ogni campo;
- la soluzione perfetta per tutti gli utenti. Poiché esistono istituzioni che comprendono utenti e sistemi dalle esigenze specifiche, i catalogatori avranno bisogno di modificare le registrazioni bibliografiche per soddisfare tali bisogni [*Core*: 141].

A partire da questi principi fondamentali, il gruppo di studio della IAML elaborò una serie di schemi astratti dedicati alla musica a stampa, ai manoscritti musicali e ai documenti sonori. Il livello descrittivo proposto per la musica a stampa si basa sulla struttura e anche sulla punteggiatura dello standard ISBD(PM) di cui parleremo in 3.2. Rispetto a tale schema però la proposta di registrazione bibliografica di base gestisce in modo diverso gli elementi obbligatori e facoltativi. Ad esempio, definisce come facoltative tutte le informazioni parallele, cioè espresse sul documento in una lingua diversa dalla principale. Di seguito riportiamo lo schema astratto riguardante le registrazioni bibliografiche di base relative alla musica a stampa.

REGISTRAZIONE BIBLIOGRAFICA DI BASE PER LA MUSICA A STAMPA
Core bibliographic record for printed music

Livello della descrizione
Titolo proprio [Designazione generica del materiale] : altre informazioni del titolo / prima formulazione di responsabilità ; ogni successiva formulazione di responsabilità. – Formulazione di edizione / prima formulazione di responsabilità legata all'edizione. – Primo luogo di pubblicazione, etc. : primo editore, etc., data di pubblicazione, etc. – Estensione del materiale : altre caratteristiche fisiche + materiale allegato. – (Titolo proprio della serie / formulazione di responsabilità relativa alla serie, ISSN della serie ; numerazione all'interno della serie. Titolo della sottoserie, ISSN della sottoserie ; numerazione all'interno della sottoserie). – Note. – Numero editoriale. – Numero di lastra. – ISMN/ISBN.

Intestazione principale: come nella catalogazione completa.

Intestazione secondaria: secondo la convenienza del caso. Si assegnino:
1. intestazioni secondarie che coprano almeno le relazioni primarie associate all'opera (es.: arrangiatore, librettista).
2. intestazioni secondarie al nome + titolo delle singole opere quando la descrizione di una pubblicazione contenente due o più composizioni sia intestata al primo titolo o a un titolo collettivo.

Titolo uniforme: come nella catalogazione completa.

Intestazioni per soggetto: se sono usate intestazioni per soggetto si assegnino almeno uno o due soggetti dell'appropriato livello di specificità.

Classificazione: se viene usato uno schema di classificazione si assegni almeno un numero di classificazione tratto da un sistema di classificazione stabilito [*Core*: 142].

Pur non essendo caratterizzato dagli elementi tipici degli standard, questo modello rappresenta una guida per le istituzioni e gli operatori che si occupano della catalogazione del materiale musicale a stampa e che devono decidere quali informazioni acquisire per rendere i propri cataloghi dinamici e soprattutto aderenti alla rete di scambio delle informazioni documentarie che è sempre più agognata dal mondo scientifico e culturale.

Particolare attenzione richiede il problema dell'indicizzazione semantica [PETRUCCIANI] o formale che, per quel che concerne la musica, appare molto problematica. Già nel 1948 veniva rilevata nelle biblioteche anglosassoni la mancanza di uniformità nelle intestazioni per soggetto dedicate alla musica e i problemi che scaturiscono quando si vogliano includere i libri di musica all'interno di una tale tipologia di cataloghi [BUSH-HAYKIN: 39]. Tali problemi non sono stati affatto superati e ancora catalizzano l'interesse dei teorici della catalogazione della musica [LEDSHAM].

Gli ambiti principali a cui la teoria catalografica fa riferimento nell'indicizzazione per soggetto e che guidano anche nella gestione dei documenti musicali sono i seguenti:

- contenuto intellettuale
- tempo
- luogo
- utenza di destinazione
- forma
- genere

Per ogni documento, quindi, si dovrebbe poter rilevare nel momento dell'indicizzazione quanto richiesto da queste voci, in modo da consentire un accesso anche a partire da tali informazioni. L'unica difficoltà per quanto concerne i documenti musicali è costituita dalla determinazione del soggetto dell'opera che, come per qualsiasi altro caso letterario, poetico o figurativo, risulta quasi impossibile da stabilire. Per comprendere meglio tale incertezza, basti pensare che un libro sulla musica che parli di una sinfonia di Beethoven ha indubbiamente come argomento la sinfonia beethoveniana, mentre è impossibile stabilire l'argomento proprio della stessa sinfonia di Beethoven: qual è infatti il soggetto di una composizione musicale?

La particolare configurazione della musica richiede che, durante l'attività d'indicizzazione, alle caratteristiche elencate precedentemente si aggiungano anche altri campi di natura formale che facilitino il recupero dei documenti da parte, per esempio, di particolari classi di utenti come gli esecutori, i musicisti dilettanti o i semplici musicofili. Secondo alcune opinioni [LEDSHAM: § 2.3.4] l'indicizzazione dovrebbe quindi considerare almeno

- mezzo di esecuzione
- durata
- stile generale o ambientazione

A parte le questioni teoriche, nella prassi non sono molte le istituzioni che si occupano di documentazione musicale le quali adottano soggettari o schemi di classificazione anche per i libri di musica [*Cataloguing*]. Tra questi ultimi, i modelli dominanti sono quelli proposti dalla Classificazione decimale Dewey (CDD), dalla Classificazione della *Library of Congress* (LC) e dalla Classificazione decimale universale (CDU), i quali sono anche quelli maggiormente utilizzati per i documenti verbali. Spesso, però, singole istituzioni hanno elaborato propri schemi classificatori di sistemazione e recupero dei documenti per rispondere ad esigenze particolari della propria utenza o per semplificare quanto previsto dalle classificazioni più affermate [LEDSHAM: § 3.1].

Senza entrare nel dettaglio dei singoli modelli, possiamo almeno rilevare che esistono due tipi di approcci nella suddivisione della musica pratica all'interno degli schemi di classificazione correnti: un primo tipo che, partendo dalla forma o dal genere musicale, entra nel dettaglio specificando il mezzo di esecuzione; un secondo tipo, invece, che prende avvio dalla suddivisione generale per mezzo di esecuzione e quindi si articola in sottoclassi dedicate alla forma o al genere musicale [LEDSHAM: § 3.2].

Nonostante siano ormai molti anni che anche la musica pratica viene inclusa all'interno dei modelli di classificazione, tuttavia ancor oggi è evidente come non si riesca a collocarla comodamente negli schemi correnti e che il miglior modo per recuperare un brano musicale è ancora dato dal sistema di indicizzazione formale previsto dal titolo convenzionale.

3.1.2. I manoscritti musicali

Una notevole differenza separa i documenti prodotti in copie multiple attraverso procedimenti tecnologici e, per esempio, i libri manoscritti. L'uniformità tra le varie copie di un'unica edizione si manifestò sin dai primordi della storia della stampa, raggiungendo molto presto un grado di perfezione tecnica che oggi garantisce la quasi identità tra i vari esemplari di una pubblicazione [EISENSTEIN]. I manoscritti, invece, non hanno mai raggiunto questo livello di uniformità e ancora oggi vanno considerati ognuno come copia unica che richiede, nell'attività di documentazione, un'attenzione specifica. Per questo non si è raggiunto ancora un accordo generale sulle norme per la descrizione dei manoscritti, evidenziando a questo livello la mancanza di un modello standard di descrizione.

Esiste una lunga tradizione catalografica che, dal Seicento fino ad oggi, ha portato a selezionare un complesso di elementi che si giudicano ormai universalmente indispensabili per una fedele descrizione dei manoscritti [PETRUCCI: 17-56].

Sulla scelta e le modalità di rilevamento di questi dati si fonda l'elaborazione delle varie normative nazionali che, sebbene con differenze di approccio e di prospettiva, appaiono sostanzialmente uniformi anche se non hanno mai raggiunto la forma di veri e propri standard all'interno dello stesso paese o a livello internazionale. In Italia una lunga discussione [*Manoscritto*; *Documentare*] ha portato soltanto negli ultimi anni alla formulazione di norme nazionali uniformi di descrizione.

Più di ogni altra disciplina, la filologia ha contribuito alla definizione di questi metodi, proponendo un tipo di catalogo analitico che fornisce un'immagine compiuta ed esauriente del singolo codice da ogni punto di vista. In seguito sono stati elaborati modelli sintetici, caratterizzati da una minore quantità d'informazioni o dall'uso di schede modulari più agili e adatte ai compiti specifici dei bibliotecari, come pure al trasferimento delle notizie in banche-dati computerizzate [PETRUCCI: 93-107]. La distinzione non è puramente formale, ma risponde a due diverse esigenze.

Il catalogo analitico si sofferma sui dati codicologici, paleografici, decorativi e sulla storia del manoscritto. Riporta l'identificazione di ogni testo, annotando le edizioni moderne, le eventuali concordanze e le varianti, concludendo con una dettagliata bibliografia. A tutto ciò si può giungere solo dopo un lungo e faticoso lavoro, che pregiudica la disponibilità delle informazioni essenziali in breve tempo e risulta già inadeguato al momento della pubblicazione, a causa del continuo progredire della ricerca.

Il catalogo sommario invece limita le notizie codicologiche e offre un'indicazione sintetica del contenuto, riconosciuto attraverso la consultazione di repertori comuni, non attardandosi nella ricerca di concordanze e nell'esposizione della storia del manoscritto. In questo modo si mettono a disposizione del pubblico, in tempo molto più breve, almeno alcuni dati riguardanti i testi contenuti nelle fonti e si può stimare più rapidamente l'entità del patrimonio di ciascuna biblioteca.

L'avvento delle tecnologie informatiche, svincolando la catalogazione dalla struttura rigida del formato a stampa, ha permesso di conciliare queste due esigenze, prevedendo uno schema dettagliato che può essere compilato sommariamente in un primo tempo, completato successivamente e continuamente aggiornato. Questo modello continuamente aggiornabile fu proposto nella forma di schedoni mobili cartacei, in previsione di un'archiviazione informatica, ma prima ancora del suo avvento [OUY].

In campo musicologico la normativa di catalogazione dei manoscritti si è adeguata inizialmente al modello sommario, sia per motivi pratici di ordine biblioteconomico, sia a causa dell'arretratezza quantitativa e qualitativa della ricerca storico-musicale: mancanza di repertori adeguati, impreparazione specifica degli operatori, frammentazione geografica del patrimonio, necessità di un censimento globale del materiale esistente ma ancora sconosciuto [ROSTIROLLA, *Inventariazione*; FABRIS].

Nel 1979 furono pubblicate in Italia, quattro anni dopo l'edizione tedesca, le *Regole per la catalogazione dei manoscritti musicali*, a cura di Marie Louise Göllner [GÖLLNER]. Queste norme nacquero nell'ambito della Commissione per la Catalogazione della IAML e furono redatte per servire di guida alle singole biblioteche nella produzione dei cataloghi a schede cartacee dattiloscritte, come pure nella redazione di quelli a stampa.

La caratteristica principale di queste regole riguarda la possibilità di applicazione a qualunque tipo di manoscritto contenente musica notata, «indipendentemente dallo stato di elaborazione [...] (schizzo, bella copia), dalla sua presentazione (libro corale, partitura, parti), dalla sua destinazione (studio, esecuzione, manoscritto preparato per la stampa) e infine dal tipo di notazione usata (mensurale, intavolatura, notazione moderna)» [GÖLLNER: 62]. La possibilità di elaborare norme differenti per i diversi tipi di manoscritti fu abbandonata a favore di un insieme unitario di regole, poiché si ritenne che le differenze non fossero tali da influenzare sostanzialmente la descrizione, mentre, al contrario, vi fossero notevoli vantaggi nel riunire in un unico catalogo tutti i manoscritti.

Per quel che riguarda la struttura fisica del materiale, fu proposta una divisione netta tra descrizione particolareggiata e descrizione sommaria, privilegiando quest'ultima.

Dividere la descrizione in descrizione sommaria e descrizione particolareggiata permette di unificare la catalogazione di manoscritti di genere molto diverso. La descrizione sommaria contiene gli elementi di descrizione comuni a tutti i manoscritti, e può servire di base alla catalogazione sommaria di opere del XIX e del XX secolo, per le quali generalmente è sufficiente. Per le opere più antiche e per gli autografi si può completarla a volontà con la descrizione particolareggiata, senza alterare l'ordine fondamentale degli elementi inclusi [GÖLLNER: 65].

Fu poi prevista la trascrizione dell'*incipit* musicale, per la quale si scelse la notazione classica, evitando i sistemi in codice.

Dunque, un criterio di ordine biblioteconomico guidò principalmente la formulazione di queste norme, le quali, proponendo il titolo convenzionale e l'*incipit* anche per i manoscritti musicali, furono la base delle successive elaborazioni.

In realtà, già da alcuni anni, al di fuori delle istituzioni bibliotecarie, il *Gruppo RISM* italiano utilizzava dei criteri analoghi per la redazione delle schede che venivano – e vengono tuttora – inviate alla centrale del *Répertoire international des sources musicales* (RISM), dopo essere state raccolte in copia presso l'Ufficio ricerche fondi musicali (URFM) di Milano e l'Istituto di bibliografia musicale (IBIMUS) di Roma.

Tuttavia la pubblicazione delle norme curate dalla Göllner da parte dell'ICCU fu un passo importante nello sviluppo dell'interesse per i manoscritti musicali e i loro problemi in ambito non strettamente specialistico, ma anche bibliotecario e istituzionale.

L'impegno dell'ICCU portò infatti nel 1984 alla pubblicazione della *Guida a una descrizione catalografica uniforme dei manoscritti musicali* [GDMM], che nacque nell'ambito dell'Ufficio ricerca fondi musicali, con la collaborazione di esperti della Società italiana di musicologia, dell'IBIMUS e dell'ICCU stesso.

Una delle fonti principali di queste norme fu la guida che l'ICCU stava elaborando da anni [ICCU, *Guida*], il cui uso permise di uniformare, per quanto possibile, la descrizione dei manoscritti musicali a quella che si stava elaborando in Italia per i manoscritti verbali. Quanto al titolo convenzionale, si vollero adeguare le *Regole* Göllner, mentre per la scelta dell'*incipit* musicale ci si riferì alle indicazioni già collaudate dal RISM, adoperandosi af-

L'incipit musicale nella catalogazione dei manoscritti musicali

L'*incipit musicale* è dato dalla trascrizione delle prime note del pezzo musicale da catalogare [*GDMM*: 29-32]. Questo segmento musicale, che si rileva seguendo alcune regole specifiche, identifica quasi sempre in modo inequivocabile la composizione, ne costituisce perciò l'elemento più caratteristico e risulta indispensabile per i confronti con i repertori, con le edizioni a stampa e con altri manoscritti.

Se per le schede cartacee e per i cataloghi a stampa l'*incipit* viene espresso attraverso la notazione musicale classica, nei cataloghi elettronici questo viene archiviato utilizzando una speciale codifica che utilizza soltanto i caratteri alfabetici, numerici e di interpunzione. Sia il catalogo elettronico internazionale dei manoscritti musicali curato dal RISM (Serie A II), sia quello nazionale italiano dell'ICCU (SBN-Musica) contengono le informazioni dell'*incipit* musicale codificate secondo il cosiddetto *Plaine and easie code* [HOWARD] di cui forniamo un semplice esempio.

Antonio Vivaldi
Concerto in mi maggiore per violino e orchestra d'archi 'La primavera', op. 8, n. 1, RV 269.
Violino solista.
Chiave: G-2

Alterazioni in chiave: xFCGD
Indicazione di misura: c
Frase musicale:
8"E/&GG^&G6FE^4.B&6BA^/&8GG^&G6FE^4.B&6BA^/

Questa soluzione è risultata particolarmente comoda nella gestione degli *incipit* musicali tramite procedure automatiche, poiché si poteva prescindere dalla forma grafica della notazione e basarsi invece sulla registrazione di semplici sequenze di caratteri alfanumerici. Inoltre, l'archiviazione elettronica di una grande quantità di *incipit* codificati consente di eseguire alcune ricerche incrociate e alcune analisi che permettono, tra l'altro, di identificare composizioni musicali non individuate chiaramente sulle fonti [SCHLICHTE, *Confronti*].

finché tutte le informazioni previste dal *Répertoire* fossero presenti anche nelle schede redatte con le nuove norme, in modo da rendere compatibili i due progetti.

È interessante rilevare una caratteristica di queste regole: pur non proponendo una normativa differenziata, la GDMM comprende tre appendici dedicate rispettivamente ai codici liturgici, ai manoscritti polifonici del XV-XVI sec. e ai manoscritti in intavolatura. La presenza di queste aggiunte sembra quasi incrinare quell'immagine unitaria e onnicomprensiva fornita nell'introduzione e redatta sul modello delle precedenti *Regole* Göllner. Propriamente, le difficoltà presentate da questi particolari tipi di codici cominciano a essere poste in evidenza, suggerendo la necessità di ulteriori precisazioni e criteri.

Nel corso degli ultimi anni la GDMM è stata adottata comunemente ed è stata recentemente richiamata in altre normative o guide alla catalogazione [*Cataloghi*; GENTILI-TEDESCHI, *Manoscritti*]. Inoltre, ha fornito la struttura dei dati necessaria alla realizzazione della parte relativa ai manoscritti musicali del catalogo collettivo elettronico italiano SBN-Musica [ICCU, *SBN MusMs*].

Tuttavia, in alcune occasioni sono state messe in rilievo difficoltà e lacune nell'applicazione di queste norme. Ciò succede poiché GDMM si basa principalmente sui criteri indicati dal RISM per la *Serie A II*, cioè per la musica manoscritta dal 1600 al 1800, non risultando esauriente per fonti di altre epoche. Oggi ci si rende conto che non solo i codici liturgici, i manoscritti polifonici del XV-XVI secolo e quelli in intavolatura hanno bisogno di norme particolari, ma anche quelli del XIX e del XX secolo, che presentano problemi catalografici diversi e non ancora affrontati sistematicamente [Gentili-Tedeschi in TANGARI-TORTORETO: 19-20]. Durante questi ultimi anni GDMM ha subìto dei ritocchi, soprattutto per quel che riguarda il titolo convenzionale delle messe, delle parti di messa e delle composizioni adespote e attende oggi una nuova edizione che tenga conto anche delle norme definitive per la catalogazione dei manoscritti letterari, pubblicate dall'ICCU nel 1990 [ICCU, *Guida*].

A livello internazionale, come accaduto per le pubblicazioni a stampa, la IAML ha individuato nel 1998 una serie di dati che contraddistinguono la registrazione bibliografica di base riguardante i manoscritti musicali. Dapprima questo modello condivideva la stessa struttura prevista per le pubblicazioni a stampa, in seguito la specificità dei manoscritti ha spinto all'elaborazione di uno schema apposito in grado di contemplare anche alcune caratteri-

Gli istituti italiani di catalogazione delle fonti bibliografico-musicali

In Italia, oltre agli enti istituzionali che si occupano della catalogazione dei documenti musicali (ICCU, ICCD, Discoteca di Stato), si annoverano altri istituti e associazioni di studiosi che hanno come compito proprio quello di promuovere la ricerca sulle fonti musicali.

Il più importante è senza dubbio l'Ufficio ricerca fondi musicali (URFM) di Milano [DONÀ; GENTILI-TEDESCHI, *Lavoro*]. Fondato nel 1965 da Claudio Sartori e Mariangela Donà, l'Ufficio nacque con lo scopo di riunire in un unico catalogo collettivo nazionale le schede descrittive riguardanti le edizioni a stampa e i manoscritti musicali italiani anteriori al 1900. Attualmente l'URFM, che risiede presso la Biblioteca del Conservatorio «G. Verdi» di Milano, è uno dei principali centri al mondo di documentazione e di *reference* riguardanti la musica italiana. L'Ufficio partecipa, tra l'altro, alla gestione e all'incremento della banca-dati bibliografico-musicale curata dall'ICCU (SBN-Musica), promuove corsi di formazione professionale e mantiene rapporti istituzionali con importanti centri musicali e musicologici italiani ed internazionali. Fra questi va ricordata almeno la collaborazione con il RISM al fine di incrementare la banca-dati internazionale.

A Roma concentra invece la sua attività l'Istituto di bibliografia musicale (IBIMUS) [ROSTIROLLA, *Istituto*; INSOM]. Fondato nel 1981 da Giancarlo Rostirolla, l'Istituto si occupa, in collaborazione con l'URFM e il RISM, di promuovere la catalogazione del patrimonio musicale manoscritto e a stampa presente nel Lazio, coordinando anche l'attività dei vari collaboratori RISM che operano in altre parti d'Italia. Attualmente i cataloghi dell'IBIMUS, consultabili presso la propria sede sita all'interno della Biblioteca nazionale centrale «Vittorio Emanuele II» di Roma, constano di ca. 120.000 schede in ordine topografico e alfabetico. Gran parte del catalogo IBIMUS relativo ai manoscritti musicali è entrato a far parte, tra il 1986 e il 1990 del data-base bibliografico-musicale SBN-Musica.

Oltre a questi due istituti principali, in quasi tutte le regioni italiane opera un gruppo organizzato di studiosi che si occupa di promuovere la documentazione delle fonti musicali, redigendo schede che vanno ad incrementare i cataloghi nazionali e inter-

➡

nazionali, pubblicando cataloghi e organizzando corsi di formazione.

Tra le istituzioni che maggiormente si sono prodigate nella promozione di questo settore di studi e nella pubblicazione di cataloghi di fonti musicali dobbiamo ricordare la Società italiana di musicologia (SIdM; <http://www.sidm.it>) che da anni annovera tra le proprie pubblicazioni una collana di *Cataloghi di fondi musicali italiani*, una collana di *Iconografia musicale in Italia*, nonché l'unica rivista italiana che si occupa specificamente dei documenti musicali: «Fonti musicali italiane» [FABRIS; ANTOLINI, *Cataloghi*].

stiche tipiche di questi documenti, pur mantenendosi aderente, sul versante della descrizione, al sistema ISBD.

REGISTRAZIONE BIBLIOGRAFICA DI BASE
PER I MANOSCRITTI MUSICALI
Core bibliographic record for manuscript music

Livello della descrizione
Titolo proprio [Designazione generica del materiale] : altre informazioni del titolo / prima formulazione di responsabilità ; ogni successiva formulazione di responsabilità. – Formulazione di versione / prima formulazione di responsabilità legata alla versione. – Datazione del manoscritto, etc. – Estensione del materiale : altre caratteristiche fisiche + materiale allegato. – Note

Intestazione principale: come nella catalogazione completa.

Intestazione secondaria: secondo la convenienza del caso. Si assegnino:
1. intestazioni secondarie che coprano almeno le relazioni primarie associate all'opera (es.: arrangiatore, curatore, librettista, copista).
2. intestazioni secondarie al nome + titolo delle singole opere quando la descrizione di una pubblicazione contenente due o più composizioni sia intestata al primo titolo o a un titolo collettivo.

Titolo uniforme: come nella catalogazione completa.

Intestazioni per soggetto: se sono usate intestazioni per soggetto si assegnino almeno uno o due soggetti dell'appropriato livello di specificità.

Classificazione: se viene usato uno schema di classificazione si assegni almeno un numero di classificazione tratto da un sistema di classificazione stabilito [*Core*].

Come è evidente, questo modello di base risulta molto sintetico se consideriamo le caratteristiche di natura codicologica proprie di ogni manoscritto. Queste ultime comunemente richiedono maggiore attenzione e dettaglio nella descrizione. Si tratta di uno schema che proporzionalmente appare molto ridotto rispetto a quanto stabilito per le pubblicazioni a stampa, proprio perché si è cercato di far rientrare la descrizione all'interno di una struttura informativa che originariamente non è stata concepita per i manoscritti. Non esiste infatti alcuna rilevazione dell'*incipit* musicale, né si dispone lo spoglio analitico del contenuto dei documenti e neppure si presta attenzione alle notizie che molto spesso vengono riportate sui manoscritti e che sono relative ad una particolare esecuzione, agli interpreti, agli eventuali dedicatari ecc.

Riteniamo che questo modello non possa considerarsi definitivo per la catalogazione dei manoscritti, anche perché la prassi catalografica consolidata in Italia e all'estero contempla una descrizione più dettagliata che mal si colloca all'interno della struttura ISBD. D'altra parte il modello ISBD è molto adatto allo scambio internazionale delle informazioni anche perché è facilmente conformabile ai formati elettronici standard relativi alle registrazioni bibliografiche. Per questo motivo sarà sicuramente necessaria un'ulteriore riflessione che porti ad un compromesso maggiormente favorevole alle esigenze descrittive dei manoscritti senza sacrificare l'interscambio delle informazioni catalografiche.

3.1.3. I documenti sonori

In Italia, già nel 1967, durante il Congresso nazionale dell'Associazione italiana biblioteche (<http://www.aib.it>), furono presentate alcune norme per la descrizione catalografica dei documenti sonori. Nel corso degli anni successivi, quelle norme subirono un ampliamento e alcune precisazioni e nel 1979 apparvero nel *Manuale di catalogazione musicale* pubblicato dall'ICCU [*Manuale*: 37-54]. Soltanto qualche anno più tardi, nel 1983, apparve il quinto volume del *Code international* della IAML riguardante la catalogazione dei documenti sonori [WALLON] che rimane ancora un punto di riferimento per questo tipo di attività.

Recentemente in tutto il mondo, le norme catalografiche nazionali hanno per la maggior parte accolto all'interno dei materiali soggetti a registrazione anche questa tipologia di documenti musicali. Purtroppo le caratteristiche dei documenti sonori, i quali possono essere pubblicati o molto spesso rimanere inediti e se pubblicati possono essere distribuiti su vari tipi di supporti o ripubblicati in nuove forme anche a grande distanza di tempo, non facilitano il tentativo di uniformare la loro descrizione ai modelli consolidati per il materiale librario. Inoltre lo sviluppo repentino di nuove forme di supporti sonori legati principalmente alle nuove tecnologie e soprattutto la loro massima diffusione hanno reso l'adeguamento dei modelli generali particolarmente problematico.

In una ricerca svolta nell'ambito del progetto *Harmonica*, Antony Gordon ha effetturato un'interessante rassegna dei più diffusi metodi correnti di catalogazione delle registrazioni sonore [GORDON], svolgendo anche un esame comparativo dei modelli principali di descrizione, tra i quali ricordiamo almeno la registrazione di base elaborata dalla IAML, *Dublin core metadata* [3.1.5.], le regole IASA [3.3.] e FRBR [3.1.4.]. Il primo dato che si rileva da questa analisi è che, come avevamo accennato, tutti i metodi di catalogazione delle registrazione sonore sono modellati sulle strutture elaborate per il materiale bibliografico e si rivelano quindi un adattamento più o meno adeguato di tali norme. Questo fatto sacrifica inevitabilmente le caratteristiche proprie dei documenti sonori che sono costretti in schemi che non valorizzano la loro specificità.

In particolare l'approccio più diffuso è quello che ha come punto di partenza per la catalogazione il supporto fisico (il nastro magnetico, il disco, la cassetta, il CD) piuttosto che la singola registrazione sonora in sé. Questo criterio non sembra particolarmente problematico per raccolte di documenti di dimensioni ridotte, mentre per collezioni molto ampie, in cui la stessa registrazione sonora può essere conservata su supporti fisici molto vari e numerosi, questo modello potrebbe generare delle difficoltà.

Considerando il punto di vista dell'utenza, in particolare riguardo a ciò che un utente preferisce cercare consultando un catalogo di documenti sonori, possiamo individuare alcuni punti fondamentali che vanno tenuti in considerazione per valutare l'efficacia di un modello descrittivo. Secondo Chris Clark del *National sound archive* della *British Library* le richieste della tipica utenza di un catalogo di documenti sonori possono essere ricondotte a cinque classi distinte [DUFFY-OWEN: § 4.2].

Origine e provenienza
- Da dove viene la registrazione?
- È stata pubblicata o no?
- È stata diffusa tramite trasmissione radiofonica o televisiva?

Evento sonoro
- Di che genere di suono si tratta?
  (Musica, parlato, effetti sonori e suoni artificiali, suoni della natura e ambientali)

Diritti
- Quali sono i diritti riguardanti l'opera che sono precedenti a qualsiasi esecuzione (compositore, librettista, autore del testo, arrangiatore ecc.)?
- Quali sono i diritti riguardanti l'esecuzione stessa che è stata registrata (compositore ecc. come sopra e inoltre esecutori, direttore d'orchestra ecc.)?
- Quali sono i diritti riguardanti il processo meccanico della registrazione (casa di produzione, casa discografica, casa di distribuzione ecc.)?

Tecnologia di registrazione
- Quale metodo è stato usato per registrare l'evento sonoro?
- Quale metodo è necessario per fruire del suono?
  (Per entrambe le domande: analogico o digitale)

Luogo e epoca
- Dove e quando l'evento è stato registrato?
- Dove e quando il documento sonoro è stato pubblicato?
- A quale cultura si riferisce?

Tra i modelli esaminati nella ricerca sviluppata da Antony Gordon occupiamoci almeno dello schema di registrazione bibliografica di base per i documenti sonori proposta dal Gruppo di lavoro sulla catalogazione della IAML.

REGISTRAZIONE BIBLIOGRAFICA DI BASE PER I DOCUMENTI SONORI
Core bibliographic record for sound recordings

Livello della descrizione
Titolo proprio [Designazione generica del materiale] : altre informazioni del titolo / prima formulazione di responsabilità ; ogni successiva formulazione di responsabilità. – Formulazione di edizione / prima formulazione di responsabilità legata all'edi-

zione. – Primo luogo di pubblicazione, etc. : primo editore, etc., data di pubblicazione, etc. – Estensione del materiale : altre caratteristiche fisiche + materiale allegato. – (Titolo proprio della serie / formulazione di responsabilità relativa alla serie, ISSN della serie ; numerazione all'interno della serie. Titolo della sottoserie, ISSN della sottoserie ; numerazione all'interno della sottoserie). – Note. – Numeri editoriali. – Numeri standard.

Intestazione principale: come nella catalogazione completa.

Intestazione secondaria: secondo la convenienza del caso. Si assegnino:
1. intestazioni secondarie che coprano almeno le relazioni primarie associate all'opera (es.: arrangiatore, librettista).
2. intestazioni secondarie al nome + titolo delle singole opere quando la descrizione di una pubblicazione contenente due o più composizioni sia intestata al primo titolo o a un titolo collettivo.
3. intestazioni secondarie per gli interpreti.

Titolo uniforme: come nella catalogazione completa.

Intestazioni per soggetto: se sono usate intestazioni per soggetto si assegnino almeno uno o due soggetti dell'appropriato livello di specificità.

Classificazione: se viene usato uno schema di classificazione si assegni almeno un numero di classificazione tratto da un sistema di classificazione stabilito [*Core*: 142].

In questo modello è molto evidente il riferimento ai documenti bibliografici, soprattutto perché nel livello della descrizione si adotta lo schema ISBD, riferendosi principalmente ad ISBD(NBM) [3.3.]. L'unica attenzione ulteriore consigliata per questo tipo di catalogazione, oltre ovviamente alle particolarità descrittive proprie di questa tipologia di materiali, è data dall'intestazione secondaria agli interpreti che non è compresa nello schema di registrazione catalografica di base relativa a edizioni e a manoscritti musicali. Per quello che concerne l'indicizzazione, molti problemi porta con sé la classificazione dei documenti sonori. Anch'essa, infatti, viene comunemente elaborata sui modelli appartenenti al materiale bibliografico, ma invece richiederebbe lo studio di uno schema autonomo e capace di comprendere la maggior parte delle specificità tipiche di questi documenti [LEDSHAM: § 3.6].

Un caso a parte tra i metodi di catalogazione esaminati da Gordon sono le regole proposte dalla *International association of sound and audiovisual archives* (IASA). Queste ultime appaiono molto più dettagliate per quel che concerne la descrizione e offrono un orientamento maggiormente indirizzato ad una sistemazione delle raccolte di matrice archivistica, con tutte le conseguenze che si possono immaginare anche nell'attività di catalogazione [IASA, *Rules*]. Di quest'ultimo modello ci occuperemo dettagliatamente in 3.3.

La *International association of sound and audiovisual archives* (IASA)

Nata nel 1969, la *International association of sound and audiovisual archives* è un'organizzazione internazionale non governativa che si occupa di promuovere lo scambio di informazioni tecniche e incoraggiare la cooperazione tra gli archivi sonori e audiovisivi in ogni settore. Attualmente conta ca. 380 membri in 50 paesi i quali coprono gran parte della tipologia di archivi sonori oggi esistente: archivi musicali, storici, letterari, teatrali, linguistici, folclorici ed etnografici. Oltre ad aver curato la redazione delle regole per la catalogazione dei documenti sonori, la IASA pubblica regolarmente un bollettino e organizza una conferenza annuale per fornire a tutti i membri l'opportunità di incontrarsi e di scambiare notizie ed esperienze. Ulteriori informazioni sull'attività della IASA sono reperibili al sito <http://www.llgc.org.uk/iasa/>.

3.1.4. *Functional requirements for bibliographic records* (FABR)

Recentemente le nuove tecnologie e in particolare la telematica si sono imposti come nuovi *media* che consentono sia l'accesso ai documenti primari – le opere letterarie, musicali, audiovisive – sia la consultazione dei cataloghi contenenti le loro rappresentazioni redatte durante la catalogazione – schede descrittive, indicizzazioni, *abstract*. Il ruolo degli apparati tecnologici è divenuto progressivamente più rilevante nell'ambito della documentazione e ha contribuito a sollecitare una riconsiderazione di tutto il processo di analisi, descrizione e indicizzazione documentaria. Inoltre tale attenta rivalutazione degli scopi e dei criteri di rappresentazione catalografica è stata stimolata dalla constatazione che la ricerca incessante di economicità nelle procedure di catalogazione rischiava di far perdere il contatto con le esigenze basilari di funzionalità e di efficacia richieste di solito dagli utenti durante la fase di ricerca e selezione dei documenti.

Almeno per quel che riguarda i libri e i materiali affini, cioè supporti sonori, audiovisivi, materiale cartografico ecc., tale riflessione ha portato all'individuazione di alcuni requisiti funzionali che ogni registrazione catalografica deve possedere per rispondere alle esigenze dell'utenza, a prescindere dal *medium* o da particolari sistemi locali di catalogazione. Questi requisiti sono stati esposti in un rapporto pubblicato nel 1998 a cura della *International federation of libraries associations and institutions* (IFLA) e intitolato *Functional requirements for bibliographic records* [*FRBR*]. Quantunque non si tratti di uno standard propriamente detto, abbiamo voluto comunque includere FRBR nella nostra trattazione poiché fornisce uno schema concettuale a cui la documentazione deve fare riferimento nel formulare o riconsiderare le norme e i modelli odierni di descrizione documentaria. FRBR richiederebbe nella sua completezza una più dettagliata trattazione che esula però dagli scopi di questo libro, tuttavia l'analisi sommaria dei suoi principali elementi dal punto di vista dei documenti musicali consente comunque di introdurre utili argomenti che saranno successivamente sviluppati quando analizzeremo le norme catalografiche specifiche di descrizione e di indicizzazione.

Innanzitutto notiamo come FRBR mostri un'attenzione rilevante nei confronti della musica e di alcune tra le sue molteplici manifestazioni documentarie, interesse che raramente è stato manifestato nel passato dalle normative catalografiche, le quali invece tendevano a considerare la musica sempre come materiale speciale, da non includere nei ragionamenti generali riguardanti la documentazione e la descrizione catalografica. Al contrario in FRBR la musica è presa spesso come esempio per esplicitare lo schema dei rapporti esistenti tra *opera, espressione, manifestazione* e documento reale, cioè l'esemplare o *item*. Questa struttura di relazioni è acquisizione comune piuttosto recente nel campo generale della documentazione ma, come abbiamo più volte accennato nel corso del volume, è invece nozione ben chiara da tempo in ambito musicale [VELLUCCI, *Bibliographic*: 213-214].

In generale possiamo affermare che FRBR si colloca nello stesso filone di riflessione teorica sulle pratiche catalografiche che ha trovato un notevole sviluppo in questi ultimi anni e che ha portato, tra l'altro, anche alla formulazione dei modelli di descrizione catalografica di base che hanno interessato tutte le tipologie documentarie e che, per quello che riguarda la musica, abbiamo esaminato precedentemente.

Approvato dallo *Standing committee* della sezione della IFLA che si occupa della catalogazione, FRBR è l'esito della ricerca di un apposito gruppo di studio istituito sotto la spinta delle risoluzioni espresse durante il Seminario IFLA sulle Registrazioni Bibliografiche tenutosi a Stoccolma nel 1990. Questa *équipe* ha avuto il compito di ridefinire le caratteristiche che ogni registrazione bibliografica deve mantenere per raggiungere un buon livello di compromesso tra un'attività di catalogazione non eccessivamente dispendiosa e d'altra parte la produzione di schede di catalogo dalla massima funzionalità informativa. Tali obiettivi erano venuti alla luce nel momento in cui l'introduzione delle nuove tecnologie nella redazione dei cataloghi e nella diffusione delle notizie bibliografiche stava cambiando considerevolmente le tradizionali procedure di catalogazione. Queste comprendono ora nuovi processi per la condivisione dei dati (catalogazione partecipata) o per l'estrazione di registrazioni preesistenti da cataloghi che avevano raggiunto un'accettabile stabilità (catalogazione derivata) e hanno introdotto delle forme originali di consultazione pubblica dei cataloghi attraverso il collegamento in rete. Oltre a ciò, la crescente diffusione dei documenti e delle pubblicazioni in forma elettronica, la cui circolazione era stata facilitata e sviluppata notevolmente proprio grazie all'incremento dei collegamenti telematici, ha prepotentemente introdotto tra gli interessi della catalografia alcune forme documentarie assolutamente nuove che richiedevano una riflessione originale in vista della loro analisi e della loro catalogazione [GUILLI GUILLU NI: 13-19].

Il modello concettuale di registrazione bibliografica elaborato e proposto da FRBR ha come scopo principale e originale quello di identificare quali siano i requisiti minimi della descrizione che interessano un utente quando effettua una ricerca su un catalogo o su una bibliografia e ne consulta le schede. Per questo FRBR definisce in senso teorico quali siano le finalità di una registrazione bibliografica e quale debba essere la sua strutturazione rispetto alle caratteristiche dei media che vengono utilizzati e alle necessità espresse dall'utenza.

Per la definizione di tale modello concettuale, FRBR si basa sull'uso di una tecnica di analisi molto nota nell'informatica e in particolare nell'ambito della progettazione dei *database* relazionali. Tale tecnica fa riferimento al cosiddetto *entity/relationship model* il quale prevede di isolare all'interno dell'ambito della realtà che si intende analizzare una serie di elementi distinti denominati *entità* legate tra loro da una serie di relazioni differenziate. Ogni entità è provvista di un certo numero di tratti caratteristici ben individuabili denominati *attributi* i quali distinguono una tipologia di entità da un'altra. A sua volta, ogni attributo può assumere un certo *valore* che, unito ai valori degli eventuali altri attributi di una stessa entità, ne distingue la particolare occorrenza rispetto a tutte le altre possibili.

La struttura peculiare del modello entità/relazione è caratterizzata proprio dalla possibilità che tra due o più entità sussistano dei legami di varia natura: semiotica, semantica, materiale ecc. Queste relazioni possono mettere in risalto un rapporto di *uno a uno*, in cui un'occorrenza di una entità può collegarsi ad una sola occorrenza dell'altra entità, di *uno a molti*, dove un'occorrenza di una entità può essere legata ad una o più di una occorrenza dell'altra entità, o di *molti a molti*, in cui una o più occorrenze di una entità possono essere collegate a una o più occorrenze dell'altra entità.

Prendiamo ad esempio una composizione musicale: si tratta di un caso idoneo ad illustrare il concetto di entità, poiché consiste in un'unità individuabile chiaramente e ricca di una serie di tratti distintivi precisi. Se consideriamo soltanto gli attributi *autore* e *titolo*, capiamo come nella maggior parte dei casi il valore acquisito da tali tratti distingue un'occorrenza di un'entità composizione da un'altra. Nell'esempio che segue evidenziamo la differenziazione che si ottiene tra due entità descrittive corrispondenti a due composizioni diverse le quali vengono distinte tramite il loro attributo *autore* e il loro attributo *titolo*.

Entità: composizione
- *Attributo autore*: Antonio Vivaldi
- *Attributo titolo*: Concerto n. 1 in mi maggiore, RV 269 « La Primavera »

Entità: composizione
- *Attributo autore*: Ludwig van Beethoven
- *Attributo titolo*: Sinfonia n. 6 in fa maggiore, op. 68 « Pastorale »

Una composizione comunemente è correlata in modo stretto ad una o più esecuzioni le quali possono essere considerate anch'esse come delle entità caratterizzate da alcuni attributi, attuando in questo modo una relazione *uno a molti*.

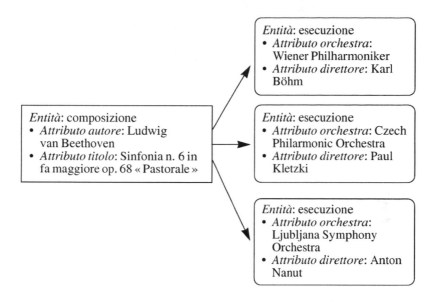

Ma se volessimo procedere in una descrizione più dettagliata potremmo considerare il rapporto esistente, per esempio, tra le composizioni e alcuni supporti di diffusione come i *compact disc*. Considerando entrambi come entità si realizza tra loro un rapporto di *molti a molti*, poiché una composizione può essere distribuita su molti CD, mentre un solo CD può contenere molte composizioni (vedi schema alla pagina seguente).

Come abbiamo accennato, una tra le caratteristiche di FRBR che ha maggiori ricadute nei confronti dei documenti musicali è la ripartizione delle entità che si riferiscono alla produzione intellettuale o artistica e che vengono raggruppate in *Entità del primo gruppo* [FRBR: § 3.1.1]. In questo ambito FRBR distingue tra *opera, espressione, manifestazione* e *item*. Queste quattro entità vogliono rappresentare i quattro distinti aspetti in cui si esplica una produzione intellettuale o artistica e che, essendo oggetto di richiesta da parte dell'utente, dovrebbero essere suscettibili di una catalogazione descrittiva e dell'attribuzione di inte-

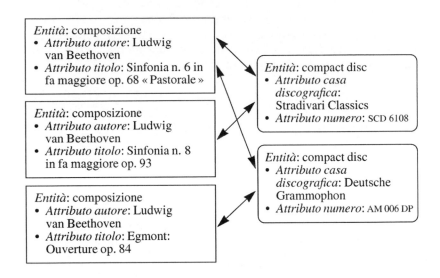

stazioni e altre chiavi di accesso. A questo insieme si affiancano le *Entità del secondo gruppo* [*FRBR*: § 3.1.2], ovverosia la *persona*, intesa come individuo coinvolto nella creazione o realizzazione di un'opera o come argomento di un'opera, e l'*ente collettivo*, inteso come gruppo di individui coinvolto anch'esso nella creazione o nella realizzazione di un'opera o visto in qualità di argomento. Il terzo gruppo [*FRBR*: § 3.1.3] comprende invece entità che possono avere il solo ruolo di soggetti di un'opera, cioè il *concetto*, l'*oggetto*, l'*evento* e il *luogo*. Per una trattazione dettagliata e sistematica di tutte le entità e di tutti i loro attributi rimandiamo direttamente a FRBR o agli studi che sono apparsi dopo la sua pubblicazione [*Seminario*; GHILLI-GUERRINI]. Noi ci soffermeremo nel dettaglio ad analizzare solo le entità del primo gruppo, facendo riferimento solo parzialmente ad alcune entità di altri gruppi.

L'*opera*, secondo il punto di vista proposto da FRBR, è una entità che fa riferimento ad una produzione intellettuale meramente astratta: nel caso della musica, rappresenta il puro pensiero compositivo di un autore riguardante una singola composizione. Sebbene sia un po' difficile ragionare su entità totalmente astratte, ricordiamo di aver già incontrato questioni analoghe parlando degli identificatori univoci [2.]. In effetti, il concetto astratto di *opera* si rivela molto comodo ed efficace quando, per esempio, dobbiamo gestire le relazioni esistenti tra varie *espressioni* della

144

stessa *opera* cioè, per esempio, tra varie esecuzioni di una stessa composizione musicale [*FRBR*: § 3.2.1].

I principali attributi che caratterizzano la rappresentazione simbolica di una entità *opera* sono i seguenti:

- Titolo dell'opera
- Forma dell'opera
- Data dell'opera
- Altre caratteristiche distintive
- Conclusione prevista
- Pubblico a cui è destinata l'opera
- Contesto dell'opera
- Mezzi di esecuzione (opera musicale)
- Designazione numerica (opera musicale)
- Tonalità (opera musicale)
- [...]

Per i nostri scopi basti notare che, tra tutte le informazioni che contribuiscono a delineare l'entità *opera* nella concezione di FRBR, almeno quattro risultano particolarmente interessanti dal punto di vista musicale. In primo luogo la *forma dell'opera*, la quale consente di specificare a quale genere musicale (sinfonia, concerto, sonata ecc.) appartiene la composizione che vogliamo descrivere. Seguono poi le indicazioni riguardanti i *mezzi di esecuzione* previsti originariamente dalla composizione e la *designazione numerica* che comprende gli identificatori di matrice musicologica (numero d'opera, numero d'ordine e numero di catalogo tematico) di cui abbiamo parlato nel capitolo precedente. Infine l'indicazione di *tonalità* completa la serie delle informazioni specificamente musicali che contribuiscono nel loro complesso a fornire una rappresentazione piuttosto dettagliata della composizione.

Occorre ricordare che la sequenza completa di titolo, forma, mezzo d'esecuzione, designazione numerica e tonalità è ben conosciuta dai bibliografi e dai bibliotecari musicali i quali da molti anni attribuiscono ad ogni descrizione delle pubblicazioni musicali il cosiddetto *titolo convenzionale*. Abbiamo parlato diffusamente di questo titolo in 3.1.1., ma ricordiamo che quest'ultimo comprende proprio tali informazioni e si riferisce quindi specificamente all'opera e non alla pubblicazione [TANGARI, *Libro*].

Passando ad esaminare la seconda entità del primo gruppo previsto da FRBR, possiamo definire *espressione* di un'*opera* la sua realizzazione intellettuale, in qualsiasi modo essa si possa presentare: nel caso musicale in forma di notazione, in forma di esecuzione sonora da parte di vari interpreti, in forma di adattamento, trascrizione, revisione ecc. [*FRBR*: § 3.2.2]. Si capisce facilmente a questo punto come l'aver previsto un concetto così astratto come quello di *opera* possa facilitare in modo sostanziale il raggruppamento di tutte le espressioni disponibili di una singola composizione sotto un unico comune denominatore che è il riferimento allo stesso pezzo musicale. Tra *opera* ed *espressione* esiste una relazione di uno a molti, per cui ad un'opera possono corrispondere una o più espressioni [*FRBR*: §§ 3.1.1 e 5.2.1], ma il riferimento ad una stessa opera instaura di conseguenza anche una relazione indiretta tra le varie sue *espressioni*. Se volessimo fare un esempio, potremmo considerare che tutte le esecuzioni di una stessa sinfonia di Beethoven così come tutte le sue espressioni in notazione musicale, a partire dal manoscritto autografo sino alle più moderna edizione a stampa, fanno riferimento alla stessa *opera*, caratterizzata concettualmente dal pensiero compositivo dell'autore. Da questo punto di vista le varie esecuzioni e le espressioni scritte sono legate tra loro da un rapporto orizzontale che le accomuna, poiché derivano tutte da un unico capostitipite in una sorta di rapporto gerarchico tra vari figli di uno stesso genitore.

I principali attributi previsti da FRBR per l'entità *espressione* sono i seguenti:

- Titolo dell'espressione
- Forma dell'espressione
- Data dell'espressione
- Linguaggio dell'espressione
- Altre caratteristiche distintive
- Possibile espansione
- Possibile revisione
- Estensione dell'espressione
- Sommario del contenuto
- Contesto dell'espressione
- Risposta critica all'espressione
- Restrizioni d'uso dell'espressione
- [...]
- Tipo di presentazione in notazione (espressione musicale in notazione)

- Mezzi di esecuzione (espressione musicale in notazione o in registrazione audio)
- [...]

Anche in questo caso rileviamo, oltre agli attributi comuni ad altre tipologie di documenti, un'attenzione particolare nell'indicare la forma dell'espressione (musica in notazione, esecuzione sonora ecc.), l'eventuale presentazione della notazione (partitura, parti, libro corale ecc.) e l'indicazione dei mezzi di esecuzione, i quali possono essere anche differenti da quelli previsti originariamente per l'*opera*.

La *manifestazione* di un'*opera* in una particolare sua *espressione* è la realizzazione fisica che consente di tramandare, per esempio nel caso musicale, la composizione in una delle sue possibili esecuzioni ed interpretazioni. Sono dunque manifestazioni di un'*opera* una particolare edizione a stampa della partitura, la pubblicazione di un *compact disc*, la videocassetta contenente l'esecuzione in forma audiovisiva ecc. Tra *espressione* e *manifestazione* si instaura una relazione di molti a molti poiché se, per esempio, un'esecuzione può essere pubblicata su vari supporti sonori, d'altra parte uno stesso supporto sonoro può contenere una o più espressioni della stessa composizione o di composizioni diverse [*FRBR*: § 3.2.3].

Tra i principali attributi previsti da FRBR per caratterizzare l'entità *manifestazione*, segnaliamo soltanto quelli maggiormente coinvolti nella documentazione della musica:

- Titolo della manifestazione
- Formulazione di responsabilità
- Designazione di edizione o emissione
- Luogo di pubblicazione o distribuzione
- Editore o distributore
- Data di pubblicazione o distribuzione
- Produttore o manifattore
- Formulazione della serie
- Forma del supporto
- Estensione del supporto
- Supporto fisico
- Metodo di acquisizione
- Dimensioni del supporto
- Identificatore della manifestazione
- Fonte di autorizzazione per l'accesso o l'acquisizione
- Termini di disponibilità

- Restrizioni di accesso
- Caratteri tipografici
- Dimensioni dei caratteri tipografici
- [...]
- Numerazione nella serie
- Velocità di riproduzione (registrazione sonora)
- Ampiezza di solco (registrazione sonora)
- Tipo di incisione (registrazione sonora)
- Configurazione del nastro (registrazione sonora)
- Tipo di audio (registrazione sonora)
- Caratteristiche speciali di riproduzione (registrazione sonora)
- [...]

A parte gli attributi che tecnicamente sono dedicati esclusivamente alle manifestazioni musicali in forma di registrazione sonora (*configurazione del nastro*, *tipo di audio*, *caratteristiche speciali della riproduzione*), dobbiamo almeno rilevare la *forma della manifestazione*, la quale specifica se si tratta di musica a stampa, registrazione sonora su nastro, su cassetta, su disco o su CD. Inoltre rileviamo il ruolo autonomo destinato all'*identificatore della manifestazione* che comprende quanto da noi esaminato nello scorso capitolo e che, secondo quanto recita FRBR, « può anche essere assegnato da un bibliografo o da un musicologo » [*FRBR*: § 4.4.14], destinando quindi una posizione anche all'eventuale numero RISM o a quant'altro.

Per concludere la carrellata sulle entità del primo gruppo, un *item* è costituito dal singolo esemplare di una particolare *manifestazione*: nel caso della musica, esattamente il libro che contiene una determinata partitura conservato da una biblioteca o proprio il *compact disc* contenente un'esecuzione che abbiamo acquistato dal rivenditore. Ovviamente tra *manifestazione* e *item* si realizza una relazione di uno a molti poiché comunemente, nel caso musicale, un produttore di dischi pubblica un elevato numero di copie dello stesso *compact disc* e, allo stesso modo, un editore musicale immette sul mercato una quantità variabile, ma comunque elevata di uno stesso libro di musica [*FRBR*: § 3.2.4]. Gli attributi previsti per l'esemplare non sono numerosi e non sono particolarmente coinvolti nella documentazione della musica [*FRBR*: § 4.5]. Si rivolgono infatti alla descrizione di quelle caratteristiche che appartengono alla singola copia di una manifestazione alla quale si fa riferimento, come per esempio il suo codice identificativo ovvero la segnatura della collocazione o il numero di inventario.

Lo schema che presentiamo nella pagina successiva vuole esemplificare, analogamente a quanto formulato in FRBR, sia le entità sia le relazioni definite poc'anzi, prendendo come esempio un'edizione su CD della *Petite Messe Solennelle* di Gioachino Rossini.

La struttura esemplificata da FRBR è molto adatta a rappresentare la comune articolazione documentaria proposta dalla musica e può, in questo senso, costituire un valido punto di partenza comune per effettuare l'analisi delle normative catalografiche esistenti e l'adeguamento delle procedure di descrizione e di indicizzazione alle nuove esigenze documentarie.

Va precisato però che il modello concettuale elaborato da FRBR non si articola all'interno delle comuni norme di catalogazione allo stesso modo di come viene proposto e di come è stato da noi sintetizzato in parte. Infatti, essendo l'esito di un'analisi comparativa delle informazioni previste da varie normative catalografiche, tra cui ISBD di cui parleremo tra poco, FRBR mostra una sorta di disarticolazione delle componenti della descrizione documentaria comune. Su una scheda bibliografica, per esempio, non è facile individuare e separare le informazioni, ossia gli attributi, riguardanti l'*opera*, l'*espressione*, la *manifestazione* e l'*item*.

Volendo fornire un esempio, prendiamo spunto dalla seguente scheda catalografica di un libro conservato presso la Biblioteca del Pontificio istituto di musica sacra di Roma. La descrizione è redatta secondo lo standard ISBD(PM) [3.2.2.] e possiede, oltre alla intestazione per autore, anche la formulazione del titolo convenzionale [3.3.1.], che appare tra parentesi quadre, e l'indicazione, nel tracciato posto al termine della descrizione, dell'intestazione secondaria prodotta a partire da questa registrazione principale.

453.1.3

VIVALDI, Antonio

[Concerti. vl, orchar, bc. RV 269. La primavera]

Concerto in mi maggiore per violino, archi e organo (o cembalo) [Musica a stampa] : La Primavera : F. I n. 22 / Antonio Vivaldi ; a cura di Gian Francesco Malipiero. – [Partitura]. – Milano : Ricordi, 1950. – 1 partitura (28 p.) ; 27 cm. – (Istituto Italiano Antonio Vivaldi ; 76). – Num. ed.: P.R. 434.

I. MALIPIERO, Gian Francesco

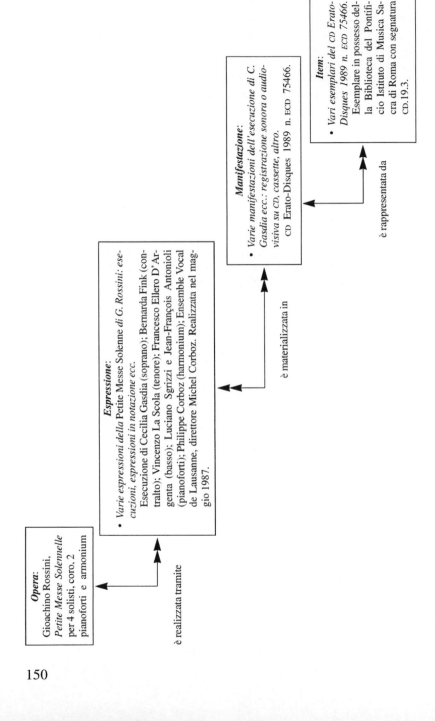

Opera:
Gioachino Rossini, *Petite Messe Solennelle* per 4 solisti, coro, 2 pianoforti e armonium

è realizzata tramite

Espressione:
• *Varie espressioni della* Petite Messe Solenne *di G. Rossini: esecuzioni, espressioni in notazione ecc.*
Esecuzione di Cecilia Gasdia (soprano); Bernarda Fink (contralto); Vincenzo La Scola (tenore); Francesco Ellero D'Argenta (basso); Luciano Sgrizzi e Jean-François Antonioli (pianoforti); Philippe Corboz (harmonium); Ensemble Vocal de Lausanne, direttore Michel Corboz. Realizzata nel maggio 1987.

è materializzata in

Manifestazione:
• *Varie manifestazioni dell'esecuzione di C. Gasdia ecc.: registrazione sonora o audiovisiva su CD, cassette, altro.*
CD Erato-Disques 1989 n. ECD 75466.

è rappresentata da

Item:
• *Vari esemplari del CD Erato-Disques 1989 n. ECD 75466.* Esemplare in possesso della Biblioteca del Pontificio Istituto di Musica Sacra di Roma con segnatura CD.19.3.

150

Di seguito specifichiamo invece a quali entità e attributi si possono riferire i singoli elementi della descrizione precedente. Si noterà come la scheda catalografica e soprattutto la descrizione catalografica redatta secondo ISBD(PM) rappresenti una sorta di sintesi organica delle entità e degli attributi previsti da FRBR, pur non evidenziandone chiaramente la distinzione e le relazioni.

Elemento	Entità: attributo/i
453.1.3	*Item*: identificatore
VIVALDI, Antonio	*Persona*: nome
[Concerti	*Opera*: titolo e forma; *Espressione*: titolo
vl, orchar, bc	*Opera* e *Espressione*: mezzi di esecuzione (elenco sintetico: orchestra d'archi e basso continuo)
RV 2690	*Opera*: designazione numerica (Ryom)
La primavera]	*Opera*: appellativo
Concerto in mi maggiore per violino, archi e organo (o cembalo) : La Primavera : F. I n. 22	*Manifestazione*: titolo
[Musica a stampa]	*Espressione*: forma; *Manifestazione*: forma del supporto
Antonio Vivaldi	*Manifestazione*: formulazione di responsabilità
a cura di Gian Francesco Malipiero	*Manifestazione*: formulazione di responsabilità
[Partitura]	Espressione: tipo di presentazione in notazione
Milano	*Manifestazione*: luogo di pubblicazione
Ricordi	*Manifestazione*: editore
1950	*Manifestazione*: data di pubblicazione
1 partitura (28 p.)	*Manifestazione*: estensione del supporto
27 cm	*Manifestazione*: dimensioni del supporto
Istituto Italiano Antonio Vivaldi	*Manifestazione*: formulazione della serie
76	*Manifestazione*: numerazione nella serie
Num. ed.: P.R. 434	*Manifestazione*: identificatore
MALIPIERO, Gian Francesco	*Persona*: nome

Il maggiore pregio di FRBR che si evince anche dall'analisi precedente, è il tentativo di raggiungere una maggiore flessibilità documentaria, proponendo un modello tutt'altro che rigido, ma adattabile e, almeno nello spirito, ampliabile organicamente. Riteniamo che la struttura proposta da FRBR, anche se indirizzata in modo specifico al materiale librario o affine, costituisca una base idonea su cui impostare la discussione per l'elaborazione di modelli descrittivi standard anche per altri tipi di documenti musicali. Nulla toglie infatti che un'analoga struttura per entità e relazioni possa essere adottata per proporre un modello descrittivo adatto anche per la documentazione di altre tipologie di supporti e strumenti [1.3.]. In questo modo si realizzerebbe un modello documentario flessibile, capace di raggiungere analoghi obiettivi di diffusione delle informazioni musicali a prescindere dalla tipologia materiale e dalla forma reale dei documenti.

3.1.5. *Metadati e documenti musicali*

Abbiamo già fatto riferimento cospicuamente alle nuove tecnologie, ai nuovi supporti contenenti documenti musicali e a come questo molteplice rinnovamento abbia toccato notevolmente le tecniche di catalogazione. Particolarmente problematici sono apparsi, per esempio, il recupero e la descrizione dei documenti presenti in forma elettronica all'interno di un ambiente di distribuzione a rete.

Per questo motivo sono stati elaborati alcuni metodi che consentono di affiancare alla risorsa elettronica anche una struttura informativa propria che munisca il documento di una sorta di *carta d'identità* capace di facilitarne la ricerca, il recupero e la descrizione. Si tratta dei cosiddetti *metadati* o «dati sui dati».

In una visione ampia e priva di separazioni rigide tra vari campi, anche una qualsiasi registrazione bibliografica costituisce una struttura di metadati, poiché effettivamente è formata da informazioni che descrivono e in qualche modo simboleggiano altri dati. Tuttavia, nella accezione tecnica che è invalsa non solo nel mondo della documentazione, ma soprattutto in quello molto più variegato dell'informatica e della pubblicistica elettronica, i metadati sono degli elementi che rispondono almeno alle seguenti caratteristiche:

- descrivono gli attributi di una risorsa informativa attraverso la formulazione di nomi, titoli, editori, date ecc.;
- caratterizzano le relazioni che appartengono alla risorsa infor-

mativa specificando se, per esempio, *è basata su*, *è una versione di*, *è contenuta in* un'altra risorsa informativa;

* consentono la ricerca, il recupero, la gestione e l'uso effettivo della risorsa informativa attraverso la formulazione esplicita di alcuni dati descrittivi, amministrativi, riguardanti i termini e le condizioni d'uso, i diritti d'autore, il contenuto, la provenienza, la datazione ecc.;
* esistono e svolgono la loro funzione all'interno di un ambiente elettronico [VELLUCCI, *Metadata*].

In pratica, si sta diffondendo la consuetudine, che presto diverrà un obbligo normalizzato da uno standard, di inserire all'interno del documento di formato elettronico anche una serie di dati che lo descrivono e che ne facilitano la gestione e l'uso.

Tra le iniziative che sono state intraprese per armonizzare l'uso di questi metadati, la più importante per la documentazione è senza dubbio la cosiddetta *Dublin core metadata initiative* [<http://dublincore.org>]. L'intento di questo progetto è quello di identificare e normalizzare una serie minima di metadati che siano in grado di raggiungere il massimo obiettivo gestionale dei documenti elettronici con il minimo impegno descrittivo.

La serie degli elementi previsti dal progetto *Dublin core* è la seguente:

* Titolo
* Creatore
* Soggetto
* Descrizione
* Editore
* Autore di contributo subordinato
* Data
* Tipo
* Formato
* Identificatore
* Fonte
* Lingua
* Relazione
* Copertura
* Gestione dei diritti [*Dublin core*]

Senza entrare nel dettaglio della qualificazione di ogni singolo elemento, dobbiamo rilevare che questi elementi sono comuni alle normali registrazioni bibliografiche e coprono gli ambiti generici del contenuto (*titolo*, *soggetto*, *descrizione*, *fonte*, *linguaggio*, *re-*

lazione, copertura), della proprietà intellettuale (*creatore, editore, autore di contributo subordinato, gestione dei diritti*) e della risorsa elettronica nelle sue caratteristiche formali (*data, tipo, formato, identificatore*). Tuttavia, considerando l'analisi concepita da FRBR, non è molto chiaro a quali entità concernenti il documento questi elementi si riferiscano. Ciò può generare delle confusioni e dei fraintendimenti, in particolar modo per quanto riguarda i documenti musicali i quali, come abbiamo visto, presentano un'articolazione complessa delle relazioni tra opera, espressione, manifestazione e esemplare [VELLUCCI, *Metadata*: 210-212].

Sebbene sia impossibile non riconoscere l'utilità dei metadati per la gestione dei documenti elettronici, tuttavia da più parti è stata rilevata la necessità di uno studio approfondito degli elementi proposti da *Dublin core* per adeguarli alle necessità dei documenti musicali [VELLUCCI, *Metadata*: 216-217]. Sono già state intraprese alcune iniziative che, partendo da un'esemplificazione d'uso della serie degli elementi *Dublin core* per la gestione dei documenti musicali elettronici [OWEN], rilevano una certa inadeguatezza del modello corrente e cercano di individuare quali possano essere gli sviluppi necessari per una corretta rappresentazione dei documenti musicali [DUFFY-OWEN].

3.2. *International standard bibliographic description for printed music*: ISBD(PM)

Dopo aver esaminato i principali schemi che, se non sono da includere nel novero degli standard veri e propri, tuttavia costituiscono dei modelli di rappresentazione catalografica conosciuti e diffusi largamente, dedichiamo ora la nostra attenzione a quelle normative catalografiche che vengono ufficialmente definite come standard e che circolano all'interno della comunità dei bibliotecari e dei documentalisti.

Gli standard internazionali per la descrizione bibliografica sono stati redatti da apposite commissione della IFLA sulla scorta delle risoluzioni stabilite durante lo *International meeting of cataloguing experts* che si svolse a Copenhagen nel 1969. Le intenzioni originarie che si vollero perseguire con lo studio e la redazione delle norme ISBD sono le seguenti:

A) rendere intercambiabili registrazioni provenienti da fonti diverse, in modo che le registrazioni prodotte in un paese possano essere facilmente accolte in cataloghi o altri elenchi bibliografici in qualsiasi altro paese;

B) facilitare l'interpretazione delle registrazioni stesse al di là delle barriere linguistiche, in modo che registrazioni prodotte per gli utenti di una lingua possano essere interpretate dagli utenti di altre lingue;

C) favorire la conversione delle registrazioni bibliografiche in forma leggibile dalla macchina [*ISBD(PM)*: § 0.1.2].

Dopo aver elaborato lo schema per la descrizione dei libri monografici verbali, ISBD(M), presto ci si accorse della necessità di redigere uno standard generale, ISBD(G), che servisse come base per la redazione di una serie di norme specifiche, capaci di rispondere alla grandissima varietà tipologica dei documenti che vengono comunemente pubblicati.

Tra le numerose applicazioni specifiche dello standard generico, esamineremo dettagliatamente quelle che maggiormente evidenziano implicazioni nei confronti della musica, cioè ISBD(PM), ISBD(NMB) [3.3.] e ISBD(ER) [3.4.]. Tuttavia non possiamo dimenticare che altre norme ISBD interessano i documenti musicali: lo stesso ISBD(M), ISBD(S) per le pubblicazioni in serie, ISBD(A) per le pubblicazioni antiche. In questa sede, però, non ce ne occuperemo dettagliatamente. Allo stesso modo, non intendiamo fornire una rassegna dettagliata della struttura generale dello standard, rimandando per questo alle singole norme specifiche. Ci limiteremo invece a mettere in evidenza le caratteristiche che maggiormente toccano i documenti musicali e la loro descrizione.

Le norme per la descrizione bibliografica standard denominate ISBD(PM) sono state pubblicate nella loro seconda edizione rinnovata nel 1991 [*ISBD(PM)*]. Esse sono state elaborate per guidare nella descrizione di tutto il materiale librario a stampa di carattere musicale, cioè contenente in prevalenza notazione musicale, secondo la struttura generale di tutte le ISBD.

Come ogni ISBD, anche ISBD(PM) comprende otto aree all'interno delle quali situare le informazioni descrittive del libro di musica: ne abbiamo proposto un esempio in 3.1. In particolare lo schema presenta il *titolo* e *l'indicazione della responsabilità* intellettuale di creazione o di realizzazione dell'opera nell'Area 1; *l'indicazione di edizione* in Area 2; informazioni circa la presentazione specifica della notazione in forma di libro a stampa nell'Area 3; una serie di dati sulla *pubblicazione* e sulla *distribuzio-*

ne in Area 4; la *descrizione fisica* nell'Area 5; le informazioni concernenti la *collezione* in Area 6; le *note* (Area 7) e il *numero standard* con le condizioni di disponibilità nell'Area 8.

Ogni singola area è poi suddivisa in una serie di elementi secondo lo schema che segue [*ISBD(PM)*: § 0.3.2]:

1. Area del titolo e dell'indicazione di responsabilità
    1.1. Titolo proprio
    1.2. Designazione generica del materiale
    1.3. Titolo parallelo
    1.4. Complementi del titolo
    1.5. Indicazioni di responsabilità
2. Area dell'edizione
    2.1. Indicazione di edizione
    2.2. Indicazione parallela di edizione
    2.3. Indicazioni di responsabilità relative all'edizione
    2.4. Indicazione aggiuntiva di edizione
    2.5. Indicazioni di responsabilità relative all'indicazione aggiuntiva di edizione
3. Area specifica della musica a stampa
    3.1. Indicazione specifica della musica a stampa
    3.2. Indicazione specifica parallela della musica a stampa
4. Area della pubblicazione, distribuzione ecc.
    4.1. Luogo di pubblicazione, distribuzione ecc.
    4.2. Nome dell'editore, distributore ecc.
    4.3. Indicazione della funzione di distributore
    4.4. Data di pubblicazione e/o distribuzione
    4.5. Luogo di stampa, produzione o incisione
    4.6. Nome dello stampatore, del produttore o dell'incisore
    4.7. Data di stampa o di produzione
5. Area della descrizione fisica
    5.1. Designazione specifica ed estensione del materiale
    5.2. Indicazione delle illustrazioni
    5.3. Dimensioni
    5.4. Indicazione del materiale allegato
6. Area della collezione
    6.1. Titolo proprio della collezione o sottocollezione
    6.2. Titolo parallelo della collezione o sottocollezione
    6.3. Complementi del titolo della collezione o sottocollezione
    6.4. Indicazioni di responsabilità relative alla collezione o sottocollezione
    6.5. *International Standard Serial Number* della collezione o sottocollezione
    6.6. Numerazione all'interno della collezione o sottocollezione

7. Area delle note
8. Area del numero standard (o suo equivalente) e delle condizioni di disponibilità
   8.1. Numero standard (o suo equivalente)
   8.2. [...]
   8.3. Condizioni di disponibilità e/o prezzo

Particolare importanza nella descrizione ISBD acquista la punteggiatura tecnica, la quale ha lo scopo di separare tra loro le aree e gli elementi in modo da consentire il loro riconoscimento a prescindere da difficoltà di natura linguistica e il loro trattamento automatico tramite computer per fornire una prospettazione dei dati facilmente leggibile dall'occhio umano [*ISBD(PM)*: § 0.4].

Questa struttura è analoga per tutte le norme ISBD e consente di effettuare una descrizione esauriente del documento a stampa. Oltretutto, ISBD(PM) prevede tre zone in cui si specificano informazioni che riguardano particolarmente i libri di musica, cioè l'Area 1 nel suo elemento 2: *Designazione generica del materiale* [*ISBD(PM)*: § 1.2]; l'Area 3: *Area specifica della musica a stampa* [*ISBD(PM)*: § 3] e l'Area 5 nel suo elemento 1: *Designazione specifica ed estensione del materiale* [*ISBD(PM)*: § 5.1]. Tali indicazioni sono spesso sottovalutate rispetto alla rilevanza che assume la formulazione degli altri elementi, mentre costituiscono una testimonianza dell'assoluta specificità del libro di musica. Altra caratteristica peculiare del libro di musica a stampa è il numero editoriale o di lastra cui abbiamo accennato occupandoci degli identificatori univoci [2.] e che viene indicato, assieme agli altri codici standard, nell'Area 8: *Area del numero standard (o suo equivalente) e delle condizioni di disponibilità*.

La larga adozione della descrizione ISBD(PM) nei cataloghi di musica a stampa ha avuto come effetto principale il notevole ampliamento del bacino di utenza capace di condividere tali informazioni bibliografiche a prescindere dalle barriere linguistiche e tecnologiche che possano frapporsi. Inoltre, la convergenza della descrizione di media differenti verso un unico schema generale, almeno per quel che concerne i documenti musicali, ha determinato il positivo raggruppamento delle varie espressioni di una stessa opera sotto un modello descrittivo omogeneo, rafforzando quella efficace relazione orizzontale che può instaurarsi tra documenti tipologicamente diversi ma accomunati dal riferimento a uno stesso contenuto.

Inevitabilmente, l'adeguamento della descrizione documentaria ai modelli standard costringe a sacrificare alcune peculiarità proprie dei vari tipi di documenti, le quali non trovano di conseguenza un congruo spazio descrittivo. Ad esempio, qualche perplessità nei confronti di ISBD(PM) può essere avanzata non solo per ciò che riguarda le edizioni antiche musicali, che aggiungono alle peculiarità della musica anche quelle precipue del materiale antico e in particolare della stampa musicale antica, quanto, ad esempio, per la gestione del materiale allegato. Porre le parti staccate di una composizione come allegati della partitura non sembra del tutto corretto esaminando attentamente da una parte il ruolo rilevante che queste assumono nella prassi musicale e dall'altra la definizione di materiale allegato. Le parti, a nostro avviso, hanno un valore complementare e non subordinato rispetto alla partitura e tali dovrebbero figurare nella *Designazione specifica ed estensione del materiale* (Area 5.1) e non nella *Indicazione del materiale allegato* (Area 5.4) [TANGARI, *Libro*].

3.3. *International standard bibliographic description for non-book materials*: ISBD(NBM) e le regole IASA

Per tutto ciò che riguarda i materiali musicali non librari, vale a dire in primo luogo per i documenti sonori e audiovisivi, ma escludendo gli archivi elettronici dei quali ci occuperemo in 3.4., prendiamo in considerazione le cosiddette norme ISBD(NBM) cui abbiamo già accennato precedentemente.

La prima edizione delle norme di descrizione standard dei documenti non librari, denominata ISBD(NBM), apparve a cura della IFLA nel 1977 dopo alcuni anni di intenso lavoro di definizione e correzione. Questa prima pubblicazione suscitò una serie di osservazioni da parte delle associazioni professionali degli operatori che maggiormente erano coinvolti nella gestione di questo tipo di documenti, cioè la *International association of music libraries* (IAML) e la IASA. A partire da questi consigli si procedette a una prima revisione e all'armonizzazione di questo modello specifico con quello generale. Nel 1981, durante il convegno della IFLA svoltosi a Lipsia, si decise persino, tramite una votazione *ad hoc*, di non elaborare un'apposita ISBD per i documenti sonori, ma di promuovere un'ulteriore revisione della ISBD(NBM) per meglio formulare la descrizione di questa tipologia di materiali. L'attuale edizione in vigore delle ISBD(NBM), comprendente queste ultime istanze, è stata pubblicata originariamente nel 1987 e ha avuto la prima edizione in lingua italiana nel 1989 [*ISBD(NBM)*].

Non dovendosi occupare di documenti in forma di libro, questo standard descrittivo ha fin da subito dovuto misurarsi con oggetti privi degli elementi propri delle pubblicazioni a stampa e ha dovuto adattare evidentemente lo schema di descrizione, coniato proprio sulla base delle caratteristiche librarie, al fine di includere altri elementi o far rientrare per analogia informazioni che mal trovavano un'autonoma collocazione.

Questa difficoltà appare fin dalla indicazione delle fonti di informazione alle quali rivolgersi per recuperare i dati da inserire nella descrizione.

> Per molti tipi di materiali non librarî la formulazione di una descrizione bibliografica adeguata è difficile; ciò è dovuto all'assenza di un frontespizio o di una singola fonte equivalente d'informazione. Per descrivere un documento può essere necessario allora scegliere fra varie fonti d'informazione come il documento stesso (nel caso in cui i dati possano essere in forma visiva o audio o audiovisiva) un'etichetta, un contenitore, un allegato o altro materiale testuale di accompagnamento, come per esempio un manuale. [*ISBD(NBM)*: § 0.5].

Se, per esempio, ISBD(PM) basa le sue prescrizioni sul *frontespizio* del libro a stampa, indicando in primo luogo per cinque delle otto aree descrittive proprio questa fonte, al contrario ISBD(NBM), non potendo fare riferimento a quella pagina speciale che nel caso dei documenti sonori o audiovisivi è quasi sempre assente, fornisce princìpi piuttosto generici che lasciano molto spazio al giudizio del catalogatore. Nella scelta, infatti, si dovranno preferire le fonti di natura verbale che in qualche modo sono permanentemente legate al documento, come per esempio l'etichetta di un disco. Qualora però queste fonti risultino gravemente lacunose si possono ricavare i dati anche da eventuali contenitori o testi allegati, sino ad arrivare al recupero di informazioni di natura sonora o audiovisiva.

La struttura delle aree e degli elementi di descrizione ripropone quella già esaminata per ISBD(PM) [3.2.2.], anche se adattata a oggetti di altra tipologia, come viene evidenziato, ad esempio, dall'elemento 5.2 che per ISBD(NBM) viene definito generalmente come « Altre particolarità fisiche ».

Proprio su quest'ultima caratteristica occorre però soffermarsi per analizzare brevemente quali sono i documenti musicali compresi nel gruppo dei *non-book materials*. Tra le indicazioni generiche e specifiche del materiale che riguardano la musica si annoverano le seguenti tipologie [*ISBD(NBM)*: App. C]:

Indicazioni generiche del materiale	Indicazioni specifiche del materiale
Audioregistrazione	Audiobobina, audiocartuccia, audiocassetta, disco sonoro
Film	Anello cinematografico, bobina di film, cartuccia di film, cassetta di film
Kit multimediale	
Videoregistrazione	Videobobina, videocartuccia, videocassetta, videodisco

Questa varietà documentaria determina la complessa articolazione dell'area 5 che riguarda la descrizione fisica dei documenti e che, rispetto ad ISBD(PM), è di gran lunga più complessa. Si arriva persino a specificare le caratteristiche tecniche delle audioregistrazioni per distinguere tra disco analogico, disco digitale, bobina, cassetta e cartuccia e fornire quindi delle indicazioni esaurienti per la descrizione [*ISBD(NBM)*: § 5.2.8].

Accanto a ISBD(NBM), anche la IASA ha redatto nel 1998 una guida alla catalogazione che intende integrare la normativa ISBD per adeguarla alla varietà dei supporti e delle modalità di diffusione delle registrazioni sonore [IASA, *Rules*]. Non si tratta di uno standard riconosciuto, ma di indicazioni diffuse all'interno di un'associazione professionale che comunque sono largamente adottate tra gli operatori del settore.

Pur nella loro particolarità, gli archivi sonori mantengono alcune caratteristiche fondamentali tipiche delle raccolte archivistiche: unicità dei documenti, testimonianza dell'attività di un soggetto personale o collettivo, particolari modalità di intermediazione. Condividono però anche alcune tipologie di materiali che sono tipici delle biblioteche o, per meglio dire, delle mediateche.

Per questo motivo, nel redigere queste norme la IASA ha preso come base, oltre alle norme descrittive generali studiate dallo *In-*

ternational council on archives (ICA: <http://www.ica.org>) [*ISAD(G)*], anche le regole ISBD(NBM) e ISBD(ER) [3.2.4.], e parimenti le regole angloamericane di catalogazione bibliografica [*AACR2*] e la normativa di descrizione del materiale cinematografico elaborata dalla *Fédération internationale des archives du film* [*FIAF cataloguing*]. L'intento della IASA non è stato infatti quello di proporre un nuovo modello descrittivo, ma di armonizzare, pur ampliandoli, gli schemi già esistenti garantendo soprattutto la massima intercambiabilità dei dati.

La più importante differenza esistente tra le regole IASA e ISBD(NBM) riguarda il fatto che mentre ISBD si occupa di descrivere dei supporti pubblicati perlopiù in molte copie per un pubblico numeroso, la destinazione archivistica delle regole IASA ne consente l'uso anche per i documenti in copia singola, i cui supporti non sono nati per essere diffusi tramite la pubblicazione e commercializzati largamente. Infatti questi documenti sono conservati molto spesso in copia unica come testimonianza, ad esempio, di un programma radiofonico o televisivo, di un evento storico o sportivo oppure di una ricerca etnologica o folclorica.

La seconda differenza è la preferenza accordata dalle regole IASA alla catalogazione analitica rispetto alla descrizione a più livelli o alla semplice nota di contenuto tipiche dello standard ISBD. Poiché i documenti sonori contengono comunemente più di una registrazione audio, si può infatti procedere alla loro descrizione in vari modi: per esempio attraverso una nota di contenuto che contiene dei dati sintetici su ogni brano archiviato sul supporto [IASA, *Rules*: § 7.B.25.; *ISBD(NBM)*: § 7.7]. Oppure si può effettuare una rappresentazione più dettagliata utilizzando uno schema gerarchico multilivello che aggancia alla descrizione del supporto la descrizione di ogni singolo brano in esso contenuto, nella stessa successione originale [IASA, *Rules*: § 9.2.; *ISBD(NBM)*: App. A]. Ma la tecnica descrittiva più specifica ed efficace è certamente quella che parte dai singoli brani contenuti sul supporto e lega ogni loro descrizione all'indicazione sintetica del supporto o dei supporti in cui il brano è contenuto [IASA, *Rules*: § 9.1.].

Quest'ultimo modello sposta indubbiamente l'attenzione descrittiva dal supporto al brano, cioè, considerando lo schema proposto da FRBR, dalla *manifestazione* all'*espressione*, in termini che non appartengono all'impianto teorico di ISBD ma che invece privilegiano un livello elevato di granularità. Inoltre questa preferenza consente di esplicitare compiutamente la possibile relazione *molti a molti* che si può instaurare tra brani e supporti, anche nel caso di documenti sonori che non sono stati concepiti per la diffusione e il commercio di massa. Finalmente, questa struttura richiama la consueta disposizione in cui si articolano le discografie prodotte nell'ambito della ricerca musicologica: ne proponiamo un esempio nella pagina a fronte [LEYDI: 161].

Notevole enfasi è riservata alla segnalazione del copyright, per il quale è riservata un'intera area descrittiva [*IASA cataloguing*: § 4.]. Il motivo è comprensibile: comunemente le registrazioni sonore sono soggette alla tutela di numerosi diritti: dell'autore della musica e del testo, dell'esecutore, del produttore e della casa discografica. Qualora si tratti di registrazioni radiofoniche o televisive subentra anche il diritto della stazione che ha prodotto e trasmesso il programma, mentre per i documenti sonori privati conservati negli archivi ma non resi pubblici, la restrizione all'accesso e alla copia va tutelata con attenzione ancora maggiore.

Le relazioni e le differenze esistenti tra le due normative dedicate ai documenti sonori che abbiamo presentato testimoniano come la varietà documentaria tipica della musica sia anche la causa della proliferazione delle normative specifiche. Queste ultime, pur sottolineando la necessità di garantire il passaggio semplice da uno schema descrittivo all'altro, tuttavia esprimono esigenze descrittive disparate che invece, per essere soddisfatte, richiederebbero l'elaborazione di uno schema flessibile e ampliabile a piacimento. La difficoltà di concepire un modello del genere frena ancora i tentativi di condividere massimamente i dati, anche se recenti sistemi di rappresentazione delle informazioni, come per esempio XML e SGML [4.2.1.], fanno intravedere possibili soluzioni efficaci.

3.4. *International standard bibliographic description for electronic resources*: ISBD(ER)

Lo spazio autonomo che dedichiamo alla descrizione standard delle risorse elettroniche trova la sua ragion d'essere nel repentino e cospicuo incremento della musica diffusa sotto forma digitale e attraverso i canali di comunicazione telematica. Questa crescita esponenziale nella produzione e nella circolazione di supporti e archivi elettronici ha segnato anche l'evoluzione di ISBD(ER), portando queste norme nel giro di una ventina d'anni ad assumere una sempre maggiore autonomia e importanza. In-

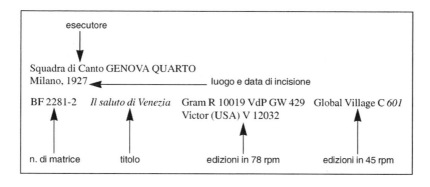

fatti alla fine degli anni Settanta del Novecento i supporti e i *file*
elettronici erano stati compresi all'interno della prima edizione
di ISBD(NBM). Tuttavia, quando nel 1981 queste norme vennero
riviste, si decise di dedicare uno schema specifico per la descrizione degli archivi elettronici, considerando l'incessante crescita
della diffusione di questo nuovo tipo di documenti. La normativa ad essi dedicata venne pubblicata per la prima volta nel 1988
sotto il titolo di *ISBD(CF). International standard bibliographic
description for computer files.* « Le risorse elettroniche sono i
prodotti di una tecnologia mutevole che continua a generare
cambiamenti a ritmi molto rapidi » [*ISBD(ER)*: 6], pertanto nel
1994 si procedette a una revisione ulteriore delle norme che prese in considerazione essenzialmente le sempre più diffuse pubblicazioni multimediali interattive e gli altrettanto numerosi documenti disponibili *on-line*, giungendo nel 1997 all'elaborazione dell'attuale ISBD(ER) che inaugurava l'uso della locuzione *risorsa elettronica* al posto di *archivio elettronico* per consentire
di abbracciare un maggior numero di documenti dal formato digitale diverso e gran parte degli ulteriori e non facilmente preve-
dibili sviluppi.

Oggetto di questo schema descrittivo sono tutti i documenti
che per essere consultati prevedono l'uso di un computer dotato
o meno di periferiche. Essi comprendono sia dati digitali di tipo
alfanumerico, grafico, sonoro ecc., ma anche programmi esegui-
bili utilizzati per elaborare tali dati o per interagire con l'utente.
La necessità dell'impiego di macchine specifiche per la lettura di
questi documenti porta come ovvia conseguenza l'obbligo alla
standardizzazione dei formati in cui tali documenti sono registrati sui supporti [4.], in modo molto più urgente di quanto non
risulti, per esempio, per i documenti non librari.

Per scopi catalografici, le risorse elettroniche sono trattate nell'I-SBD(ER) in due modi a seconda che l'accesso sia locale o remoto. L'accesso locale implica che può essere descritto un supporto fisico. Tale supporto (ad es. disco ottico/magnetico, cassetta, cartuccia) deve essere inserito dall'utente in un computer, o in una periferica collegata al computer – generalmente un microcomputer. L'accesso remoto implica che generalmente non deve essere usato dall'utente nessun supporto fisico, l'accesso è reso possibile solo dall'uso di un dispositivo di input/output (es. un terminale) connesso ad un sistema automatizzato (es. una risorsa di rete) o dall'uso di risorse memorizzate su disco rigido o su altri supporti di memorizzazione [*ISBD(ER)*: 9].

Considerando queste ultime indicazioni risulta abbastanza curioso il fatto che i CD musicali non vengano presi in considerazione da ISBD(ER) come risorse elettroniche ad accesso locale, ma rimangano di esclusiva competenza di ISBD(NBM) [GUERRINI: 193-194]. In effetti i CD musicali, detti anche tecnicamente CD-A o CD-DA nel senso di *compact disc audio* o *digital audio*, contengono dati sonori in forma digitale e consentono l'accesso anche tramite i comuni lettori di CD aggiunti come periferiche ai normali *personal computer*: sarebbero quindi a tutti gli effetti da annoverare tra gli oggetti dell'interesse di ISBD(ER). Considerando che comunque le differenze di natura descrittiva non sono davvero rilevanti tra ISBD(NBM) e ISBD(ER), resta da segnalare la strana situazione per cui un CD audio dovrebbe essere descritto seguento ISBD(NBM) mentre, ad esempio, un *compact disc* contenente la trasposizione in MP3 degli stessi brani del suddetto CD musicale dovrebbe essere di competenza di ISBD(ER).

Questo caso testimonia ulteriormente della capillare introduzione della tecnologia nella produzione e diffusione dei documenti e d'altra parte è evidenza della difficoltà degli schemi descrittivi ad adeguarsi ad una situazione documentaria in continua evoluzione e che soprattutto non si articola secondo settori rigidamente separati. In particolare bisogna segnalare anche per questo standard quanto già abbiamo sottolineato per ISBD(NBM): poiché l'impostazione principale di queste norme si basa sulla descrizione dei libri, le altre tipologie di documenti trovano delle difficoltà ad essere adeguatamente comprese in tali schemi [GUERRINI: 192].

La caratteristica principale che distingue ISBD(ER) dalle altre norme ISBD è data, oltre ovviamente dalla diversa designazione generica [*ISBD(ER)*: Area 1.2], dalle proprie designazioni specifiche del materiale [*ISBD(ER)*: App. C] e da particolari fonti d'informazione, anche da alcune obbligatorietà che interessano principalmente l'Area 3 (Area del tipo ed estensione della risorsa) e l'Area 7 (Area delle note). In particolare è obbligo compilare l'Area 3 nel caso della descrizione di una risorsa remota, traendo i dati da qualsiasi fonte possibile, interna o esterna al documento, e conformandosi per quanto possibile alle designazioni suggerite in appendice. In Area 7, invece, è obbligatorio segnalare tutte le informazioni riguardanti i requisiti di sistema necessari per consultare il documento, nel caso di risorsa locale, nonché le indicazioni per reperire la risorsa su un computer remoto. Proponiamo di seguito un esempio di descrizione di risorsa elettronica musicale remota.

Exsurge quare obdormis, Domine [Risorsa elettronica] / Bartolomé de Escobedo (1500ca-1563) ; I cantori del Pontificio istituto di musica sacra di Roma ; direttore Walter Marzilli. – Dati sonori (1 file MP3 : 3,068 Mbyte). – Roma : Pontificio istituto di musica sacra, [2001]. – Requisiti di sistema: lettore di file MP3. – Modalità di accesso: World Wide Web. URL: http//www.vati can.va/roman_curia/institutions_connected/sacmus/sound/Qua resima/EscobedoExsurge.mp3

Evidentemente, in nota viene specificata sia la necessità di possedere un riproduttore di file MP3, sia invece l'indirizzo Internet dove è possibile reperire il file per poterlo ascoltare direttamente o salvarlo sui propri supporti di memoria di massa.

Proprio quest'ultima funzionalità, assai tipica nei collegamenti *on-line*, crea una certa situazione instabile tra risorsa remota e locale e tra risorsa pubblicata e non pubblicata. Infatti un file MP3 che risiede su un sito Internet remoto è sicuramente da considerarsi pubblicato, così come stabilito anche dalle norme standard [*ISBD(ER)*]: 0.1.1]. Ma se quello stesso file viene ad essere copiato e memorizzato sul disco di un computer di una biblioteca, è da considerarsi come risorsa locale e come *esemplare* del principale. Anche se lo stato di *esemplare* di quel file è certamente diverso da quello assunto dalla copia di un libro o di un CD musicale pubblicato e distribuito sul mercato direttamente dalla casa editrice o discografica, tuttavia il brano MP3 può essere considerato alla stessa stregua dell'esemplare locale di una pubblicazione.

Effettivamente le risorse elettroniche remote creano molti problemi di natura catalografica nella determinazione dell'oggetto della descrizione, della responsabilità intellettuale, dello stato di aggiornamento o di edizione [GUERRINI: 189-217]. Tra l'altro, le risorse remote non possono essere considerate certamente come patrimonio di un'eventuale raccolta documentaria locale, poiché questa istituzione può fornire solo l'accesso al documento e gli strumenti per consultarlo, non possedendolo fisicamente. Piuttosto che una limitazione, questo aspetto contribuisce ad ampliare la fisionomia dei centri documentari di raccolta e di consultazione, nei quali i documenti musicali acquistano uno spazio sempre maggiore. Tali istituzioni non si occupano più, come invece succedeva in passato, di mettere a disposizione degli utenti i documenti che possiedono, quanto di permettere l'accesso alle risorse documentarie che si possono raggiungere all'esterno utilizzando vari tipi di canali e di strumenti.

4. I FORMATI

Dopo aver esaminato i codici identificativi dei documenti musicali e i modelli per la loro catalogazione, giungiamo infine ad analizzare i formati standard in cui i documenti musicali più moderni sono prodotti e diffusi. Non intendiamo il concetto di *formato* nell'accezione di dimensione o grandezza ma, mutuando il suo significato dall'ambito tecnico dell'informatica, lo concepiamo come lo *schema di organizzazione e disposizione strutturata dei dati* costituenti un documento musicale. Si tratta ovviamente di speciali tipologie di documenti, cioè quelli che vengono prodotti sotto forma di archivi digitali e diffusi attraverso i supporti magnetici, ottici o tramite il collegamento telematico.

Il coinvolgimento della tecnologia nel settore musicale ha incrementato moltissimo la creazione di numerosi formati messi a punto appositamente per la musica: tentarne un censimento e una descrizione esauriente è impresa ardua che esula dagli scopi di questo libro. È opportuno però precisare che questa proliferazione ha favorito l'impiego di formati che non rispondono a standard riconosciuti, ma che sono stati proposti in ambito limitato e che, solo in alcuni casi, si sono affermati *de facto*. Inoltre, è possibile rilevare l'altissima obsolescenza di gran parte di essi, poiché sono rapidamente usciti dall'uso comune e sono praticamente scomparsi, tanto da rendere veramente complicata la loro documentazione.

Quest'ultimo effetto è stato già sperimentato nell'ambito della musica contemporanea che, essendo basata in alcuni casi su tecnologie e formati abbandonati rapidamente o coinvolti in un incessante rinnovamento, conosce bene il rischio della completa riduzione al silenzio di opere del tutto legate a un particolare strumento tecnologico obsoleto o a una particolare modalità di formulazione dei dati musicali di cui si è perduta la chiave di lettura [VIDOLIN]. Tuttavia questa situazione sottolinea la necessità di iniziare altrettanto velocemente l'analisi di questi formati e lo studio della loro produzione e diffusione, in modo da non perdere la possibilità di documentare questo recente momento di contatto tra musica e tecnologia. Anche questi formati infatti fanno parte di una storia dei documenti musicali che rischia di non essere più conoscibile se perdiamo completamente qualsiasi contatto con gli schemi rappresentativi che li esplicano e che ci consentono di decifrarne il contenuto.

La recente fase frenetica di sviluppo dei formati dei documenti musicali elettronici può essere inclusa all'interno del più vasto movimento di ininterrotta evoluzione dei sistemi di rappresentazione della musica. Infatti questo stadio è certamente da legare senza soluzione di continuità all'assidua riflessione teorica che in origine ha determinato la nascita della notazione musicale e in seguito ha distinto la sua trasformazione e va connesso alla sperimentazione pratica di nuovi metodi per simboleggiare il suono che segna tutta la storia della musica occidentale.

La documentazione della musica richiede oggi un'attitudine che potremmo definire *polilinguistica*, capace cioè di districarsi all'interno di un ambito complesso di formati rappresentativi differenti, mutuando un atteggiamento comune alla paleografia musicale, quando passa agevolmente dalle notazioni antiche alla moderna. Questa esigenza diverrà sempre più sentita e condurrà ad un notevole ripensamento delle competenze di base tipiche di coloro che si occupano di documentazione musicale. Sarà sempre più necessario, perciò, conoscere ed utilizzare almeno alcuni tra i più importanti metodi per rappresentare la musica, a partire ovviamente dalla notazione musicale classica e da alcune notazioni antiche, per passare ai formati audio più diffusi e alle codifiche della notazione più affermate, fino all'acquisizione della metodologia più idonea e rigorosa per elaborare formati originali, al fine di rispondere autonomamente ad esigenze particolari e specialistiche.

Per parlare dei formati occorre procedere ad una distinzione che, pur essendo sottile e in alcuni casi nemmeno chiaramente individuabile, rimane fondamentale. Dobbiamo infatti pensare che esiste una differenza tra *formato di codifica* e *formato di archiviazione*: si tratta di due caratteristiche che, sebbene siano spesso strettamente correlate, non coincidono perfettamente, tanto che si può utilizzare lo stesso schema di codifica pur archiviando i *file* in modo diverso e viceversa.

Nell'ambito dei documenti elettronici il tema della codifica è centrale poiché ogni informazione, per poter essere acquisita ed elaborata tramite dei calcolatori digitali, deve essere sempre tramutata, in ultima analisi, in una serie di segnali binari, in pratica in sequenze complesse di 0 e 1. Questa operazione non è affatto semplice, anzi nasconde in sé dei problemi la cui soluzione è determinante per la corretta e coerente elaborazione dei dati e per la successiva congruenza dei risultati che si ottengono. In primo luogo risulta essenziale la scelta dei dati da codificare, in secondo luogo è necessario stabilire quale codice si vorrà prendere in considerazione, in terza istanza si dovrà garantire che tra dato da codificare e simbolo del codice vi sia una corrispondenza biunivoca, per cui a ogni simbolo del codice corrisponda uno e un solo dato e viceversa [ORLANDI: 29-41]. Tutto ciò accade in maniera spontanea ogni volta che dobbiamo rappresentare un qualsiasi oggetto o fatto reale: procediamo infatti con la selezione di alcune caratteristiche che ci interessano, individuando in seguito un sistema per rappresentarle efficacemente. Per esempio, la notazione musicale comune è un metodo di pseudo–codifica che prevede innanzitutto la scelta delle caratteristiche di durata e di altezza relative e la loro rappresentazione attraverso dei segni disposti sullo spazio della carta.

Quando scriviamo al *computer* testi o musica e, a partire da questi, produciamo stampe, suoni digitali e quant'altro, non abbiamo a che fare davvero con lettere o note, ma con una rappresentazione delle stesse in termini digitali, anche se ciò è assolutamente impercettibile. È chiaro quindi che le decisioni riguardanti quello che deve essere effettivamente codificato e le modalità in cui tale codifica viene messa in atto, risultino cruciali per la produzione e la diffusione di qualsiasi tipo di documento digitale.

Tuttavia, il sistema di scelta delle componenti da rappresentare, del codice da utilizzare e delle regole che presiedono alla rappresentazione non determina anche il modo in cui questi dati vengono memorizzati fisicamente. Continuando con l'esempio della notazione possiamo considerare che questa potrebbe essere disposta in partitura, in parti staccate, in forma di libro corale e ognuna di queste possibilità può manifestarsi ed essere realizzata in un formato di pagina verticale o oblungo e così via. In questo caso il sistema di rappresentazione non cambia, ma è diverso il formato di disposizione dei segni.

Una differenza analoga si instaura anche per i documenti elettronici nei quali, a fronte di particolari sistemi di codifica dei dati reali, vi possono essere diverse disposizioni fisiche delle informazioni digitali, per cui una macchina non solo deve essere abilitata alla decifrazione del codice di rappresentazione, ma deve anche essere in grado di procedere alla lettura corretta di questo codice. Un esempio molto efficace è per esempio quello dei formati audio [4.1.1.]: sebbene si tratti sempre di suono campionato e digitalizzato, quindi rappresentato secondo sistemi simili, tuttavia abbiamo diversi formati di disposizione degli stessi dati che portano a una differenziazione tipologica dei documenti. Non sempre però la differenza tra sistema di codifica e formato dei file è così evidente per i documenti digitali, poiché in molti casi un particolare metodo di rappresentazione è strettamente legato a un particolare formato di organizzazione e disposizione dei dati. Così accade per esempio per il MIDI [4.1.2.], in cui il sistema astratto di rappresentazione viene riconosciuto soltanto se disposto secondo un'unica modalità largamente accettata.

In un recente studio svolto dal *Center for computer assisted research in the humanities* (<http://ww.ccarh.org>) della Stanford University è stato selezionato un gruppo di circa trenta codici di rappresentazione della musica che si distinguono o meno dalla loro disposizione di formato [*Beyond*]. Questi metodi di rappresentazione sono stati suddivisi in cinque categorie che ci possono aiutare a dirimere un campo molto articolato e complesso.

Sound-related codes	Codici orientati alla descrizione e alla produzione del suono, nonché al controllo di strumenti elettronici per la produzione del suono (es.: MIDI).
Musical notation codes	Codici elaborati per descrivere la notazione musicale e per produrre stampe musicali di qualità (es.: Plaine and Easie Code, DARMS ecc.).
Musical data for analysis	Codici sviluppati col preciso scopo di analizzare opere musicali monofoniche o polifoniche.
Representations of musical form and process	Codici di rappresentazione musicale legati a ricerche di intelligenza artificiale, di psicologia cognitiva e linguistica quantitativa o strutturale.
Interchange codes	Codici orientati principalmente all'interscambio dei dati tra macchine e applicazioni differenti.

Questa suddivisione rappresenta un primo tentativo di sistemazione e classificazione che nasce a posteriori, cioè dall'esigenza di sistemare una realtà di fatto fortemente differenziata. A partire da questa formulazione iniziale e definendo specificamente ogni classe, si potrà in futuro elaborare a priori uno schema che possa migliorare la comprensione del problema e evidenziare esigenze non ancora contemplate. Tuttavia, questa classificazione risulta utile per avere chiaro il dominio in cui si sviluppano i problemi di rappresentazione della musica che fanno riferimento ai codici e al formato dei documenti digitali.

Per i nostri scopi adotteremo una distinzione meno articolata della precedente, così come presenteremo solo la rassegna di alcuni tra i formati musicali più noti. Distinguiamo, infatti, tra i formati che hanno lo scopo di tramandare il suono della musica e quelli che si occupano invece di diffondere la musica in forma scritta o di rappresentare in ambito catalografico i documenti musicali.

4.1. La musica che suona

4.1.1. I formati audio

La fioritura dei formati audio ha generato una vera e propria Babele. Ne esistono infatti in grandissima quantità: con una semplice ricerca in Internet è possibile recuperare notizie su un centinaio di tipi diversi [<http://www.wotsit.org/search.asp?s=music>]. Tale situazione si è verificata poiché sono stati elaborati formati diversi in relazione alla costruzione di particolari strumenti musicali elettronici o alla produzione di numerosi tipi di software per la registrazione, la modifica e la riproduzione dei suoni musicali.

Per comprendere l'effettivo peso della molteplicità dei formati audio all'interno del processo di comunicazione e di diffusione dei documenti musicali dobbiamo innanzitutto richiamare alcuni elementi riguardanti la digitalizzazione del suono.

Il suono musicale come qualsiasi altro suono è un evento continuo che, per poter essere trattato attraverso strumenti digitali, deve essere rappresentato in forma discreta attraverso un sistema numerico binario, cioè tramite una complessa sequenza di 0 e 1. La prima fase di questa trasformazione è il cosiddetto campionamento del suono, vale a dire il procedimento che misura i parametri sonori a intervalli regolari e molto frequenti e rappresenta questa misurazione attraverso quantità numeriche. È come se si effettuassero una serie di rilevamenti dell'andamento dell'onda sonora a intervalli molto ravvicinati, così come accade per il cinema, in cui un'immagine continua in movimento viene ad essere sezionata e ritratta tramite una serie molto numerosa di fotogrammi. In un secondo tempo, secondo un procedimento analogo alla proiezione veloce della pellicola cinematografica, l'onda sonora originale viene ad essere riprodotta tramite la conversione dei dati digitali in un segnale sonoro continuo. La nostra capacità di percezione non ci consente di cogliere la separazione tra i successivi campionamenti, poiché questi sono stati effettuati in grande quantità e ad intervalli di tempo molto piccoli: maggiore è la frequenza di campionamento, migliore sarà la qualità del suono che riusciamo a percepire [FROVA: 499-502].

Una volta selezionati i dati derivanti dal campionamento, questi possono essere archiviati su file digitali secondo molteplici modalità di registrazione, cioè secondo vari formati. Questi ultimi sono stabiliti da alcune regole che sono indispensabili per organizzare la scrittura e, in seguito, per decifrare il contenuto sonoro. Se volessimo esemplificare questo procedimento potremmo pensare in analogia alla pratica del dettato: il campionamento potrebbe essere paragonato all'attività percettiva che, a partire dalla pronuncia del lettore, individua e seleziona le parole e le singole lettere, mentre la scelta di un formato e l'archiviazione secondo quella particolare modalità di registrazione potrebbe essere ricondotta all'adozione di un alfabeto e di una disposizione del testo su carta secondo un particolare ordinamento: scrittura da sinistra a destra su righi consecutivi dall'altro verso il basso ecc. È evidente che senza la conoscenza condivisa dei simboli che rappresentano le lettere e delle modalità di disposizione dei segni stessi sulla pagina non sia possibile decifrare direttamente quanto è stato scritto sulla carta. Allo stesso modo, per poter riprodurre un file sonoro è necessario condividere il formato adottato nel momento dell'archiviazione.

Ogni programma di registrazione o di riproduzione del suono è impostato in modo da poter archiviare o leggere i dati contenuti nei file sonori secondo le regole che definiscono un formato. Può quindi procedere alla codifica secondo quelle stesse norme nel caso in cui debba scrivere il file o può effettuare la decodifica per leggere il file e riprodurre il suono [BAGWELL].

Bisogna precisare che, se non si hanno particolari esigenze tecniche riguardanti, per esempio, l'elaborazione di programmi di gestione dei file audio, questi formati rimangono totalmente trasparenti all'utenza comune, la quale non ha alcuna necessità di conoscerli e trattarli direttamente. Tuttavia si sta facendo

172

sempre più urgente la necessità di documentare questi formati, poiché sono la manifestazione di un particolare modo di diffusione di opere e espressioni musicali oltre ad essere dispositivo tecnico per la realizzazione di strumenti digitali per la gestione del suono.

I formati audio oggi vigenti possono essere distinti almeno in due famiglie: i formati autodescrittivi e quelli non autodescrittivi. I primi contengono al loro interno un'intestazione che ne descrive le caratteristiche tecniche e che consente ai programmi di gestione dei file sonori di riconoscere il tipo di codifica utilizzata e le opzioni che sono state adottate in fase di registrazione (frequenza di campionamento, numero dei canali ecc.). I formati non autodescrittivi mancano invece dell'intestazione e per questo sono più rigidi e non consentono l'indicazione delle caratteristiche peculiari della codifica.

A titolo di esempio, tra i formati audio autodescrittivi più noti e utilizzati dagli utenti dei computer, scegliamo di descrivere brevemente almeno il *Waveform audio file format*, che è riconoscibile poiché i suoi file sono comunemente archiviati con l'estensione .WAV o .WAVE, e lo *Audio interchange file format* contraddistinto da file con estensione .AIF o .AIFF. Entrambi questi formati non sono riconosciuti come standard effettivi, ma lo sono di fatto, poiché sono largamente utilizzati per gestire gli effetti sonori sulle macchine elettroniche personali.

Il *Waveform audio file format* è una particolare modalità di archiviazione di dati sonori non compressi elaborata e principalmente diffusa da Microsoft Corp. [<http://www.microsoft.com>] per il suo ambiente operativo *Windows*. Questo formato risponde ad alcune particolari regole generali adottate da Microsoft per scambiare e archiviare dati multimediali in una struttura costituita da sezioni separate (*chunks*) e combinate tra loro attraverso delle liste (*lists*). Tali regole, denominate *Resource interchange file format* (RIFF) [*Multimedia*: § 2], presiedono alla definizione dei vari blocchi di dati i quali, a loro volta, devono rispondere ad alcuni requisiti comuni per essere riconosciuti e letti correttamente dai programmi e dai dispositivi *hardware* [BAGWELL: § 11.6].

Semplificando moltissimo, possiamo dire che il *Waveform audio file format* è costituito da alcuni blocchi di informazioni così definiti [*Multimedia*: § 3]:

```
Intestazione RIFF
    Intestazione WAVE
        <fmt-ck>              // Definizione del formato
        [...]                 // Altri dati facoltativi
        <wave-data> )         // Dati audio
```

Analizziamo nel dettaglio la struttura del blocco di definizione del formato `<fmt-ck>` che è distinto in elementi comuni ed elementi specifici ed è senza dubbio il più importante poiché è quello che definisce la struttura dei dati sonori che seguono (`<wave-data>`).

```
<fmt-ck>                       // Definizione del formato
    <common-fields>
        wFormatTag             // Numero indicante la catego-
                               ria di codifica attuata per il
                               campionamento. Esistono codi-
                               ci differenti per il cosiddet-
                               to  Pulse  Code  Modulation
                               (PCM), lo Adaptive Differen-
                               tial PCM (ADPCM) ecc.
        nChannels              // Numero dei canali: 1 per
                               registrazioni mono, 2 per re-
                               gistrazioni stereo.
        NSamplesPerSec         // Frequenza di campionamento
                               in campioni per secondo. Le
                               frequenze più comuni, misurate
                               in Hertz, sono 8,0 kHz; 11,025
                               kHz; 22,05 kHz e 44,1 kHz.
        NAvgBytesPerSec        // Media per secondo dei dati
                               da trasferire rispetto al ti-
                               po di codifica audio utilizza-
                               ta. Attraverso questo dato i
                               programmi di registrazione e
                               riproduzione possono stabili-
                               re la quantità di memoria
                               (buffer) da mettere a dispo-
                               sizione.
        NBlockAlign            // Dimensioni del blocco di
                               dati. Questo numero consente
                               al programma software di de-
                               terminare la lunghezza del mi-
                               nimo gruppo di dati audio, in
                               modo che possa distinguerlo e
                               leggerlo correttamente.
    <format-specific-fields>
        wBitsPerSample         // Quantità di informazioni
                               semplici (bit) utilizzata per
                               definire ogni singolo campione
```

di suono per ogni canale.
Questo dato dipende dalla codifica utilizzata in fase di
campionamento che è stata indicata dall'elemento wFormat-
Tag.

Un esempio di file audio WAVE che contiene dati in PCM, con una frequenza di campionamento di 22,05 kHz in stereo e 8 bit per campione, potrebbe essere rappresentato, nella sua parte iniziale, come segue:

```
RIFF( 'WAVE'      fmt(1, 2, 22050, 44100, 2, 8)
                  data( <wave-data> . . . ) )
```

Il formato denominato *Audio interchange file format* (AIFF) è stato elaborato dalla casa produttrice Apple Computer, Inc. [<http://www.apple.com>] conformemente a quanto previsto generalmente per il formato di interscambio dei file dalla Electronic Arts secondo le norme *«EA IFF 85» Standard for interchange format files* [MORRISON]. Queste ultime norme sono simili allo schema previsto dalle RIFF e effettivamente ne sono le progenitrici. Anch'esse, infatti, includono una suddivisione dei dati in blocchi (*chunks*), ognuno dei quali contiene informazioni relative ad una particolare caratteristica dei file, e un'intestazione che descrive la struttura dei dati [*AIFF*].

Tutti i blocchi di dati del formato AIFF sono contenuti all'interno di un blocco-contenitore denominato *form* che ha la seguente struttura:

```
chunk
    ckID              // Identificatore del tipo di
                      blocco: FORM.
    CkSize            // Dimensioni complessive dei
                      blocchi successivi.
    FormType          // Definizione del contenuto
                      del form: AIFF.

    [common chunk, sound data chunk] // Altri blocchi
    di dati
```

I blocchi successivi sono costituiti dai cosiddetti *common chunk* (blocco comune) e *sound data chunk* (blocco di dati sonori). Il primo, che maggiormente ci interessa e che si presenta una

175

sola volta per ogni file, presiede alla descrizione dettagliata del documento digitale sonoro ed è strutturato come segue:

```
Common chunk
     CkID                    // Identificatore del tipo di
                             blocco: COMM per common chunk.
     CkSize                  // Dimensioni del blocco.
     NumChannel              // Numero di canali. È possi-
                             bile specificarne una qualsia-
                             si quantità.
     NumSampleFrame          // Numero dei gruppi di cam-
                             pionamenti    (SampleFrame).
                             Ogni gruppo di campionamenti è
                             dato dall'insieme dei campio-
                             namenti paralleli per tutti i
                             canali. Ad esempio per una
                             frequenza di campionamento di
                             22,05 kHz in stereo (due cana-
                             li) si avrà un numSampleFrame
                             di 44100.
     SampleSize              // Numero di bit per campiona-
                             mento.
     SampleRate              // Frequenza di campionamento
                             in Frame per secondo.
```

Come si può notare la struttura è simile a quella già esaminata per il formato WAVE, anche se AIFF appare più flessibile e capace di contenere maggiori particolarità e opzioni. Pur non soffermandoci nel dettaglio, dobbiamo precisare che i blocchi di dati sonori consentono l'inserimento di informazioni specifiche riguardanti, ad esempio, eventuali segnali di particolari punti del file sonoro che possono essere raggiunti direttamente (*Marker chunk*), l'indicazione dell'altezza della nota di riferimento (*Instrument chunk*), dati di formato MIDI ed altro [*AIFF*].

Un file in formato AIFF che abbia una frequenza di campionamento di 44,1 kHz nella sua parte iniziale potrebbe essere rappresentato in questo modo:

```
Form AIFF
          ckID                'FORM'
          ckSize              176516
          formType            ' AIFF'

     Common chunk
          ckID                'COMM'
          ckSize              18
          numChannels         2
          numSampleFrames     88200
```

```
sampleSize        16
sampleRate        44100

[Marker chunk]
[Instrument chunk]

Sound data chunk
     [. . .]
```

La caratteristica più interessante di questi formati è che, come avevamo già rilevato, contengono al loro interno una sorta di autodescrizione: il riferimento che potremmo fare è ai metadati che abbiamo affrontato nel capitolo precedente. In questo caso non si tratta però di una descrizione con scopi simbolici e di rappresentazione sintetica dell'oggetto originale, ma di una dichiarazione dei parametri indispensabili alla fruizione del documento stesso. In pratica queste intestazioni svolgono una funzione analoga a quella esercitata dalle tabelle di scioglimento delle abbreviazioni e delle sigle che spesso si trovano nei libri a stampa.

Il riferimento ai metadati non è però bizzarro e sarà certamente preso in considerazione sia per un'eventuale evoluzione dei formati audio autodescrittivi, sia invece per l'estensione ai contenuti audio anche dei comuni file passibili di descrizione tramite il sistema dei metadati. L'analogia tra questi sistemi testimonia come sia necessario concepire in senso generale il formato dei file, in modo che a partire da un metodo standard di descrizione dei formati che sia neutro e senza particolari connotazioni, per esempio usufruendo dell'alta flessibilità dei metadati, si possa definire la struttura di qualsiasi tipo di archivi elettronici dal contenuto multiforme.

4.1.2. Il MIDI

Il formato denominato *Musical instrument digital interface*, abbreviato in MIDI, è un codice elaborato specificamente per la produzione del suono attraverso strumenti digitali. Si tratta di un formato di codifica e di struttura dei file musicali che ha raggiunto una larghissima diffusione e un ruolo effettivo di *standard de facto*, in particolare grazie alle sue caratteristiche di semplicità d'uso e di economicità. Infatti, sia i produttori di strumenti musicali elettronici, sia le aziende che forniscono i supporti hardware per la produzione e la riproduzione del suono tramite personal computer – le cosiddette schede sonore –, nonché le case produttrici di software musicale hanno adottato in modo massiccio questo specifico formato. Di conseguenza l'ampia fascia di musicisti dilettanti o professionisti che si sono avvicinati alle tecnologie digitali ha trovato a propria disposizione una gamma di strumenti sempre crescente sia da un punto di vista quantitativo sia qualitativo, ma che soprattutto è semplice da usare e a basso costo. Il MIDI ha effettivamente permesso a musicisti che possiedono una minima competenza tecnologica di ottenere personalmente dei risultati musicali assolutamente irraggiungibili solo qualche decennio fa e inoltre ha consentito agli appassionati di tutto il mondo di scambiare tra loro brani musicali con un minimo impegno economico.

Questi sono in breve i motivi che hanno decretato il successo del MIDI e che hanno stimolato la produzione di una cospicua letteratura su questo codice e sulle sue applicazioni [*Beyond*: 41-72], nonché una notevole mole di informazioni tecniche disponibili e consultabili liberamente su Internet [LIPSCOMB; WITHAGEN].

Nonostante ciò, il MIDI presenta alcune notevoli limitazioni proprio perché è stato elaborato in vista di un uso molto specifico: risulta quindi rigido e non idoneo a riprodurre le innumerevoli sfumature della musica. Un esempio di questi limiti è dato dall'impossibilità di distinguere tra le note enarmoniche che per lo *Standard MIDI*, il quale si ispira a una tastiera simile a quella del pianoforte, vengono rappresentate allo stesso modo. Altro limite molto sentito è la quantità delle tracce sonore, cioè delle singole linee melodiche parallele gestite dallo *Standard MIDI*, che è ristretta a sedici.

Per questo motivo sono state elaborate alcune estensioni allo *Standard MIDI* che però non vengono accettate universalmente, come è il caso dello *eXtended MIDI* (XMIDI). Il *NotaMIDI*, lo *ExpressiveMIDI*, il *MIDIPlus* e lo *AugmentedMIDI* invece sono stati elaborati per rappresentare le caratteristiche della notazione comune, per produrre cioè delle stampe musicali e per rispondere ad esigenze di ricerca e di analisi [*Beyond*: 73-108]. Anche ad un esame poco approfondito queste estensioni sembrano essere degli apparati che coprono senza risolvere effettivamente le insufficienze principali di questo codice, appesantendo l'impianto originale e generando tutta una serie di dialetti che rischiano di diventare troppo macchinosi, negando quella semplicità che invece caratterizzava il MIDI originariamente. Inoltre questi ampliamenti potrebbero rivelarsi incompatibili tra loro, rendendo impossibile nei fatti l'interscambio dei dati: proprio quest'ultima, invece, è una delle caratteristiche fondamentali di questo formato.

Il MIDI, infatti, nasce dalla necessità di collegare e far suonare assieme più strumenti musicali elettronici. Tale risultato è stato ottenuto riportando astrattamente i principali elementi del suono (altezza e durata) alla corrispondente posizione e durata di pressione dei tasti di un'ideale tastiera elettronica (MIDI *keyboard*) analoga a quella di un pianoforte. In questo modo si possono acquisire dati a partire dall'esecuzione su una tastiera di questo tipo, così come si possono inviare comandi di esecuzione ad una di queste tastiere o a un altro strumento analogo per ottenere una certa sequenza di suoni.

L'altezza del suono è descritta dall'identificazione univoca del tasto che deve essere premuto per ottenere quel suono, mentre la durata è rappresentata dall'intervallo di tempo che passa tra la pressione (*NoteOn*) e il rilascio (*NoteOff*) di ogni tasto. Questo semplice presupposto di astrazione governa le principali caratteristiche del MIDI.

Analogamente a quanto osservato per i formati audio [4.1.1.], anche nel caso del MIDI ogni file contenente i dati musicali è diviso in blocchi (*chunks*) secondo quanto stabilito dal già citato «*EA IFF 85*» *Standard for interchange format files* (EA IFF). Si possono distinguere almeno due gruppi di blocchi: un primo gruppo di intestazione e un secondo relativo alle tracce sonore.

L'intestazione contiene alcuni dati generali che individuano il file MIDI e lo caratterizzano come segue.

```
Header Chunk
    ChunkType       // Tipo di blocco: MThd.
    HeaderLength    // Dimensioni complessive dei
                    blocchi successivi.
    FormatType      // Definizione del tipo di file
                    MIDI: '0' una traccia; '1' e
                    '2' una o più tracce.
    Ntrks           // Quantità di chunks delle
                    tracce.
    Division        // Fornisce la chiave per
                    sciogliere il cosiddetto Del-
                    tatime il quale sovrintende
                    alla temporizzazione e alla
                    sincronizzazione degli eventi
                    sonori.
```

Il gruppo dei blocchi di dati relativo alle tracce sonore è invece caratterizzato dalla seguente struttura.

```
Track Chunk
      ChunkType          // Tipo di blocco: MTrk.
      TrackLength        // Dimensioni complessive in
                         byte della traccia.
      MtrkEvents         // Eventi sonori, metaeventi,
                         eventi system-exclusive.
```

Gli eventi sonori previsti dal MIDI sono di tre tipi: gli eventi sonori veri e propri che contengono informazioni specifiche sui suoni che saranno eseguiti; i cosiddetti *meta-eventi* che possono contenere informazioni generali riguardanti il brano in questione o la singola traccia: nome del brano o della traccia, eventuale testo letterario, indicazione di tempo, indicazione di *copyright* ecc.; gli eventi *system-exclusive*, cioè particolari istruzioni legate alla macchina e agli accessori che vengono utilizzati.

Gli eventi sonori veri e propri sono caratterizzati, come abbiamo già accennato, dall'indicazione del tasto che verrà attivato, cioè dell'altezza della nota, e dalla specificazione della durata del suono, misurata comunemente in quantità di pulsazioni per una nota di un quarto (*Deltatime*), e della dinamica della nota ossia della velocità di attacco.

Nell'esempio parziale, molto semplificato e commentato che presentiamo di seguito, abbiamo riportato la visualizzazione ASCII di un file MIDI in cui abbiamo trascritto un brevissimo *incipit* del *Concerto in Mi magg. Op. 8 n. 1, RV 269 'La Primavera'* di Antonio Vivaldi. Sono evidenti i blocchi relativi all'intestazione (*Header Chunk*) e i blocchi relativi alle tracce (*Track Chunk*). Tra questi ultimi il primo è dedicato alle indicazioni generali riguardanti il brano archiviate mediante dei *meta-eventi*.

```
Header Chunk
============
Standard MIDI File type: 1
Quantità di chunk delle tracce: 6
Division ossia pulsazioni per nota di un quarto: 192

Track 1 Chunk
=============
Meta Event Track name: Concerto in Mi magg. Op. 8 n. 1,
   RV 269 'La Primavera'
Meta Event Text: di Antonio Vivaldi
Meta Event Copyright: All Rights Reserved
Meta Event Text: trascritto da N. Tangari
```

180

```
Meta Event Key signature: E major
Meta Event Time signature: 4/4 24 8
Meta Event End of track

Track 2 Chunk
=============
Meta Event Track name: Violino solista
Midi Event Control change Volume
Midi Event Program change Violin
Midi Event Note on          E 6
Midi Event Note on          G#6
Midi Event Note on          G#6
Midi Event Note on          G#6
   [. . .]
Meta Event End of track

Track 3 Chunk
=============
Meta Event Track name: Violini primi
Midi Event Control change Volume
Midi Event Program change Violin
Midi Event Note on          E 6
Midi Event Note on          G#6
Midi Event Note on          G#6
Midi Event Note on          G#6
   [. . .]
Meta Event End of track

Track 4 Chunk
=============
Meta Event Track name: Violini secondi
Midi Event Control change Volume
Midi Event Program change Violin
Midi Event Note on          B 5
Midi Event Note on          E 6
Midi Event Note on          E 6
Midi Event Note on          E 6
   [. . .]
Meta Event End of track

Track 5 Chunk
=============
Meta Event Track name: Viole
Midi Event Control change Volume
Midi Event Program change Viola
Midi Event Note on          G#5
Midi Event Note on          B 5
Midi Event Note on          B 5
Midi Event Note on          B 5
   [. . .]
Meta Event End of track
```

```
Track 6 Chunk
=============
Meta Event Track name: Basso
Midi Event Control change Volume
Midi Event Program change Cello
Midi Event Note on          E 4
Midi Event Note on          E 4
Midi Event Note on          E 4
   [. . .]
Meta Event End of track
```

Abbiamo volutamente tralasciato nell'esempio precedente un maggiore dettaglio, soprattutto per quanto riguarda l'indicazione della durata delle note o dell'indicazione assoluta dell'altezza della nota nell'impianto astratto previsto dal MIDI. Rimandiamo per ulteriori specificazioni all'utilissima analisi proposta da HEWLETT-SELFRIDGE-FIELD.

Nonostante i limiti a cui abbiamo accennato, la forza del MIDI sta nella sua vastissima diffusione, nella disponibilità di strumenti *hardware* e *software* di buon livello e a basso costo – addirittura inclusi nei sistemi operativi più diffusi – e nella relativa semplicità di comprensione e di gestione quasi diretta del codice. Per questi motivi, molti altri *software* di gestione digitale della musica prevedono la possibilità di migrazione nel formato MIDI, anche se ciò può determinare la perdita di parte delle informazioni originali. Piena di difficoltà è invece la transcodifica inversa, proprio per la scarsità di elementi contemplati dalla codifica MIDI originale.

Informazioni sul MIDI

Ulteriori informazioni tecniche sul MIDI e sulle sue applicazioni possono essere recuperate ai seguenti indirizzi Internet: MIDI *Manifacturers association* <http://www.midi.org>; *Harmony central* <http://www.harmony-central.com/MIDI/Doc/doc.html>.

4.1.3. MP3 e gli standard MPEG

Da qualche anno la diffusione dei documenti musicali attraverso i canali telematici ha posto in grande risalto il formato MP3 e in genere gli standard MPEG. Si tratta di alcune normative riconosciute dalla ISO che sono state elaborate principalmente con lo scopo di offrire un metodo per la compressione dei file digitali contenenti immagini video e suoni e consentirne, di conseguenza, la diffusione tramite le reti di telecomunicazione. Infatti il problema principale che si è posto ai tecnici che si sono occupati della diffusione dei documenti audiovisivi tramite il collegamento telematico è stato subito quello di trovare degli accorgimenti per ridurre considerevolmente la dimensione dei file digitali che contengono questi documenti, garantendo una trasmissione che impegni il meno possibile i canali di collegamento e permetta un trasferimento maggiormente rapido e sicuro.

Per questo nel 1988 venne istituito un gruppo di lavoro denominato *Moving pictures experts group* (MPEG) che aveva lo scopo di studiare i più appropriati metodi di compressione dei dati video e audio digitali [CHIARIGLIONE, *MPEG*]. Nel 1992 si giunse all'elaborazione dello MPEG 1 il quale prevedeva, per i dati audio, tre differenti *layer* distinti a loro volta dal grado di compressione che veniva adottato. Questo standard venne riconosciuto dalla ISO e fu contraddistinto dal numero 11172 e, per quanto riguarda i dati audio, più precisamente 11172-3. Più tardi nel 1997 fu elaborato lo standard MPEG 2 anch'esso distinto, per quello che concerne le comunicazioni audio, in tre *layer* secondo il grado di compressione previsto. MPEG 2, principalmente indirizzato alla televisione digitale, fu riconosciuto dalla ISO con il numero 13818 e per quanto riguarda i documenti sonori è contraddistinto da 13818-3.

MP3 è il formato di compressione audio che risponde a *MPEG 1 Audio layer III* (ISO 11172-3) integrato con alcune caratteristiche previste da MPEG 2. Spesso MP3 viene erroneamente identificato con MPEG 3 che invece non esiste, proprio per non generare confusioni. Una delle caratteristiche principali di MP3 è data dal tipo di algoritmo di compressione dei dati che è stato studiato tenendo presente la soglia di udibilità individuata dagli studi di psicoacustica. In particolare durante la codifica in MP3 il file audio viene ad essere modificato in modo da eliminare o inibire particolari ambiti sonori che nelle normali situazioni di ascolto non vengono percepiti e che quindi non conviene mantenere. Si ottiene così un onorevole compromesso tra la fedeltà del suono, che non è massima, e una bassa pesantezza dei file in termini di archiviazione e di trasmissione.

Un file audio MP3 non è strutturato secondo lo schema dei formati audio e MIDI che abbiamo esaminato precedentemente, non segue perciò le specifiche IFF o RIFF, ma si suddivide in una quantità cospicua di piccoli blocchi di dati denominati *frame*. Ognuno di questi blocchi rappresenta un segmento sonoro di durata minima che viene ad essere congiunto al successivo da parte dell'opportuno strumento di lettura audio, cioè dallo strumento *hardware* e *software* opportunamente costruito per consentirne la fruizione. Tutti i *frame* posseggono un'intestazione autonoma (*header*) che può essere identica per tutto il documento oppure può cambiare per specificare eventuali modifiche delle caratteristiche proprie del brano nel suo svolgimento [BRANDENBURG].

Questa intestazione, anche se ripetuta per ogni *frame*, possiede sempre le informazioni che consentono allo strumento lettore di procedere alla decodifica dei dati.

```
Intestazione MPEG (Frame Header)

Sync                Informazioni di sincronizzazione
Version             Versione di MPEG adottata: MPEG 1
                    o MPEG 2
Lay                 Layer adottato: layer I, II o III
error protection    Protezione d'errore
bitrate_index       Quantità di bit che descrivono un
                    secondo di suono: maggiore sarà
                    il bitrate più pesante sarà il
                    file
sampling_freq       Frequenza di campionamento. MPEG
                    1: 32000, 44100, 48000 Hz; MPEG
                    2: 8000, 11025, 12000 Hz.
[. . .]
mode                Un canale mono, due canali mono,
                    stereo, joint stereo
mode_ext            Specificazioni per il modo joint
                    stereo
copyright           Presenza di copyright
original            Supporto originale
emphasis            Equalizzazione del suono.
```

Ogni file MP3 possiede poi una parte finale che contiene alcune informazioni che descrivono il contenuto del documento, in modo analogo a dei metadati. Questa coda contiene tra i suoi elementi principali un'indicazione del *titolo*, dell'*artista*, del titolo dell'*album*, dell'*anno*, uno spazio per alcuni *commenti* e l'indicazione del *genere* musicale.

La scelta e la struttura di queste informazioni rivelano come sia stata fatta attenzione soltanto alla produzione musicale discografica maggiormente commerciale, facendo riferimento ad un'utenza amatoriale comune e diffusa. Si sono infatti dimenticate tutte le esigenze professionali di natura descrittiva che invece sono di grande importanza per la documentazione. Un esempio evidente di tale propensione è dato dalla lista dei generi musicali che si possono indicare nel campo *genere* della coda MP3 e dalle recenti estensioni proposte da un noto *software* per la lettura dei file MPEG.

Generi musicali previsti dalla coda MP3
(codice numerico e definizione)

0 Blues	20 Alternative	40 AlternRock	60 Top 40
1 Classic Rock	21 Ska	41 Bass	61 Christian Rap
2 Country	22 Death Metal	42 Soul	62 Pop/Funk
3 Dance	23 Pranks	43 Punk	63 Jungle
4 Disco	24 Soundtrack	44 Space	64 Native American
5 Funk	25 Euro-Techno	45 Meditative	65 Cabaret
6 Grunge	26 Ambient	46 Instrumental Pop	66 New Wave
7 Hip-Hop	27 Trip-Hop	47 Instrumental Rock	67 Psychedelic
8 Jazz	28 Vocal	48 Ethnic	68 Rave
9 Metal	29 Jazz+Funk	49 Gothic	69 Showtunes
10 New Age	30 Fusion	50 Darkwave	70 Trailer
11 Oldies	31 Trance	51 Techno-Industrial	71 Lo-Fi
12 Other	32 Classical	52 Electronic	72 Tribal
13 Pop	33 Instrumental	53 Pop-Folk	73 Acid Punk
14 R&B	34 Acid	54 Eurodance	74 Acid Jazz
15 Rap	35 House	55 Dream	75 Polka
16 Reggae	36 Game	56 Southern Rock	76 Retro
17 Rock	37 Sound Clip	57 Comedy	77 Musical
18 Techno	38 Gospel	58 Cult	78 Rock & Roll
19 Industrial	39 Noise	59 Gangsta	79 Hard Rock

Estensioni ai generi musicali proposte da un noto *software* MP3

80 Folk	92 Progressive Rock	104 Chamber Music	116 Ballad
81 Folk-Rock	93 Psychedelic Rock	105 Sonata	117 Power Ballad
82 National Folk	94 Symphonic Rock	106 Symphony	118 Rhythmic Soul
83 Swing	95 Slow Rock	107 Booty Brass	119 Freestyle
84 Fast Fusion	96 Big Band	108 Primus	120 Duet
85 Bebob	97 Chorus	109 Porn Groove	121 Punk Rock
86 Latin	98 Easy Listening	110 Satire	122 Drum Solo
87 Revival	99 Acoustic	111 Slow Jam	123 A Cappella
88 Celtic	100 Humour	112 Club	124 Euro-House
89 Bluegrass	101 Speech	113 Tango	125 Dance Hall
90 Avantgarde	102 Chanson	114 Samba	
91 Gothic Rock	103 Opera	115 Folklore	

Una rapida lettura dei generi proposti fa capire come tale classificazione sia inaccettabile sia da un punto di vista musicologico sia da quello documentario, poiché si tratta di una suddivisione legata alla contingenza del momento e all'emergere di stili musicali di decifrazione quasi impossibile.

Oltre agli MPEG 1 e 2 esistono altri standard dedicati alla comunicazione di dati audio e video elaborati dal medesimo gruppo di lavoro. Si tratta di MPEG 4 (ISO 14496) [CHIARIGLIONE, *MPEG-4*; CHIARIGLIONE, *Vision*], MPEG 7 che è ancora in fase di discussione [CHIARIGLIONE, *MPEG*: § 7.4] e MPEG 21 (ISO 21000) [CHIARIGLIONE, *Generation*]. Dal punto di vista della documentazione sono interessanti in particolare MPEG 7 e MPEG 21 poiché fanno proprie le esigenze di individuazione, descrizione fisica e contenutistica del documento che più volte abbiamo messo in rilievo. Sebbene questi formati non siano ancora definitivi, riteniamo che in futuro si riveleranno particolarmente importanti anche per la documentazione degli oggetti musicali digitali.

Informazioni su MPEG

Sono moltissime le informazioni su MPEG che si possono recuperare in rete. Segnaliamo soltanto i siti in cui sono pubblicate le informazioni tecniche più attendibili e soprattutto dove si può prendere atto degli sviluppi più recenti di questi standard: MPEG *Home page* <http://mpeg.telecomitalialab.com/>; MPEG Org <http://www.mpeg.org>; MPEG *Audio web page* <http://www.tnt. uni-hannover.de/project/mpeg/audio/>; MPEG-*7 Main page* <http://www.darmstadt.gmd.de/mobile/hm/projects/MPEG7/in dex.html>; MPEG-*21 page* <http://www.darmstadt.gmd.de/mobi le/hm/projects/MPEG7/Mpeg21.html>.

È inoltre molto utile consultare la pagina delle pubblicazioni di Leonardo Chiariglione, tecnico italiano che ha curato fin dalla sua nascita il formato MPEG in tutte le sue manifestazioni <http://leonardo.cselt.it/paper/lcpaper.htm>. Si troveranno in questo sito articoli in lingua italiana e soprattutto la testimonianza dell'evolversi dello standard a partire dalla fine degli anni '80 del Novecento.

4.2. La musica che non suona

Dopo aver esaminato i formati dei documenti musicali sonori ci accingiamo ora ad analizzare come la musica scritta possa essere rappresentata e archiviata in forma elettronica. In particolare ci occuperemo di esporre i recenti formati di rappresentazione legati a SGML e le codifiche della notazione elaborate negli ultimi quarant'anni. Al termine della nostra trattazione ci soffermeremo anche sui documenti secondari riguardanti la musica, cioè sulle registrazioni catalografiche e su come queste ultime vengono archiviate in forma digitale per poterne consentire l'interscambio.

4.2.1. *SGML, XML e gli altri linguaggi di marcatura*

Nel 1986 la ISO emanò una normativa denominata *Standard generalized markup language* (SGML: ISO 8879) elaborata per definire delle strutture astratte che potessero essere applicate, tramite un opportuno sistema di segnalazione, a tutta la varietà dei documenti elettronici che comunemente vengono prodotti e pubblicati [SCOLARI, *Standard*: 118-132]. Tramite questo linguaggio è possibile infatti definire e dichiarare la struttura tipica di una particolare famiglia di documenti e quindi condividerne facilmente i contenuti, prescindendo dall'uso di un particolare programma di scrittura o di lettura.

A questo principio generale e a SGML in particolare fa riferimento, per esempio, lo HTML (*Hyper text markup language*), il linguaggio con il quale vengono redatte le pagine ipertestuali che vengono distribuite sulla rete Internet. Oltre a questo, molti altri schemi astratti sono stati creati allo scopo di definire la struttura di specifiche tipologie di documenti per scopi principalmente industriali e produttivi, ma anche al fine di raggiungere risultati spiccatamente accademici e artistici. Tra questi, l'applicazione che maggiormente ha trovato successo in questi ultimi anni è senza dubbio il cosiddetto *Extensible markup language* (XML), una specializzazione del linguaggio originale che consente a chiunque di elaborare un progetto autonomo di documento e gestirlo con facilità.

Il principio su cui si basano SGML e XML prevede che si possa definire e descrivere la struttura logica generale di un certo tipo di documenti e poi utilizzare la stessa descrizione per *marcare* (*to markup*) i contenuti di ciascuna occorrenza del documento stesso. In questo senso *marcare* significa contrassegnare con opportuni simboli caratteristici ogni parte del testo che si intende codificare, in modo da definirne specificamente il ruolo all'interno dell'intero documento. Inoltre la *marcatura* consente di collegare il testo con elementi e risorse esterne al documento stesso, ma che in qualche modo lo riguardano e lo integrano.

Il documento codificato secondo tali criteri consta di due elementi archiviati separatamente oppure presenti assieme nello stesso documento elettronico: da una parte la descrizione generale della struttura astratta a cui il documento pertiene e dall'altra il contenuto particolare del singolo documento – l'*istanza* del documento – opportunamente contrassegnato. Ogni struttura astratta pertinente ad una famiglia di documenti è descritta attraverso il cosiddetto DTD (*Document type definition*). Ogni insieme di documenti analoghi possiede quindi un proprio DTD che contiene la definizione dei contrassegni necessari per marcare tutte le singole occorrenze di tali documenti, a prescindere dal loro particolare contenuto.

Entrambi i componenti, DTD e documento, sono registrati su *file* in formato testo. Con *formato testo* intendiamo dei *file* che contengono soltanto i caratteri compresi all'interno dei 128 simboli del codice ASCII. Il codice ASCII (*American standard code for information interchange*) fornisce una tabella di conversione dei principali simboli alfanumerici in termini digitali. Tale codice è stato adottato largamente dalle case produttrici di *hardware* e *software* ed è divenuto uno *standard* mondiale per la rappresentazione di informazioni alfanumeriche dopo il riconoscimento da parte della ISO nel 1991 e la sua indicazione con la sigla ISO 646. In seguito l'ISO ha studiato lo standard 8859 che, portando la rappresentazione da 7 a 8 bit, ha consentito di portare i segni disponibili a 256. La versione più nota dell'ISO 8859 è la 1, detta anche ISO Latin-1 che, a partire da una tabella identica a quella del codice ASCII (ISO 646) per i primi 128 caratteri, aggiunge nelle posizioni successive i più comuni simboli dell'alfabeto latino non compresi in precedenza.

I file di definizione della struttura (DTD) e quelli contenenti il documento vero e proprio, comprendono ogni elemento necessario alla definizione del documento stesso, evitando però qualsiasi proprietà accessoria o passibile di scelte contingenti. Ci riferiamo, ad esempio, alle caratteristiche che il documento assumerebbe nella sua pubblicazione a stampa: salti di pagina, tipo e giustezza del carattere ecc. Queste qualità possono essere attribuite ai singoli elementi del documento tramite un particolare *foglio di stile*, che secondo opportune regole, indica ad un eventuale programma di impaginazione, come trattare graficamente i contenuti di ciascun elemento. Quando però questi elementi sono indispensabili alla definizione del documento – nel caso, ad esempio, negli studi filologici o paleografici – anch'esse dovranno essere definite ed esplicitate.

Soprattutto, questi file sono concepiti in modo da mantenere un'altissima possibilità di condivisione, possono cioè essere letti e trattati con qualsiasi programma di *editing* e per questo consentono la diffusa distribuzione di qualsiasi informazione. Questo è il principale scopo per cui è stato elaborato SGML. In particolare l'interesse di SGML è da ricercarsi nella possibilità di codificare una sola volta un testo e poi poterlo elaborare per i più svariati scopi specifici, dalla comune stampa alle più sofisticate ricerche di analisi testuale.

Per comprendere quali possano essere i vantaggi di un simile approccio, basti pensare che tutti i linguaggi di marcatura, a partire da SGML, rispondono egregiamente a un modello di condivisione delle informazioni e di interoperatività dei sistemi di elaborazione definito come *Open system interconnection* (OSI). Questo modello – anch'esso descritto da un particolare *standard* (ISO 7498) – indica quali dovrebbero essere le caratteristiche *hardware* e *software* dei sistemi di elaborazione delle informazioni, per consentire il più largo accesso possibile ad esse e la loro più alta flessibilità d'uso [SCOLARI, *Standard*].

Per approfondire il sistema di marcatura previsto da SGML, rimandiamo alla consultazione dei sussidi disponibili a stampa o liberamente in rete [*Gentle*; GOLDFARB; SCOLARI, *Standard*: 118-132; TANGARI, *Codifica*: 101-110]. Rileviamo invece come le potenzialità e la versatilità di questo standard siano state subito colte dal mondo accademico – in particolare da quello umanista – che molto presto ha iniziato a sperimentare la codifica SGML per i propri scopi specifici di edizione critica, analisi, costituzione di repertori ecc.

Nasce da queste istanze nel 1988, quando cioè SGML era ancora in fase di elaborazione e prima che diventasse uno standard ufficiale ISO, la cosiddetta *Text encoding initiative* (TEI) [<http://www.tei-c.org>; SPERBERG-MCQUEEN-BURNARD]. Questa impresa internazionale, tra le più note e autorevoli nel campo dell'applicazione dell'informatica alla filologia e alla linguistica, ha come scopo la realizzazione, secondo le regole di SGML, di una struttura astratta che possa contenere la più varia tipologia di testi 'letterari' in senso ampio, da codificare principalmente per scopi di ricerca umanistica.

Per quel che concerne la musica, in questi ultimi anni si è potuto assistere a un grande fermento di iniziative volte ad applicare soprattutto XML alla rappresentazione della notazione musicale. Numerosi sono i progetti messi in cantiere, a partire almeno da alcune dirette filiazioni di SGML come lo *Standard music description language* (SMDL: ISO DIS 10743) [TANGARI, *Codifica*: 99-119], derivazione del più complesso *HyTime* (ISO 10744) [*Beyond*: 469-490], la cui elaborazione è stata abbandonata per essere assunta all'interno della definizione generale della seconda versione del progenitore.

Tra i recenti progetti più interessanti ci soffermiamo ad illustrare il *MusicXML* (<http://www.musicxml.org/xml.html>) che ci sembra oggi la proposta più promettente, anche se non ha ancora raggiunto il grado di standard accettato. Rimandiamo invece alla lettura delle fonti riguardanti le altre iniziative per un'informazione più esauriente e particolareggiata.

MusicXML è basato su una serie di DTD che comprendono tutte

le caratteristiche della notazione comune classica, consentendone una rappresentazione in forma strutturata secondo le norme previste da XML. Lo scopo principale di MusicXML è quello di permettere l'interscambio di informazioni concernenti la notazione musicale tra programmi diversi. Adottando il formato testuale ASCII e le regole di XML, questo metodo fornisce gli strumenti per realizzare dei file che descrivono la partitura in modo esauriente e ne consentono la trascodifica nel formato MIDI e in altri formati proprietari [GOOD].

Non è difficile arguire, partendo da un semplice esempio musicale come le prime battute del violino solista tratte dal *Concerto in Mi magg. Op. 8 n. 1, RV 269 « La Primavera »* di Antonio Vivaldi, in che modo questa descrizione risulti strutturata e come, di conseguenza, la notazione possa essere rappresentata secondo MusicXML.

```
<?xml version="1.0" standalone="no"?>
<!DOCTYPE score-partwise PUBLIC "-//Recordare//DTD
MusicXML 0.5d Partwise//EN" "http://www.musicxml.
org/dtds/partwise.dtd">
<score-partwise>
    <part-list>
        <score-part id="Vl1">
            <part-name>Violino solista</part-name>
        </score-part>
    </part-list>
    <part id="Vl1">
        <measure number="0">
            <attributes>
                <divisions>4</divisions>
                <key>
                    <fifths>+4</fifths>
                    <mode>major</mode>
                </key>
                <time symbol="common">
                    <beats>4</beats>
                    <beat-type>4</beat-type>
                </time>
                <clef>
                    <sign>G</sign>
                    <line>2</line>
                </clef>
```

```
                    <directive>Allegro</directive>
            </attributes>
            <note>
                <pitch>
                        <step>E</step>
                        <octave>5</octave>
                </pitch>
                <duration>2</duration>
                <type>eighth</type>
                <stem>down</stem>
            </note>
    </measure>
    <measure number="1">
            <note>
                <pitch>
                        <step>G</step>
                        <alter>+1</alter>
                        <octave>5</octave>
                </pitch>
                <duration>2</duration>
                <type>eighth</type>
                <stem>down</stem>
                <beam number="1">begin</beam>
            </note>
            <note>
                <pitch>
                        <step>G</step>
                        <alter>+1</alter>
                        <octave>5</octave>
                </pitch>
                <duration>2</duration>
                <type>eighth</type>
                <stem>down</stem>
                <beam number="1">end</beam>
            </note>
            <note>
                <pitch>
                        <step>G</step>
                        <alter>+1</alter>
                        <octave>5</octave>
                </pitch>
                <duration>2</duration>
                <type>eighth</type>
                <stem>down</stem>
                <beam number="1">begin</beam>
            </note>
            <note>
                <pitch>
                        <step>F</step>
                        <alter>+1</alter>
                        <octave>5</octave>
```

```
        </pitch>
        <duration>1</duration>
        <type>16th</type>
        <stem>down</stem>
        <beam number="1">continue</beam>
    </note>
    <note>
        <pitch>
            <step>E</step>
            <octave>5</octave>
        </pitch>
        <duration>1</duration>
        <type>16th</type>
        <stem>down</stem>
        <beam number="1">end</beam>
    </note>
    <note>
        <pitch>
            <step>B</step>
            <octave>5</octave>
        </pitch>
        <duration>6</duration>
        <type>quarter</type>
        <dot/>
        <stem>down</stem>
    </note>
    <note>
        <pitch>
            <step>B</step>
            <octave>5</octave>
        </pitch>
        <duration>1</duration>
        <type>16th</type>
        <stem>down</stem>
        <beam number="1">begin</beam>
        <beam number="2">begin</beam>
    </note>
    <note>
        <pitch>
            <step>A</step>
            <octave>5</octave>
        </pitch>
        <duration>1</duration>
        <type>16th</type>
        <stem>down</stem>
        <beam number="1">end</beam>
        <beam number="2">end</beam>
    </note>
</measure>
<measure number="2">
    <note>
        <pitch>
```

```xml
            <step>G</step>
            <alter>+1</alter>
            <octave>5</octave>
        </pitch>
        <duration>2</duration>
        <type>eighth</type>
        <stem>down</stem>
        <beam number="1">begin</beam>
    </note>
    <note>
        <pitch>
            <step>G</step>
            <alter>+1</alter>
            <octave>5</octave>
        </pitch>
        <duration>2</duration>
        <type>eighth</type>
        <stem>down</stem>
        <beam number="1">end</beam>
    </note>
    <note>
        <pitch>
            <step>G</step>
            <alter>+1</alter>
            <octave>5</octave>
        </pitch>
        <duration>2</duration>
        <type>eighth</type>
        <stem>down</stem>
        <beam number="1">begin</beam>
    </note>
    <note>
        <pitch>
            <step>F</step>
            <alter>+1</alter>
            <octave>5</octave>
        </pitch>
        <duration>1</duration>
        <type>16th</type>
        <stem>down</stem>
        <beam number="1">continue</beam>
    </note>
    <note>
        <pitch>
            <step>E</step>
            <octave>5</octave>
        </pitch>
        <duration>1</duration>
        <type>16th</type>
        <stem>down</stem>
        <beam number="1">end</beam>
```

```
        </note>
        <note>
            <pitch>
                <step>B</step>
                <octave>5</octave>
            </pitch>
            <duration>6</duration>
            <type>quarter</type>
            <dot/>
            <stem>down</stem>
        </note>
        <note>
            <pitch>
                <step>B</step>
                <octave>5</octave>
            </pitch>
            <duration>1</duration>
            <type>16th</type>
            <stem>down</stem>
            <beam number="1">begin</beam>
            <beam number="2">begin</beam>
        </note>
        <note>
            <pitch>
                <step>A</step>
                <octave>5</octave>
            </pitch>
            <duration>1</duration>
            <type>16th</type>
            <stem>down</stem>
            <beam number="1">end</beam>
            <beam number="2">end</beam>
        </note>
    </measure>
  </part>
</score-partwise>
```

La descrizione prevista da MusicXML, analogamente a quanto accade per tutti i documenti scritti secondo il formato XML, non comprende alcuna specificazione della forma di stampa, come ad esempio le dimensioni della pagina o del rigo musicale. La descrizione riguarda esclusivamente ciò che la notazione indica concettualmente rispetto all'altezza e alla durata delle note, nonché riguardo ad alcune loro caratteristiche grafiche come la direzione dei gambi, la presenza o meno di linee trasversali che uniscono crome, semicrome ecc.

Sebbene MusicXML sembri un sistema di rappresentazione particolarmente complicato e pesante, in realtà questo tipo di

195

struttura può essere facilmente gestita da un computer e può altrettanto semplicemente consentire la trasmissione e la condivisione di questi documenti digitali. Esaminando questo impianto ci accorgiamo infatti che non è così complicato, ma che semplicemente assicura la definizione sistematica e minuziosa di ogni parametro della notazione.

La codifica inizia con l'intestazione del file che indica che si tratta di un testo strutturato secondo le caratteristiche di XML e che segue il DTD denominato partwise.dtd, cioè uno dei numerosi DTD elaborati nell'ambito di MusicXML.

```
<?xml version="1.0" standalone="no"?>
<!DOCTYPE score-partwise PUBLIC "-//Recordare//DTD
MusicXML 0.5d
Partwise//EN" "http://www.musicxml.org/dtds/
partwise.dtd">
```

Inizia quindi la vera e propria partitura che prevede la specificazione delle varie parti <score-partwise>, le quali a loro volta vengono elencate e individuate da una sigla identificativa e da un nome: <part-list> <score-part id="Vl1"> <part-name>.

Quindi, nel nostro caso, abbiamo proseguito con la definizione della parte del violino solista, la sola che abbiamo rappresentato in questo esempio, iniziando con la prima misura: <part id="Vl1"> <measure>. Gli attributi di questa parte vengono riassunti dai <divisions> cioè dal numero di volte in cui è divisa una semiminima, dall'indicazione della tonalità, specificata dalle alterazioni e dal modo maggiore o minore <key> <fifths> <mode>, dall'indicazione di tempo <time> <beats> <beat-type>, dalla chiave <clef> <sign> <line> e finalmente dalle indicazioni di andamento <directive>.

Si passa infine alla definizione delle singole note distinte dai marcatori <note>, <pitch> <step> e <octave> per l'altezza, <duration> per la durata, <type> per il tipo di nota, <stem> per la direzione della stanghetta, <alter> per le eventuali alterazioni, <beam> per la definizione della linea che unisce crome e semicrome e infine <dot/> che indica la presenza del punto di valore.

XML e tutte le sue applicazioni connesse alla descrizione della notazione musicale saranno nel futuro sempre più comuni e assumeranno un ruolo chiave nella diffusione dei documenti musicali digitali. La flessibilità del sistema previsto da XML consente di gestire agevolmente qualsiasi contenuto elettronico e in futuro permetterà di connettere direttamente i dati sonori con le informazioni simboliche indicate dalla notazione e con i metadati che descrivono i documenti stessi. Perciò riteniamo che queste sperimentazioni contengano al loro interno le radici dei futuri formati standard che verranno adottati largamente per la realizzazione e la pubblicazione dei documenti musicali.

Informazioni su SGML, XML e le loro applicazioni in campo musicale

Moltissime sono oggi le pubblicazioni riguardanti lo SGML e lo XML che fanno riferimento ai documenti ufficiali dell'ISO e ai primi manuali esplicativi [GOLDFARB]. Allo stesso modo sono innumerevoli le risorse reperibili su Internet. Il sito che meglio di ogni altro consente di recuperare informazioni attendibili ed esaurienti è senza dubbio *The XML cover pages* all'indirizzo <http://xml.coverpages.org>.

Su HTML si possono trovare tutte le informazioni necessarie sul sito del *World wide web consortium* (W3C) all'indirizzo <http://www.w3.org>.

In generale sulle numerose applicazioni sperimentali di XML per la rappresentazione della notazione musicale si veda l'esauriente rassegna proposta dalla pagina *XML and music* <http://xml.co verpages.org/xmlMusic.html>.

Su SMDL (ISO 10743) si veda il sito <http://xml.coverpages. org/smdlover.html> e anche la pagina contenente informazioni sui progetti che hanno sperimentato questo sistema all'indirizzo <http://www.student.brad.ac.uk/srmounce/smdl.html>.

Infine su MusicXML l'indirizzo di riferimento è <http://www. musicxml.org/xml.html>.

4.2.2. *Le codifiche della notazione*

Con SGML e XML abbiamo affrontato specificamente il problema della codifica della notazione musicale e abbiamo esaminato uno dei formati più recenti che sembra maggiormente foriero di novità e sviluppi nel prossimo futuro.

La possibilità di esprimere la notazione musicale attraverso un codice digitale ha però molti antecedenti poiché rientra all'interno del problema semiotico generale della rappresentazione della musica [*Beyond*; TANGARI, *Oltre*]. In questo campo l'esigenza della condivisione di uno standard è evidente anche nella semplice rappresentazione dei simboli utilizzati nei documenti a stampa.

Ad esempio, la varietà della simbologia prevista dagli alfabeti internazionali e la necessità di gestire documenti in tutte le lingue possibili hanno generato la convinzione che fosse necessario studiare un codice unitario (UNICODE – ISO 10646) in grado di contenere tutti i simboli relativi alla scrittura delle lingue moderne, antiche e tecniche. L'obiettivo di UNICODE è quello di estendere al massimo la capacità rappresentativa già sperimentata da altri sistemi di codifica, come l'ASCII (ISO 646) o lo standard ISO 8859, utilizzando un codice a 32 bit che consente la rappresentazione di una grandissima quantità di simboli diversi. La musica, come spesso accade, non è stata compresa nel progetto iniziale, anche se moltissimi sono i testi che contengono al loro interno esempi musicali: opere di teoria e pedagogia musicale, enciclopedie, repertori, dizionari ecc. Esiste però una proposta di inclusione dei simboli musicali denominata UNICODEMUSIC che apparirà ufficialmente nella versione 3.1. dello standard generale e darà sicuramente un notevole impulso alla diffusione elettronica dei documenti musicali.

In generale lo standard UNICODE non prevede alcuna indicazione riguardante la resa grafica della pagina di testo scritto, si occupa infatti soltanto di fornire una sequenza univoca di bit per ogni singolo simbolo che può essere presente su un testo scritto a prescindere dalla sua collocazione nello spazio della pagina; pertanto non prevede la possibilità di segnalare l'altezza delle note, in quanto questa è strettamente legata alla posizione del simbolo nella pagina. La proposta dell'UNICODEMUSIC appare quindi limitata rispetto alle esigenze tipiche della musica, ma pur sempre utile e interessante [*Beyond*: 553-562].

All'interno del sistema generale, la parte dedicata ai simboli musicali comprende 256 posizioni: da quella contraddistinta dal codice esadecimale 1D100 (decimale 119.040) e quella invece individuata dal codice 1D1FF (decimale 119.295). Pur non sfruttando totalmente queste possibilità, UNICODEMUSIC è senza dubbio esauriente per quel che riguarda la notazione classica e i principali elementi delle notazioni antiche.

Di seguito riportiamo, per gentile concessione dello UNICODE *Consortium*, la tabella dei simboli della notazione compresi nello schema UNICODEMUSIC con il loro corrispondente codice in formato esadecimale.

	1D10	1D11	1D12	1D13	1D14	1D15	1D16	1D17
0	1D100	1D110	1D120	1D130	1D140	1D150	1D160	1D170
1	1D101	1D111	1D121	1D131	1D141	1D151	1D161	1D171
2	1D102	1D112	1D122	1D132	1D142	1D152	1D162	1D172
3	1D103	1D113	1D123	1D133	1D143	1D153	1D163	BEGIN BEAM 1D173
4	1D104	1D114	1D124	1D134	1D144	1D154	1D164	END BEAM 1D174
5	1D105	1D115	1D125	1D135	1D145	1D155	1D165	BEGIN TIE 1D175
6	1D106	1D116	1D126	1D136	1D146	1D156	1D166	BEGIN TIE 1D176
7	1D107	1D117		1D137	1D147	1D157	1D167	BEGIN SLUR 1D177
8	1D108	1D118		1D138	1D148	1D158	1D168	END SLUR 1D178
9	D.S. 1D109	1D119		1D139	1D149	NULL NOTE HEAD 1D159	1D169	BEGIN PHR. 1D179
A	D.C. 1D10A	1D11A	1D12A	1D13A	1D14A	1D15A	1D16A	END PHR. 1D17A
B	1D10B	1D11B	1D12B	1D13B	1D14B	1D15B	1D16B	1D17B
C	1D10C	1D11C	1D12C	1D13C	1D14C	1D15C	1D16C	1D17C
D	1D10D	1D11D	1D12D	1D13D	1D14D	1D15D	1D16D	1D17D
E	1D10E	1D11E	1D12E	1D13E	1D14E	1D15E	1D16E	1D17E
F	1D10F	1D11F	1D12F	1D13F	1D14F	1D15F	1D16F	1D17F

Copyright © 1999-2001, Unicode, Inc. Reproduced with permission.

199

	1D18	1D19	1D1A	1D1B	1D1C	1D1D	1D1E	1D1F
0	⬡ 1D180	*m* 1D190	I 1D1A0	⌐⌐ 1D1B0	♪ 1D1C0	▮ 1D1D0		
1	⬡ 1D181	*f* 1D191	℮ 1D1A1	⌐ 1D1B1	I 1D1C1	▦ 1D1D1		
2	⬡ 1D182	< 1D192	C 1D1A2	⌐ 1D1B2	I 1D1C2	♭ 1D1D2		
3	{ 1D183	— 1D193	∩ 1D1A3	⌐ 1D1B3	I 1D1C3	¶ 1D1D3		
4	{ 1D184	♪ 1D194	⌣ 1D1A4	⊕ 1D1B4	. 1D1C4	▮ 1D1D4		
5	⬡ 1D185	♪ 1D195	∟ 1D1A5	⊛ 1D1B5	. 1D1C5	♪ 1D1D5		
6	⬡ 1D186	*tr* 1D196	H 1D1A6	⌐ 1D1B6	⌐ 1D1C6	▪ 1D1D6		
7	⬡ 1D187	∾ 1D197	N 1D1A7	⊔ 1D1B7	⊙ 1D1C7	♪ 1D1D7		
8	⬡ 1D188	∾ 1D198	⌐ 1D1A8	⊔ 1D1B8	○ 1D1C8	⊹ 1D1D8		
9	⬡ 1D189	∾ 1D199	′ 1D1A9	◇ 1D1B9	Φ 1D1C9	◹ 1D1D9		
A	⬡ 1D18A	? 1D19A	⬡ 1D1AA	• 1D1BA	ℂ 1D1CA	◹ 1D1DA		
B	⬡ 1D18B	L 1D19B	⬡ 1D1AB	↓ 1D1BB	C 1D1CB	▦ 1D1DB		
C	*r* 1D18C	♠ 1D19C	⬡ 1D1AC	↓ 1D1BC	⊃ 1D1CC	◹ 1D1DC		
D	*s* 1D18D	~ 1D19D	⬡ 1D1AD	♪ 1D1BD	¢ 1D1CD	▪ 1D1DD		
E	*z* 1D18E	) 1D19E	𝄠 1D1AE	♪ 1D1BE	Đ 1D1CE			
F	*p* 1D18F	) 1D19F	✳ 1D1AF	♪ 1D1BF	✳ 1D1CF			

Tra gli ulteriori sistemi di codifica della notazione che maggiormente ci sembrano interessanti citiamo in primo luogo il CSOUND, un codice sviluppato originariamente presso il *Massachussets institute of technology* a partire dal 1980 [*Beyond*: 111-142]. CSOUND nasce per consentire la creazione e l'esecuzione di opere musicali elettroniche a partire dalla loro rappresentazione in codice ASCII. Essendo indipendente dalla piattaforma *hardware* – sebbene richieda almeno la presenza di uno specifico strumento per la produzione del suono, come ad esempio le schede sonore tipiche dei *personal computer* – il CSOUND è usato largamente negli studi di musica elettronica, soprattutto poiché oggi esistono varie versioni per i più diffusi sistemi operativi. Due sono a nostro avviso le caratteristiche di maggiore interesse del CSOUND. La prima riguarda la possibilità di definire dettagliatamente i singoli strumenti musicali, cioè i timbri, che sono necessari ad una particolare composizione e la loro interazione, facendo del CSOUND uno strumento assai versatile per la sperimentazione della musica elettronica. Il secondo motivo di interesse sta nel riferimento diretto di questo codice di rappresentazione della musica al linguaggio di programmazione *C*, ampiamente utilizzato dai programmatori e preferito per la sua flessibilità e la sua capacità di gestire efficacemente i sistemi elettronici fin nelle loro funzionalità più sottili e nascoste. Il CSOUND realizza così in modo evidente quella commissione tra i ruoli del musicista e del tecnico informatico che nel futuro sarà sempre più comune e diverrà presto quasi ovvia. La capacità di controllo diretto e minuzioso dell'emissione sonora da parte di questo linguaggio garantisce il musicista circa l'effettiva attuazione delle proprie idee musicali, ma oltre a ciò comporta una rappresentazione della composizione molto dettagliata e altamente formalizzata che si rivela un tipo di fonte ideale per qualsiasi studio e analisi musicologica.

Un'altra famiglia di codici molto interessante è certamente quella definita M*TEX che comprende il MuTEX, il MUSICTEX e il MUSIXTEX [*Beyond*: 222-231]. Il principale motivo di interesse di questa famiglia di codici sta nel fatto che rappresentano l'estensione musicale del diffuso sistema generale di impaginazione professionale denominato TEX. Questo sistema è molto diffuso tra studiosi di altre discipline e istituzioni accademiche, che lo utilizzano per la stampa e la pubblicazione di saggi scientifici di ottimo livello grafico a partire da testi definiti e formalizzati in semplice codice ASCII. Il fatto che il TEX sia stato sviluppato in ambito accademico, garantisce da una parte la sua gratuità e dall'altra la sua spiccata versatilità nei confronti di testi scientifici particolarmente complicati quanto a formule, segni speciali e rappresentazioni simboliche. Senza sottovalutare la complessità di questo sistema che, almeno all'inizio, appare pesante e complicato, tuttavia il fatto che esista una sua estensione musicale, da un lato avvicina la musica e la musicologia ad altre discipline, nell'ambito delle quali, per soddisfare particolari esigenze, è stato sviluppato questo sistema di impaginazione con tutte le sue varie applicazioni. D'altro canto il codice, unito agli strumenti *software* tipici del TEX, offre uno strumento per realizzare in proprio stampe musicali di qualità senza dover acquistare alcun programma commerciale e soprattutto producendo soltanto dei *file* in formato ASCII puro che descrivono la partitura secondo un sistema altamente formalizzato e quindi in gran parte passibile anche di altri usi, non esclusivamente legati alla stampa della musica.

Di interesse notevole è anche il codice KERN sviluppato nell'ambito di HUMDRUM, un sistema che consente attraverso opportuni strumenti *software* di effettuare non solo la rappresentazione della musica nei suoi vari aspetti, ma anche di favorire e facilitare una serie di ricerche musicologiche sui dati raccolti [*Beyond*: 375-401]. La particolarità di questo metodo di codifica e di tutto il sistema ausiliario è da rilevare principalmente nel fatto che si tratta di un codice elaborato espressamente per esigenze musicologiche e a queste orientato e non invece una modalità di rappresentazione studiata per altri fini e solo in un secondo tempo utilizzata per scopi di ricerca scientifica. I dati vengono archiviati in *file* di formato ASCII, utilizzando una struttura a matrice di due dimensioni, in cui la dimensione verticale è riservata alla sequenza temporale degli eventi sonori, mentre la dimensione orizzontale agli attributi contemporanei.

Infine segnaliamo il NIFF (*Notation interchange file format*) che nasce con lo scopo di realizzare un codice che assuma per la notazione musicale lo stesso ruolo del MIDI per la produzione elettronica del suono, vale a dire un linguaggio che permetta l'agevole scambio di dati tra applicazioni e macchine diverse [*Beyond*: 491-512]. In questo modo un *file* in formato NIFF potrebbe essere scambiato tra vari programmi di *editing* musicale, ma anche essere utilizzato per il riconoscimento ottico (OCR) della notazione e trasformato facilmente in formato MIDI. Lo sviluppo di questo metodo di codifica della notazione è stato promosso a partire dal 1994 da una serie di aziende produttrici di *software* che hanno trovato un punto di accordo nella generale conformità alle indicazioni tecniche elaborate da Microsoft per i documenti multimediali (*Resource interchange file format*, RIFF) [*Multimedia*: § 2]. A partire da queste regole è stato elaborato un codice che già oggi è disponibile tra le opzioni di archiviazione di alcuni programmi di *editing* musicale e di riconoscimento ottico della notazione.

Secondo quanto previsto dal formato RIFF anche in questo caso i file che rispondono al *Notation interchange file format* sono composti da blocchi di dati riuniti in liste all'interno di alcuni *form* [*NIFF*]. La struttura è quella che segue:

```
Intestazione RIFF
   Intestazione NIFF
      Setup section list    // Sezione di configurazione
      Data section list     // Sezione dei dati
         Header chunk        // Blocchi di intestazione
         Symbol chunk        // Blocchi dei simboli musicali
```

In particolare lo *Header chunk* presiede alla disposizione della pagina di musica, mentre il *Symbol chunk* contiene i dati che definiscono la nota e la posizionano all'interno del pentagramma. Infatti all'interno del blocco dei simboli troviamo la specificazione della forma della nota, delle alterazioni, degli eventuali aumenti di valore, delle indicazioni di articolazione ecc.

Anche se questo formato si sta affermando a fatica già esistono alcune proposte dedicate ad un suo ampliamento. In particolare ci sembra interessante la possibilità di rappresentare i file NIFF utilizzando la struttura XML, attraverso un particolare DTD denominato NIFFML (*NIFF Markup language*) [CASTAN]. Questa estensione renderebbe ancora più portatile il formato e lo adatterebbe alle esigenze della comunicazione telematica.

Informazioni sulla codifica della notazione

Sui correnti metodi di codifica della notazione si può consultare il sito <http://www.student.brad.ac.uk/srmounce/encoding.html>. Notizie generali sul progetto UNICODE si possono recuperare al sito <http://www.unicode.org>, dove è reperibile anche il documento completo che descrive UNICODEMUSIC all'indirizzo <http://www.unicode.org/charts/PDF/U1D100.pdf>. I criteri adottati per la formulazione dei simboli musicali si possono in-
➡

vece consultare alla pagina <http://www.unicode.org/unicode/
reports/tr27/#block>. La pagina originale della proposta UNICO-
DEMUSIC è raggiungibile all'indirizzo <http://www.lib.virginia.
edu/dmmc/Music/UnicodeMusic>.
Su CSOUND si consulti invece il sito <http://music.dartmouth.
edu/~dupras/wCsound/csoundpage.html>.
Sulla famiglia M*TEX si consultino le risorse Internet disponibili presso l'indirizzo <http://www.gmd.de/Misc/Music>.
HUMDRUM e soprattutto KERN sono illustrati e commentati in
Beyond alle pp. 375-401, dove sono inclusi tra le rappresentazioni polifoniche per la gestione dei dati e per l'analisi. Oltre a
quanto riportato su *Beyond*, si consulti la pagina <http://www.
lib.virginia.edu/dmmc/Music/Humdrum>.
Per una maggiore informazione sul NIFF si può consultare il sito
<http://www.musique.umontreal.ca/personnel/Belkin/NIFF.doc.
html> o anche la pagina <http://www.student.brad.ac.uk/sr
mounce/niff.html>. Sulle possibili trasposizioni del NIFF in XML
e in particolare su NIFFML si consulti il seguente indirizzo
<http://www.s-line.de/homepages/gerd_castan/compmus/nota
tionformats_e.html#NIFF>.

4.2.3. I formati di scambio delle registrazioni catalografiche

Per definire generalmente la natura e lo scopo dei formati di
scambio delle informazioni bibliografiche ricorriamo alla definizione proposta da Antonio Scolari.

> [...] i formati di scambio dei dati, detti anche formati di inter-
> scambio o di comunicazione, sono dedicati allo scambio di dati
> tra differenti sistemi. Formati di questo tipo debbono essere il
> più possibile accettabili e accettati da sistemi eterogenei, debbo-
> no cioè essere indipendenti dall'hardware e dal software di ge-
> stione. Queste osservazioni valgono per i sistemi di gestione di
> basi di dati di qualsiasi tipo e a maggior ragione per i sistemi di
> gestione dei dati bibliografici [SCOLARI, *Unimarc*: 9-10].

In pratica questi formati di scambio regolano la disposizione
strutturata delle registrazioni bibliografiche archiviate sotto forma di dati digitali e passibili di interscambio. Definiscono infatti
uno schema che prevede dei campi ordinati in modo da contenere tutte le informazioni previste dalle normative catalografiche.

Un ruolo fondamentale tra i formati di scambio di registrazioni bibliografiche è occupato dal cosiddetto UNIMARC (*Universal MARC*), diretta estensione del MARC (MA*chine* R*eadable* C*ataloguing*) che da anni ormai ha assunto validità internazionale per la diffusione dei dati bibliografici.

Questo formato prevede una serie di campi numerati da 000 a 999, suddivisa in gruppi di cento unità [SCOLARI, *Unimarc*: 30-71].

Etichette	Descrizione del gruppo
000-099	Gruppo di identificazione
100-199	Gruppo di informazioni codificate
200-299	Gruppo di informazioni descrittive
300-399	Gruppo delle note
400-499	Gruppo dei legami
500-599	Gruppo dei titoli in relazione
600-699	Gruppo dell'analisi semantica
700-799	Gruppo della responsabilità intellettuale
800-899	Gruppo dei dati internazionali
900-999	Gruppo di informazioni ad uso locale

Ogni singola informazione è sempre preceduta dalla sua etichetta di identificazione costituita dai tre caratteri numerici, e può contenere al suo interno uno o più indicatori che vengono posti subito dopo l'etichetta e servono a fornire indicazioni sul contenuto del campo o a creare legami con altri campi. All'interno dei singoli campi si possono trovare inoltre dei codici di sottocampo, contraddistinti dal carattere **$**, che separano i singoli elementi informativi e ne consentono la lettura. Ad esempio un titolo convenzionale di un libro di musica come il seguente

[Concerti. vl, orchar, bc. RV 269. Mi maggiore]

sarebbe rappresentato come segue:

```
500 $aConcerti $rvl, orchar, bc $sRV 269 $uMi maggiore
```

Qualora un qualsiasi programma informatico per la catalogazione bibliografica consenta di esportare i propri dati rispettando la struttura UNIMARC, sarà in grado di conseguenza anche di permettere lo scambio delle informazioni con altre applicazioni anche molto diverse, prescindendo dalle caratteristiche tecniche di archiviazione adottate individualmente.

Nella storia di UNIMARC, la cui elaborazione è iniziata alla metà degli anni Settanta, uno dei momenti fondamentali che interessano la musica è la pubblicazione della seconda edizione dello standard avvenuta nel 1987, la quale prevedeva la revisione dei campi dedicati alla musica a stampa e ai documenti sonori e audiovisivi [SCOLARI, *Unimarc*: 24].

Rispetto a quanto stabilito dallo standard, anche l'iniziativa della IAML volta a definire i dati richiesti per una registrazione bibliografica di base per i documenti musicali [3.1.1.; *Core*] ha prospettato l'articolazione di tali informazioni secondo lo schema UNIMARC prendendo come base la musica a stampa. Alla struttura già prevista, il gruppo di studio IAML ha anche indicato alcune aggiunte e modifiche che si dovrebbero effettuare per comprendere tutte le esigenze del *Core bibliographic record for printed music*.

Articolazione dell'UNIMARC per la musica a stampa			
Titolo	**Etichetta**	**Sottocampo**	**Note**
Livello di catalogazione			*Si dovrà aggiungere un campo codificato il quale indichi che si tratta di una registrazione bibliografica redatta secondo lo standard* Core record
ISBN	**010**	$a Numero	
ISSN	**011**	$a Numero	
ISMN	**013**	$a Numero	
Numeri editoriali	**071** Numero di lastra: Ind. 1=2 Altri numeri editoriali: Ind. 1=3	$a Numero $b Fonte	
Codice della lingua	**101**	$a Lingua del testo $b Lingua del testo intermedio $c Lingua del testo originale	*Obbligatorio se l'opera è in una certa lingua*

➙

Titolo	Etichetta	Sottocampo	Note
Titolo e formulazione di responsabilità	**200**	$a Titolo proprio $b Indicazione generale del materiale $c Titolo proprio di altro autore $e Complemento del titolo $f Prima formulazione di responsabilità $g Successive formulazioni di responsabilità $h Numero di parte $i Nome di parte	
Edizione	**205**	$a Formulazione dell'edizione $b Formulazione aggiuntiva di edizione $f Prima formulazione di responsabilità relativa all'edizione	
Pubblicazione distribuzione ecc.	**210**	$a Luogo di pubblicazione, distribuzione ecc. $c Nome dell'editore, distributore ecc. $d Data di pubblicazione	*Come dati minimi si includono il primo luogo di pubblicazione e il primo editore. Il luogo di distribuzione e il distributore sono opzionali.*
Descrizione fisica	**215**	$a Indicazione specifica del materiale ed estensione del documento $c Altre particolarità fisiche $e Materiale allegato (o si usi il campo 307)	
Formulazione della serie	**225**	$a Titolo della serie	*Obbligatorio nel caso di serie numerate, altrimenti opzionale.* →

207

Titolo	Etichetta	Sottocampo	Note
		$f Formulazione di responsabilità della serie $h Numero di parte $i Nome della parte $v Designazione di volume $x ISSN della serie	
Note generali	**300** **307** (Note pertinenti la descrizione fisica) **312** (Note pertinenti i titoli correlati)	$a Testo della nota	*Se non indicate in altro luogo della registrazione bibliografica si includano le seguenti informazioni:* *1. forma della composizione e mezzi di esecuzione;* *2. lingua/e dei testi cantati se non incluse nel campo titolo;* *3. note riguardanti la descrizione fisica (per informazioni non formulate nel campo di descrizione fisica);* *4. note riguardanti i titoli correlati (qualora applicabili).*
Nota di contenuto	**327**	$a Testo della nota	
Intestazione principale - Titolo uniforme	**500**	$a Titolo uniforme $h Numero delle sezioni o parti $i Nome delle sezioni o parti $l Suddivisione formale $m Lingua $r Mezzo di esecuzione $s Designazione numerica $u Tonalità $w Indicazione di elaborazione	➡

Titolo	Etichetta	Sottocampo	Note
Intestazioni per soggetto	**6****		*Se viene usata l'intestazione per soggetto si assegnino almeno una o due intestazioni di un livello di specificazione appropriato.*
Classificazione	**675-686**		*Se viene usato uno schema di classificazione si assegnino almeno uno o due numeri tratti da un sistema consolidato.*
Intestazione principale - Nome di persona	**700**	$a Elemento principale $b Ulteriore elemento del nome $c Qualificazioni del nome (escluse le date) $d Numeri romani $f Date	
Ulteriori intestazioni	**702** **712**	Come sopra in 700 o sotto in 710	*Si formulino criticamente e giudicando caso per caso le seguenti intestazioni ulteriori:* *1. ulteriori intestazioni che coprano almeno le relazioni primarie associate all'opera (ad esempio adattatore, curatore, librettista);* *2. un'intestazione per autore e titolo di ogni opera, quando una pubblicazione contenente due o più opere sia catalogata sotto il primo titolo o sotto un titolo collettivo.*
Intestazione principale - Nome collettivo	**710**	$a Elemento principale $b Suddivisione $c Aggiunte o qualificazioni al nome $d Numero del congresso e/o Numero della parte del congresso $e Luogo del congresso $f Data del congresso	

A partire dallo schema precedente, il *Core music working group* ha individuato anche quali possono essere i campi che consentirebbero di includere nella struttura UNIMARC anche i dati riguardanti i manoscritti musicali. In particolare si nota l'introduzione della sigla della biblioteca e della collocazione del manoscritto, la posizione nel campo dedicato all'edizione della versione del manoscritto, l'indicazione del luogo di redazione e del copista nel campo 210 e l'aggiunta nelle note dell'incipit musicale e testuale, dell'indicazione dei possessori, dello stato di conservazione del manoscritto e del suo stato di copia o autografo.

Differenze e aggiunte all'articolazione dell'UNIMARC per i manoscritti musciali *			
Titolo	**Etichetta**	**Sottocampo**	**Note**
Sigla della biblioteca e segnatura			*Si dovrà fornire la sigla della biblioteca e la collocazione del manoscritto. Queste informazioni vengono archiviate in campi differenti rispetto ai vari sistemi di catalogazione che vengono adottati.*
Versione	**205**	$a Formulazione della versione $f Prima indicazione di responsabilità relativa alla versione	
Pubblicazione, distribuzione ecc.	**210**	$a Luogo di fattura del manoscritto $c Copista del manoscritto $d Data del manoscritto	*Si tratta della proposta di utilizzare questi campi per l'indicazione del luogo, della data e del copista.*
Descrizione fisica	**215**	$d Dimensioni	➡

* In questa tabella, e nella seguente, sono evidenziati esclusivamente i campi e i sottocampi che differiscono rispetto alla struttura generale.

Titolo	Etichetta	Sottocampo	Note
Note generali	**300** **307** (Note pertinenti la descrizione fisica) **312** (Note pertinenti i titoli correlati)	$a Testo della nota	5. *Incipit musicale e testuale;* 6. *note sulla provenienza;* 7. *note sui committenti, donatori e precedenti proprietari;* 8. *note sullo stato di conservazione del manoscritto;* 9. *stato di autografo/copia.*

Infine presentiamo i dati che integrano lo schema proposto per la musica a stampa al fine di consentire lo scambio delle informazioni relative ai documenti sonori secondo quanto previsto da UNIMARC. In questo caso è evidente l'aggiunta dei numeri identificativi specifici e delle note concernenti gli esecutori, nonché il luogo e la data di registrazione.

Differenze e aggiunte all'articolazione dell'UNIMARC per i documenti sonori			
Titolo	**Etichetta**	**Sottocampo**	**Note**
Numeri editoriali	**071** Numero di edizione=0 Numero di matrice=1	$a Numero $b Fonte	
Descrizione fisica	**215**	$d Dimensioni	*Le dimensioni sono obbligatorie se necessarie ad identificare il documento.*
Nota relativa agli esecutori	**323**	$a Testo della nota	*Obbligatoria se l'informazione non è inclusa nella formulazione del titolo.*
Data e luogo di registrazione	**500** **(100)**	$a Testo della nota	
Ulteriori intestazioni	**702** **712**	Come in 700 o 710	*3. intestazioni ulteriori per gli esecutori.*

211

Anche l'UNIMARC sta subendo in questi ultimi anni la spinta verso una trasposizione in XML per adeguare maggiormente la distribuzione delle registrazioni bibliografiche alle applicazioni telematiche [SCOLARI, *Unimarc*: 94-99]. Questa tendenza sottolinea una convergenza complessiva verso formati generali e flessibili che siano in grado di rispondere a esigenze molto diverse. In particolare i linguaggi di marcatura sembrano singolarmente adatti a inglobare formati descrittivi come l'UNIMARC, consentendo l'avvicinamento alla modalità corrente di interscambio dei dati documentari in rete. Ci sembra che tale processo non si limiti ad interessare i collegamenti telematici, ma da subito abbia coinvolto generalmente la questione del formato dei documenti digitali stimolando l'affermazione di una forte tendenza verso i linguaggi di marcatura dichiarativi.

Il futuro dei formati di archiviazione digitale, così come dei numeri identificativi e dei modelli di descrizione, sembra decisamente indirizzato verso uno sviluppo notevolissimo della loro trasposizione attraverso particolari applicazioni di XML. Allo stesso tempo appare vivo l'orientamento verso la produzione di documenti che siano nelle condizioni di fornire essi stessi ogni informazione standard che serve per poterli identificare, descrivere o scambiare e leggere. Anche in ambito musicale gli standard di documentazione potranno contribuire così a creare legami e ad esaltare le relazioni che intercorrono tra documenti diversi dal punto di vista formale, ma accomunati dall'uniformità o dall'affinità del loro contenuto.

**Informazioni su UNIMARC
e sulle sue applicazioni concernenti i documenti musicali**

Non è difficile oggi recuperare in rete notizie riguardanti UNIMARC. Il riferimento più autorevole è comunque il Manuale fornito dalla IFLA all'indirizzo <http://www.ifla.org/VI/3/p1996-1/sec-uni.htm>.

Per quanto riguarda lo schema di trasposizione in UNIMARC del *Core bibliographic record for music and sound recording* si faccia riferimento all'indirizzo <http://www.cilea.it/music/iaml/cbdmsrsu.htm>.

APPENDICE I

Lista delle pubblicazioni in serie italiane che riguardano la musica e rispettivi codici ISSN

Questa lista fornisce un esempio di uso del codice ISSN. È stata elaborata interrogando il *database* ISDS (http://online.issn.org) attraverso alcune chiavi di ricerca basate sulla classificazione CDU e CDD (classe 78: *musica*), su alcune parole chiave (*musica, musicale* ecc.) o direttamente per codice ISSN.

Sono quindi riunite nella lista sia le pubblicazioni periodiche, sia quelle che in Italia vengono definite *collane*, cioè le serie di pubblicazioni monografiche. Ciò che viene segnalato nell'elenco comprende solo quanto è stato registrato nel catalogo ISDS e, all'interno di questo, tutto ciò che è stato possibile recuperare tramite una ricerca *on-line* secondo i criteri appena esposti. Nella tabella, oltre al titolo e al rispettivo codice ISSN, abbiamo aggiunto anche la data di inizio e di termine delle pubblicazioni, così come è stata registrata nel catalogo centrale ISSN di Parigi. Ogni informazione è stata integrata o corretta solo nel caso di errori materiali, ma non siamo intervenuti nel merito.

In questa tabella non compaiono molte delle collane musicali e musicologiche che vengono oggi pubblicate in Italia, mentre è presente la maggior parte dei periodici riguardanti la musica comunemente distribuiti in edicola. Tale situazione rispecchia la difficoltà tipicamente italiana di considerare come analoghi sia i giornali e le riviste, sia le serie di pubblicazioni monografiche, vale a dire le collane. Si riscontra quindi maggiore cura nel registrare tramite il codice ISSN i primi, piuttosto che le seconde. D'altra parte, è possibile notare come siano inclusi nella lista anche alcuni esempi di pubblicazioni in più volumi come le enciclopedie. Queste ultime non dovrebbero figurare nella lista poiché non sono pubblicazioni in serie propriamente dette, per le quali cioè non sia previsto un termine, ma opere che prevedono già nel loro progetto editoriale una conclusione.

Questo piccolo repertorio potrà essere utile per tutti i documentalisti della musica, i quali avranno a disposizione un agile prontuario delle pubblicazioni in serie italiane dedicate alla musica presenti nell'archivio ISDS.

Titolo-chiave	ISSN	Date
16 Anni	1129-1095	1990-
1985 la musica	1120-2912	1985-
A.M.I.S. (Como) Antiquae Musicae Italicae Studiosi	1127-2082	1985-
Acid jazz	1124-321X	1995-
Acta phoniatrica latina	0392-3088	1979-
Agimus	0392-5560	1955-
Alia Musica	1121-0443	1991-
Allegro con brio	1591-8750	2000-
Amadeus (Milano)	1120-4540	1989-
Amici (Roma)	1129-0749	1999-
Analisi (Milano)	1121-001X	1990-
Ancilla musicae	1121-0451	1990-
Annuario musicale	0391-2906	1977
Ars nova (Lucca)	1121-046X	1990-
Arte organaria e organistica	1128-9236	1994-
Audio Universo	1123-6892	1994-
Audizioni (Castelverde)	1126-8646	1996-1999
Avalon (Bresso)	1126-3687	1997-
Avidi lumi	1126-4659	1997-
Bach e la grande musica Barocca	1129-3454	1999-
Basimedia magazine	1591-1101	1998-
Beethoven. Opera Onmia	1124-8653	1996-
<The >Best music collection	1121-4422	1993-
Bibliografia nazionale italiana. Supplemento. Testi musicali	1123-6191	1958-
Bibliografia scientifico-tecnica italiana. Gruppo 11. Belle arti, fotografia, musica, sports	1128-8965	1928
Biblioteca degli Historiae Musicae Cultores	0073-2516	1952-
Blow up (Camucia)	1129-1702	1997-
Blue note magazine	1124-5263	1996- →

Titolo-chiave	ISSN	Date
Blues collection (Novara)	1121-4384	1992-
Bollettino ceciliano	0006-663X	1906-
Bollettino della Società italiana di fonetica sperimentale, fonetica biologica, foniatria, audiologia	0489-4065	1950-1958
Bollettino della Società italiana di fonetica, foniatria e audiologia	1125-7121	1958-1969
Bollettino dell'Associazione Internazionale Studi di Canto Gregoriano	0392-3754	1976-
Bollettino di audiologia e foniatria	1125-713X	1969-1977
Bollettino di informazione dell'Archivio etnico linguistico-musicale	0393-2419	1969-
Bollettino d'informazioni – Accademia musicale valdarnese	0390-1149	1973-
Calendula (Roma)	1124 0881	1995
Canta e gioca Karaoke	1121-466X	1993-
Cantautore (Novara)	1121-0583	1992-
Canto anch'io (Milano)	1122-4479	1991-
<Il >Canto dell'assemblea	0008-5723	1965-
Canto libero	1127-3569	1998-
Canzone amore mio	1127-400X	1999-
<La >Canzone napoletana	1122-3561	1994-
Canzoni italiane	1122-4509	1994-
Capriccio di Strauss	1123-542X	1993-
Car audio & FMCar audio e Frequenza modulata	0394-2988	1987-
<La >Cartellina (Milano)	1120-4621	1977-
Catalogo generale dischi microsolco per l'Italia. Ancelicum Santandrea	0003-309X	1954-1976
CD classica	1129-244X	1987-
<I >CD del Corriere della Sera	1128-5664	1997-
CD star (Roma)	1121-3426	1991-
Celebriamo (Bergamo)	0008-8706	1915- ➡

Titolo-chiave	ISSN	Date
Chigiana (Firenze)	0069-3391	1964-
Chitarre (Roma)	1121-3531	1986-
Choreola (Firenze)	1121-3027	1991-
Cinema & musica	1126-0025	1997-
Cioè (Roma)	1129-0706	1980-
<The >Classic voice	1592-0186	1999-
<The >Classic voice opera	1592-1530	2001-
Classici della classica	1121-3434	1991-
Cleò (Roma)	1129-1214	1986-
Collectanea historiae musicae	0069-5270	1953-1966
Compact collection classica	1121-0605	1993-
Compact discoteca	1123-4288	1994-
Computer music (Roma)	1121-7634	1990-
Corso di chitarra	1122-4371	1993-
Country music (Bresso)	1128-6954	1999-
Crazy time	1124-3228	1992-
<La >Cronaca musicale	1126-1927	1???-
Culture musicali	0393-2893	1982-
Dai Civici musei d'arte e di storia di Brescia. Studi e notizie	0394-5219	1987-1992
Dance Music Magazine. DMM	1121-290X	1992-
Diastema (Treviso)	1122-3200	1991-
Dippiù musica	1128-692X	1998-
<Il >Diritto d'autore (Roma)	0012-3420	1930-
Discoteca (Milano)	1128-6288	1989-1992
Discoteca (Roma)	0419-4039	1960-1970
<Il >Dizionario del rock	1121-8053	1991-
Dizionario enciclopedico del jazz	1121-8037	1991-
<Il >Dizionario enciclopedico della musica classica	1121-8045	1990-
Dream & relaxing music	1127-1590	1998- ➔

216

Titolo-chiave	ISSN	Date
Dream (Vimercate)	1126-0017	1997-
Emozioni in musica	1120-9100	1991-
Emozioni in musica (CD)	1124-7673	1997-
Enciclopedia della musica e cultura celtica	1126-4551	1998-
<L'>ErbaMusica (Milano)	1122-9462	1991-
Esercizi arte musica spettacolo	0393-6791	1978-
Esercizi di musica	1121-0478	1986-
Etnica & world music	1124-3244	1996-
Europa musica	1123-4261	1989-1990
<Gli >Eventi di lyrica	1124-738X	1996-
<Gli >Eventi di symphonia	1124-7371	1996-
Evoluzione musicale	1126-2419	1???-
Extreme pulp	1125-7997	1997-
Fan's club	1128-4005	1999-
Fare musica	1121-7642	1980-
FB. Folk bulletin	1124-9005	1980-
Fedeltà del suono	1121-5313	1991-
Flash (Roma. 1985)	1121-6506	1985-
<Le >fonti musicali in Italia	1120-8260	1987-
<Il >Fronimo (Milano)	1125-811X	1972-
Futura music	1122-9136	1994-
Gazzetta del Museo teatrale alla Scala	0394-1337	1985-
<La >Gazzetta della musica	1126-3253	1997-
<Il >Giornale della musica	1120-6195	1985-
Giornale delle belle arti e della incisione antiquaria, musica e poesia	1127-2376	1784-1788
Giubilo divino	1591-8726	2000-
Golden big	1590-9727	2000-
Gong (Milano)	0390-2285	1974-
<La >Grande musica del festival di Salisburgo	1124-772X	1997-

Titolo-chiave	ISSN	Date
<La >Grande musica sacra	1126-0289	1997-
<Il >Grande Pavarotti	1123-4296	1989-1990
<Il >Grande rock	1121-0168	1991-
Grande storia della musica	1122-4606	1993-
<I >Grandi artisti di new age music and new sounds	1125-4998	1997-
<I >Grandi della canzone italiana	1590-2714	1998-
<I >Grandi della musica classica	1590-0452	1993-
<Le >Grandi epoche della musica	1121-0109	1991-
<I >Grandi maestri della musica classica	1123-7473	1995-
<Le >Grandi melodie	1120-9046	1991-
<I >Grandi musicisti	1122-5947	1994-
<Le >Grandi opere liriche	1123-6493	1995-
<Le >Grandi voci	1123-427X	1989-
Grandi voci alla Scala	1123-086X	1995-
Grind zone	1591-8785	1994-
Groove (Milano)	1592-7814	2001-
Guitar club	1122-6692	1984-
Gulliver music	1125-6931	1997-
Hard! (Milano)	1591-8807	1990-
Harmonia magazine	1124-7398	1996-
Hermes (Lucca)	1121-0486	1991-
Hi, Folks!	1124-7940	1983-1994
Hortus musicus	1129-4965	2000-
I'Mage (Milano)	1129-4221	1999-
Informazioni e studi vivaldiani	0393-2915	1980-
Innamorarsi (Roma)	1123-6906	1995-
Instituta et monumenta. Serie I: monumenta. Fondazione Claudio Monteverdi	0073-8611	1954-
Instituta et monumenta. Serie II: instituta. Fondazione Claudio Monteverdi	0392-629X	1969-

➞

218

Titolo-chiave	ISSN	Date
International midi hits	1123-4032	1994-
Invito alla classica	1591-4275	2000-
Invito alla prima	1121-0222	1991-
Italia in musica	1123-7465	1996-
Jam (Segrate)	1125-9221	1994-
Jazz & dintorni	1124-8688	1997-
Jazz concerto	1124-7363	1995-
Jazz magazine (Vimercate)	1126-4543	1998-
Jazz. Blues Soul	1121-449X	1993-
Jucunda laudatio	0022-5711	1963-1972
Juice magazine (Rimini)	1590-945X	2000-
Karaoke collection	1123-7511	1996-1996
Keltia (Vimercate)	1124-9501	1996-
<I >Libri di symphonia	1124-7630	1996-
Live music	1121-7383	1992-
Lyrica (Bologna)	1124-7355	1990-
Maestri del jazz	1121-0192	1990-
Medioevo musicale	1127-0942	1998-
<Il >Meglio della musica new age	1125-1492	1996-
Melodie indimenticabili	1123-7406	1995-
Mercatino musicale	1121-8177	1992-
Metal hammer (Milano)	1591-8742	1993-
Metal shock	1121-6522	1985-
Metallic KO	1591-075X	2000-
Midi compilation	1123-6876	1994-
Midi Songs	1123-4024	1993-
Millenial teen	1590-9751	2000-
Millennium classica	1127-3534	1998-
Mini (Roma)	1129-1141	1990- ➡

Titolo-chiave	ISSN	Date
<I >Miti del rock	1122-4657	1993-
Mix (Roma)	1129-0757	1998-
Mogol musica e poesia	1128-4277	1999-
<Il >mondo della musica	0544-7763	1963-
Monografie by New Age (Vimercate)	1124-3260	1993-
Monsters! (Milano)	1592-7849	1994-
Mozart, opera maxima	1126-1412	1997-
MT. Music time	0394-8099	1988-
<Il >Mucchio selvaggio	1121-354X	1977-
Musa veneta	1129-700X	1931-
Music (Roma)	0392-5536	1979-
Music city	1123-4016	1994-
Musica (Milano. 1977)	0392-5544	1977-
Musica (Milano. 1998)	1127-3607	1998-
Musica & cinema	1123-749X	1995-
Musica & Gospel	1121-3213	1989-
Musica & PC	1590-0649	2000-
Musica & pub	1128-0425	1999-
Musica & terapia	1122-2549	1993-
Musica della notte	1125-1506	1996-
Musica domani	0391-4380	1971-
Musica e assemblea	0392-6508	1975-
Musica e dossier	0394-0187	1986-
Musica e grandi interpreti	1124-7649	1996-
Musica e musica	1123-8283	1995-
Musica e scuola	0394-8838	1987-
Musica e storia	1127-0063	1993-
Musica jazz	0027-4542	1945-
Musica popolare	0390-0398	1975-

Titolo-chiave	ISSN	Date
Musica società	1591-514X	1989-
Musicalbrandé (Torino)	0027-4674	1959-
Musicalia (Lucca)	1121-0494	1991-
Musicals collection (Novara)	1122-3588	1994-
<La >Musicaraccolte (Latina)	1123-7546	1990-
Musiche (La Spezia)	1124-9781	1988-
Musiche dal mondo	1129-4183	2000-
Musiche del Rinascimento Italiano	1122-0783	1990-
Musiche rinascimentali siciliane	1122-4282	1970-
Musurgiana (Lucca)	1121-0508	1988-
Muzak (Roma)	0390-1122	1975-
N. 1 (Milano)	1592-7911	1998-
New age encyclopaedia CD-ROM	1125-6303	1997-
New age interactive	1124-3236	1994-
New age music and new sounds	1124-3279	1990-
New age television	1124-3287	1993-1994
Newsletter CIRI	1590-3184	1999-
Note d'archivio per la storia musicale	1128-921X	1924-
Note su note	1122-0252	1993-
Nuova era & meditazione	1124-3252	1995-
Nuova rassegna di studi musicali	0391-3724	1977-
Nuova rivista musicale italiana	0029-6228	1967-
<L'>Opera (Milano. 1987)	1121-4112	1987-
Opera (Milano. 1995)	1123-1114	1995-
Opera compact festival	1123-6485	1995-
Opera oggi	0394-7882	1987-
<L'>Operetta e la commedia musicale	1123-0843	1992-
Orfeo (Certaldo)	1129-2423	1995-
Organo (Bologna)	0474-6376	1960- ➜

Titolo-chiave	ISSN	Date
<Un >Palco all'opera	1123-5160	1995-
Pan (Milano)	0394-3259	1933-1935
Percussioni (Roma)	1120-8074	1990-
<Il >Piacere della musica	1123-1343	1995-
Piano time	1128-2274	1983-
Pianoforte (Milano)	1122-5890	1993-
Polifonie	1593-8735	2001-
Pop's (Roma)	1129-0692	1998-
Premio Valentino Bucchi	1128-9228	1981-
Prime time controluce	1125-6508	1997-
Prime time cult	1125-6494	1997-
Profili in musica. Amadeus	1591-4682	2000-
Prospetti (Firenze)	1128-1855	1952-
Psycho! (Pavona)	1590-3559	1994-
Pupa (Roma)	1129-115X	1986-
Quaderni della rivista italiana di musicologia	0394-4395	1966-
Quaderni di comunicazione audiovisiva (Collana)	1120-2149	1984-
Quaderni di comunicazione audiovisiva (Periodico)	1120-2122	1983-1985
Quaderni pucciniani	1128-1715	1???-
Quei favolosi anni sessanta	1122-4681	1993-
Quei romantici scatenati anni 50	1122-7656	1994-
Radiomusic (Bologna)	1126-0734	1997-
Raro (Roma)	1128-6407	1988-
Rassegna di diritto cinematografico teatrale e della radiotelevisione	0033-9504	1952-
Rassegna melodrammatica	0033-9784	1890-
Rassegna musicale Curci	0033-9806	1948-
Rassegna veneta di studi musicali	0394-2244	1985-
Recercare (Lucca)	1120-5741	1989-
<Le >Regine della musica	1591-8815	2001- ➞

Titolo-chiave	ISSN	Date
Repertorio economico di Musica Sacra, compilato dalle opere dei più celebri autori antichi e moderni	1128-1340	1877-
Ricerche musicali	1120-9208	1977-
Ricordi oggi (Milano)	1121-1040	1987-
Ritmo latino	1126-0033	1997-
Rivista di musicoterapia	0394-1671	1986-
<La >Rivista Illustrata del Museo Teatrale alla Scala	1590-5594	1988-
Rivista internazionale di musica sacra	0394-6282	1980-
Rivista italiana di musicologia	0035-6867	1966-
Rivista musicale italiana	1125-3657	1894-1955
Rock power (Edizione italiana)	1592-789X	1998-
Rock show. Superstar	1592-7881	2000-
Rock sound (Concorezzo)	1127-1337	1998-
Rock star	1120-6233	1990-
Rock star uno	1120-6241	1980-1989
Rocker (Milano)	1592-6923	2001-
Rockerilla (Cairo Montenotte)	1129-0803	1980-
Rumore (Pavia)	1591-4062	1992-
Rumore (Roma)	1121-3523	1992-
<Il >Saggiatore musicale	1123 8615	1994-
Santa Cecilia (Torino)	1120-981X	1899-1909
<La >Scala (Milano)	0393-2338	1949-1963
<La >Scuola veneta di musica sacra	1121-1113	1893-1895
Sonus (Potenza)	1121-5380	1989-
Speciale Amadeus	1123-6418	1994-
Speciale new age music and new sound	1124-2663	1996-
<Gli >Speciali di...	1129-2431	1997-
Sperimentare con i suoni	0393-7771	1985-
<Lo >spettatore musicale	0038-7401	1966-1972

➡

Titolo-chiave	ISSN	Date
Stereoplay (San Lazzaro di Savena)	1122-1747	1972-
Strike (Roma)	1127-1698	1991-
Strumenti e musica	0039-260X	1947-
Studi di musica veneta	0394-4417	1968-
Studi di musicologia	0390-4326	1973-
Studi donizzettiani	1123-444X	1962-
Studi e testi per la storia della musica	1122-0686	1979-
Studi gregoriani (Cremona)	0394-2325	1985-
Studi musicali	0391-7789	1972-
Studi verdiani (Parma)	0393-2532	1982-
Subsidia musica veneta	1128-9252	1980-
Suonare news	1123-9735	1995-
Suono stereo hi-fi	1122-1755	1971-
Syrinx (Roma)	1120-7612	1989-
Tam tam concentrato	1129-1699	1999-
Tempi dispari	1592-2006	1998-
Thunder (Bologna)	1124-6987	1994-
Trance ambient	1126-0009	1997-
<I >Tre tenori	1123-9484	1996-
Trend discotec	1128-627X	1993-1995
Trend discotec (1999)	1129-4264	1999-
Trend people & discotec	1128-6261	1995-1998
Trend people & fashion	1128-6253	1998-1999
Trend wave (Milano)	1129-1834	1999-
Tuttifrutti (Roma)	1121-6514	1982-
Tutto (Milano)	1121-1822	1977-
Tutto musica e spettacolo	1122-8083	1977-
Tutto strumenti	1120-8899	1990-
TV stelle (Roma)	1129-0714	1993- ➡

224

Titolo-chiave	ISSN	Date
Universo Classic	1124-0873	1995-
Universo multimedia	1124-0865	1995-
Utriculus (Scapoli)	1125-033X	1992-
Vedere (Palermo)	0391-3961	1977-
Verdi (Roma)	0042-3734	1960-
Video corso di canto	1124-8718	1997-
Video-corso di chitarra	1123-9468	1995-
<Una >Vita per la canzone: Carlo Buti	1590-1629	2000-
<La >Voce del padrone magazine. Lirica	1124-528X	1996-
<La >Voce del padrone magazine. Sinfonica	1124-5271	1996-
World music (Torino)	1121-5844	1991-
World travel CD-ROM	1125-6281	1997-
<Lo >Zecchino d'oro	1129-4116	1999-
<La >Zingara. Musica classica	1126-4624	1998-

APPENDICE II

Lista delle abbreviazioni e degli acronimi ricorrenti che riguardano gli standard e i documenti musicali

Anche questa breve lista, come la precedente, ha l'intento di fornire un piccolo repertorio di consultazione utile sia durante la lettura di questo libro, sia durante la comune attività di documentazione.

Le informazioni di partenza che ci hanno consentito di formulare questo elenco sono state ricavate da PASKIN. Successivamente questi dati iniziali sono stati integrati e aggiornati facendo anche riferimento a *Library and information sciences (LIS) acronyms* (<http://www.aib.it/aib/lis/acronimi.htm>) a cura di Claudio Gnoli *et al.* e alla lista di acronimi presente in SCOLARI, *Standard*: 205-210. Si può ricorrere a queste fonti per integrare e ampliare la nostra lista.

AAP	Association of american publishers
ADPCM	Adaptive differential pulse code modulation
AIFF	Audio interchange file format (Apple)
ALA	American library association
ANSI	American national standards institute
ASCAP	American society of composers, authors, and publishers
ASCII	7-bit american national standard code for information interchange (ANSI)
AV Index	Audiovisual index (CIS)
Biblid	Bibliographic identification of contributions in serials and books
BIC	Book industry communication
BICI	Book item and contribution identifier
CD	Compact disc audio (anche CD-A)
CD (ISO document)	Comittee draft
CDD	Classificazione decimale Dewey

→

CD-ROM	Compact disc read–only memory
CDU	Classificazione decimale universale (anche UDC)
CIS	Common information system (CISAC)
CISAC	Confederation international des societies d'auteurs et compositeurs = International confederation of societies of authors and composers
DAB	Digital audio broadcasting
DARMS	Digital alternate representation of musical scores
DDC	Dewey decimal classification
DIS (ISO document)	Draft international standard
DIVAC	Digital audiovisual information council
DOI	Digital object identifier
DTD	Document type definition
Dublin Core	Dublin metadata core element set
EAN	European article numbering scheme
EDI	Electronic data interchange
EDItEUR	European group for electronic commerce in the book and serials sectors
EFFECT	Exchange format for electronic components and texts
FDIS (ISO document)	Final draft international standard
FID	International federation for information and documentation
FIMI	Federazione industra musicale italiana
HTTP	Hyper text transfer protocol
ICCD	Istituto centrale per il catalogo e la documentazione
ICCU	Istituto centrale per il catalogo unico delle biblioteche italiane e per le informazioni bibliografiche
ICSR	International center for standards research
IDA	International documentation on audiovisual works (CIS)
IETF	Internet engineering task force
IFF	Interchange file format (Electronic arts) →

228

IFLA	International federation of library associations and institutions
IFPI	International federation of phonographic industries
IMPRIMATUR	Intellectual multimedia rights model and terminology for universal reference
Indecs	Interoperability of data in e-commerce systems
IPI	Interested parties information
ISADN	International standard authority data number
ISAN	International standard audio visual number
ISBD	International standard bibliographic description
ISBD(ER)	ISBD for electronic resources
ISBD(NBM)	ISBD for non-book material
ISBD(PM)	International standard bibliographic description for printed music
ISBN	International standard book number
ISMN	International standard music number
ISO	International organization for standardization
ISRC	International standard recording code
ISSN	International standard serial numbering
ISWC	International standard work code
JTC	Joint technical committee
MARC	Machine readable catalogue
MIDI	Musical instrument digital interface
MMA	MIDI manifacturers association
NIFF	Notation interchange file format
NISO	National information standards organisation (USA)
NWI (ISO document)	New work item
OCLC	Online computer library center
OSI	Open systems interconnection
PCM	Pulse code modulation
PII	Publisher item identifier

➡

PURL	Persistent URL (OCLC)
RIFF	Resource interchange file format (Microsoft)
SCRI	Sound carriers and recordings information (CIS)
SGML	Standard generalized markup language
SICI	Serial item and contribution identifier (ANSI/NISO Z39.56)
TC46	ISO technical committee 46: Information and documentation standards
TEI	Text encoding initiative
TIS	Territory information system (CIS)
UCC	Uniform code council
UNESCO	United nations educational, scientific and cultural organization
UNI	Ente nazionale italiano di unificazione
UNIMARC	Universal MARC
UPC	Universal product code
URI	Uniform resource identifier
URL	Uniform resource locator
URN	Uniform resource name
W3C	World wide web consortium
WAIS	Wide area information server (Z39.50)
WAV	Waveform audio file format (Microsoft)
WD (ISO document)	Working document
WID	Musical works information database (CIS)
WSSN	World standards service network
WWW	World wide web
XML	Extensible markup language
Z39.50	Information retrieval service and protocol standard (ANSI/NISO)
IETC	International electrotechnical commission

BIBLIOGRAFIA

AACR2 = *Anglo-American cataloguing rules*, prepared by the American library association, the British library, the Canadian committee on cataloguing, the Library association, the Library of Congress, 2nd ed., 1988 revision, edited by Michael Gorman and Paul W. Winkler, Chicago, ALA, 1988.

AIFF = *Audio interchange file format: «AIFF». A standard for sampled sound files*, version 1.3, Apple computer Inc., reperibile all'indirizzo <http://preserve.harvard.edu/standards>.

ALBERANI-DE CASTRO PIETRANGELI = VILMA ALBERANI-PAOLA DE CASTRO PIETRANGELI, *La letteratura grigia nelle scienze dell'informazione*, «Bollettino AIB. Rivista italiana di biblioteconomia e scienze dell'informazione», vol. 34, n. 3, 1994, pp. 273-288.

ANDERSON = DOROTHY ANDERSON, *Standard practices in the preparation of bibliographic records*, London, IFLA UBCIM Programme, 1989 (UBCIM occasional paper, 13), ISBN 0-903043-53-X.

ANTOLINI, *Cataloghi* = BIANCA MARIA ANTOLINI, *I «Cataloghi di fondi musicali italiani» a cura della Società italiana di musicologia*, «Le fonti musicali in Italia. Studi e ricerche», 2, 1988, pp. 7-10.

ANTOLINI, *Editoria* = BIANCA MARIA ANTOLINI, *L'editoria musicale in Italia tra gli ultimi decenni del Settecento e i primi del Novecento*, in *Dizionario degli editori musicali italiani 1750-1930*, a cura di Bianca Maria Antolini, Pisa, Edizioni ETS, 2000, ISBN 88-467-0358-8, pp. 7-32.

ANTOLINI, *Nuove* = BIANCA MARIA ANTOLINI, *Nuove acquisizioni sull'editoria musicale in Italia (1800-1920)*, in *Canoni*: pp. 96-130.

APEL = WILLI APEL, *La notazione della musica polifonica. Dal X al XVII secolo*, ed. italiana a cura di Piero Neonato, Firenze, Sansoni, 1984. Ed. orig.: *Die Notation der polyphonen Musik. 900-1600*, Leipzig, Breitkopf & Härtel, 1962.

ASCHERI = MARIO ASCHERI, *Introduzione*, in *Istituzioni medievali. Una introduzione*, Bologna, Il Mulino, 1994 (Strumenti. Storia), ISBN 88-15-04621-6, pp. 9-30.

BAGWELL = CHRIS BAGWELL, *Audio file format FAQ*, version 4.0, reperibile all'indirizzo <http://home.sprynet.com/~cbagwell/audio.html>.

BARONI-DALMONTE-JACOBONI = MARIO BARONI-ROSSANA DALMONTE-CARLO JACOBONI, *Le regole della musica. Indagine sui meccanismi della comunicazione*, Torino, EDT, 1999 (Biblioteca di cultura musicale), ISBN 88-7063-376-4.

BASSO = ALBERTO BASSO, *Monumenti musicali*, voce in *Dizionario enciclopedico universale della musica e dei musicisti. Il lessico*, vol. III, Torino, UTET, 1984, ISBN 88-02-03833-3, pp. 182-241.

Beyond = *Beyond MIDI. The handbook of musical codes*, a cura di Eleanor Selfridge-Field, Cambridge (MA) – London, The MIT Press, 1997, ISBN 0-262-19394-9.

BICI = NATIONAL INFORMATION STANDARDS ORGANIZATION (US), *Book item and component identifier. A draft standard for trial use* [...], Bethesda, NISO Press, cop. 2000, reperibile al sito <http://www.niso.org/pdfs/BICI-DS.pdf>.

BOGATYRËV-JAKOBSON = PETR BOGATYRËV-ROMAN JAKOBSON, *Il folclore come forma di creazione autonoma*, in DIEGO CARPITELLA, *Folklore e analisi differenziale di cultura. Materiali per lo studio delle tradizioni popolari*, Roma, Bulzoni, 1976, pp. 163-183.

BONANNI = LAURA BONANNI, *Archivi e voci d'autorità. Metodologie ed esperienze a confronto per i beni archivistici, librari e storico-artistici*, reperibile al sito <http://www.ibc.regione.emilia-romagna.it/soprintendenza/arcaut/bonanni.html>.

BOYER = CARL B. BOYER, *Storia della matematica*, prefazione all'ed. italiana di Lucio Lombardo Radice, Milano, Mondadori, 1990 (Oscar saggi, 181), ISBN 88-04-33431-2. Ed. orig.: *A History of Matematics*, New York etc., Wiley, 1968.

BRANDENBURG = KARLHEINZ BRANDENBURG, *MP3 and AAC explained*, paper read at the AES *17th International Conference on High Quality Audio Coding*, Florence, 2-5 settembre 1999, reperibile al sito <http://www.aes.org/publications/downloadDocument.cfm/3-1.pdf?accessID=14703162000122117>.

BROOK = BARRY S. BROOK, *Thematic catalogue*, voce in *The new Grove Dictionary of Music and Musicians*, a cura di Stanley Sadie e John Tyrrel, New York, Grove, 2001, vol. 25, pp. 348-352.

Bush-Haykin = Helen E. Bush-David Judson Haykin, *Music subject headings*, «Notes», second series, vol. VI, n. 1, December 1948, pp. 39-45.

Calvo-Ciotti-Roncaglia-Zela = Marco Calvo-Fabio Ciotti-Gino Roncaglia-Marco A. Zela, *Internet 2000. Manuale per l'uso della rete*, Roma-Bari, Laterza, 1999 (I Robinson / Letture), ISBN 88-420-5740-1.

Canoni = *Canoni bibliografici*. Atti del convegno internazionale IAML-IASA. Perugia, 1-6 settembre 1996 (Contributi italiani), a cura di Licia Sirch, Lucca, LIM, 2001, ISBN 88-7096-297-0.

Caproni = Attilio Mauro Caproni, *Fogli di taccuino. Appunti e spunti vari di biblioteconomia (1971-1988)*, [Manziana], Vecchiarelli, 1988.

Carosella = Maria Pia Carosella, *Generalità*, in *Documentazione*: pp. 19-29.

Castan = Gerd Castan, *NIFFML: an XML implementation of the Notation interchange file format*, in *The virtual score. Representation, retrieval, restoration*, ed. by Walter B. Hewlett and Eleanor Selfridge-Field, Cambridge (MA), The MIT Press – Stanford, Center for Computer Assisted Research in the Humanities, 2001 (Computing in musicology, 12), ISBN 0-262-58209-0, pp. 103-112.

Cataloghi = *Cataloghi di fondi musicali italiani a cura della Società italiana di musicologia in collaborazione con il R.I.S.M. Norme per la redazione*, a cura dell'Associazione veneta per la ricerca delle fonti musicali, Padova, CLEUP, 1989.

Cataloguing = *Cataloguing and classification standards*, deliverables D1.2.1-D1.2.2., in Harmonica, reperibile al sito <http://www.svb.nl/project/harmonica/Deliverables/D121-122.htm>.

Cato = Anders Cato, *Cataloguing matters of the International Association of Music Libraries, Archives and Documentation Centres, with particular emphasis on its proposed core bibliographic record for printed and manuscript music and sound recordings*, deliverable D1.3.1:1, in Harmonica, reperibile al sito <http://www.svb.nl/project/harmonica/Deliverables/D131_1.htm>.

Cellucci = Carlo Cellucci, *I modelli, l'analogia e la metafora*, in *Modello*: pp. 7-25.

CHABOD = FEDERICO CHABOD, *Lezioni di metodo storico*, a cura di Luigi Firpo, 10. ed., Roma-Bari, Laterza, 1991 (Universale Laterza, 126), ISBN 88-420-0031-0.

CHIARIGLIONE, *Generation* = LEONARDO CHIARIGLIONE, *The MPEG (Moving Pictures Experts Group) generation - new information - age elements*, «ISO Bulletin», September 2000, reperibile al sito <http://leonardo.cselt.it/paper/iso_bulletin00/iso_bulletin00.htm>.

CHIARIGLIONE, *MPEG* = LEONARDO CHIARIGLIONE, *MPEG: from the conception of the idea to its effects*, in *ConfTele99*, Sesimbra, 1999, reperibile al sito <http://leonardo.cselt.it/paper/conftele99/confte le99.htm>.

CHIARIGLIONE, *MPEG-4* = LEONARDO CHIARIGLIONE, *The MPEG-4 standard*, «Journal of the China Institute of Communications», September 1998, reperibile al sito <http://leonardo.cselt.it/paper/chi na98/china98.html>.

CHIARIGLIONE, *Vision* = LEONARDO CHIARIGLIONE, *The vision and the role of MPEG-4 in the future of multimedia*, «Journal of the Intitute of Television Engineers», 2001, reperibile al sito <http://leonardo. cselt.it/paper/ite00/index.htm>.

COMOTTI = GIOVANNI COMOTTI, *La musica nella cultura greca e romana*, Torino, EDT, 1979 (Biblioteca di cultura musicale, 1 / I*), ISBN 88-7063-008-0. Volume primo, parte prima della *Storia della musica*, a cura della Società Italiana di Musicologia.

Core = *The core bibliographic record for music and sound recordings*, ed. by the Working Group of the Core Bibliographic Record form Music and Sound Recordings of IAML, «Fontes artis musicae», vol 45, n. 2, 1998, pp. 139-151. Reperibile al sito <http://www.cilea.it/ music/iaml/cbdmsrsu.htm>.

CUNNINGHAM = *Rules for full cataloging*, compiled by Virginia Cunningham, Frankfurt-London-New York, Peters, 1971. Vol. 3 di IAML, *Code*.

Current = *Current Efforts concerning the Identification of Works protected by Copyright and Neighboring Rights*, in ADVISORY COMMITTEE ON MANAGEMENT OF COPYRIGHT AND RELATED RIGHTS IN GLOBAL INFORMATION NETWORKS, *Electronic Commerce And Copyright: A Key Role For Wipo*, a cura di Tarja Koskinen-Olsson e Daniel Gervais, reperibile al sito <http://www.wipo.int/eng/mee tings/1999/acmc/2_1-02.htm>.

DAHLHAUS-EGGEBRECHT = CARL DAHLHAUS-HANS HEINRICH EGGEBRE-CHT, *Che cos'è la musica?*, Bologna, Il Mulino, 1988 (Universale Paperbacks Il Mulino, 224), ISBN 88-15-01971-5. Ed. orig.: *Was ist Musik?*, Wilhelmshaven, Heinrichshofen's Verlag, 1985.

D'AMICO = ALESSANDRO D'AMICO, *Il documento teatrale: sua classificazione e nomenclatura*, in *Il patrimonio teatrale come bene culturale. Convegno di studi - Parma 24-25 aprile 1990*, a cura di Lamberto Trezzini, Roma, Bulzoni, 1991 (Biblioteca teatrale, 69), ISBN 88-7119-363-6, pp. 27-33.

DE CASTRO = PAOLA DE CASTRO PIETRANGELI, *I codici ISSN, ISBN ed EAN e altre informazioni utili per chi pubblica*, Roma, Associazione italiana biblioteche, 1995 (Note informative, 2).

DE MAURO, *Introduzione* = TULLIO DE MAURO, *Introduzione alla semantica*, Roma-Bari, Laterza, 1989 (Biblioteca universale Laterza, 272), ISBN 88-420-3387-1.

DE MAURO, *Minisemantica* = TULLIO DE MAURO, *Minisemantica dei linguaggi non verbali e delle lingue*, Roma-Bari, Laterza, 1982 (Saggi tascabili Laterza, 87).

DEVOTO-OLI = GIACOMO DEVOTO-GIAN CARLO OLI, *Il dizionario della lingua italiana*, Firenze, Le Monnier, 1995.

DE VRIES = HENK J. DE VRIES, *Standardization: a business approach to the role of National Standardization Organizations*, Boston-Dordrecht-London, Kluwer Academic Publishers, 1999, ISBN 0-7923-8638-8.

DIOZZI = FERRUCCIO DIOZZI, *Documentazione*, Roma, Associazione Italiana Biblioteche, 1998 (Enciclopedia Tascabile, 15), ISBN 88-7812-058-8.

Documentare = *Documentare il manoscritto: problematica di un censimento*, Atti del Seminario di Roma, 6-7 aprile 1987, a cura di Tristano Gargiulo, Roma, ICCU, 1987, ISBN 88-7107-055-0.

Documentazione = *Documentazione e biblioteconomia. Manuale per i servizi di informazione e le biblioteche speciali italiane*, a cura di Maria Pia Carosella e Maria Valenti, Milano, Franco Angeli, 1984 (Manuali professionali, 57).

Documento audiovisivo = *Il documento audiovisivo: tecniche e metodi per la catalogazione. Con le regole Fiaf di catalogazione per gli ar-*

chivi di film, a cura di Edoardo Ceccuti e Gianna Landucci, Roma, Fondazione Archivio audiovisivo del movimento operaio e democratico - Centro audiovisivo Regione Lazio, 1995 (Immagini e conoscenza).

DOI = *The DOI Handbook. Version 1.0.0 February 2001*, International DOI Foundation, cop. 2001, reperibile al sito <http://www.doi.org/handbook_2000/index.html>.

DONÀ = MARIANGELA DONÀ, *L'Ufficio per la ricerca dei fondi musicali italiani. Storia, presente e avvenire*, «Le fonti musicali in Italia. Studi e ricerche», 1, 1987, pp. 25-30.

DONATI = PIER PAOLO DONATI, *La tutela degli organi antichi in Italia oggi*, «Le fonti musicali in Italia. Studi e ricerche», 7, 1993, pp. 125-139.

Dublin Core = Dublin Core Metadata Element Set. Versione 1.1., traduzione italiana a cura dell'ICCU, recuperabile all'indirizzo <http://www.iccu.sbn.it/dublinco.html>. Ed. orig. consultabile all'indirizzo <http://dublincore.org/documents/1999/07/02/dces/>.

DUFFY-OWEN = CELIA DUFFY-CATHERINE OWEN, *Resource Discovery Workshop: Sound Resources. Report from the UKOLN/AHDS Workshop*, Warwick April 1997, reperibile al sito <http://www.pads.ahds.ac.uk/padsUserNeedsMetadataWorkshopsSound.html>.

ECO, *Musica = UMBERTO ECO, La musica e la macchina; La musica, la radio e la televisione*, in *Apocalittici ed integrati*, 9. ed., Milano, Bompiani, 1990 (Tascabili Bompiani. Saggi, 27), ISBN 88-452-1054-5, pp. 295-316. Prima ed.: 1964.

ECO, *Ricerca = UMBERTO ECO, La ricerca della lingua perfetta nella cultura europea*, Roma-Bari, Laterza, 1993 (EL, 85), ISBN 88-420-5028-8.

ECO, *Semiotica = UMBERTO ECO, Semiotica e filosofia del linguaggio*, Torino, Einaudi, 1984 (Einaudi Paperbacks, 151), ISBN 88-06-56903-1.

ECO, *Trattato = UMBERTO ECO, Trattato di semiotica generale*, 12. ed., Milano, Bompiani, 1991 (Studi Bompiani. Il campo semiotico), ISBN 88-452-0049-3.

EISENSTEIN = ELIZABETH L. EISENSTEIN, *Le rivoluzioni del libro. L'invenzione della stampa e la nascita dell'età moderna*, Bologna, Il Mulino, 1995 (Biblioteca), ISBN 88-15-06150-9.

FABRIS = DINKO FABRIS, *Ricerca e inventariazione delle fonti musicali in Italia. Il ruolo della Società Italiana di Musicologia*, «Le fonti musicali in Italia. Studi e ricerche», 1, 1987, pp. 17-24.

FAY = CONOR FAY, *Saggi di bibliografia testuale*, Padova, Antenore, 1988 (Medioevo e umanesimo, 66).

FEDER = GEORG FEDER, *Filologia musicale. Introduzione alla critica del testo, all'ermeneutica e alle tecniche d'edizione*, Bologna, Il Mulino, 1992 (La nuova scienza. Musica e spettacolo), ISBN 88-15-03718-7. Ed. orig.: *Musikphilologie. Eine Einführung in die musikalische Textkritik, Hermeneutik und Editionstechnik*, Darmstadt, Wissenschaftliche Buchgesellschaft, 1987.

FEDOROFF = *Code restreint*, rédigé par Yvette Fedoroff, Frankfurt-London-New York, Peters, 1961. Vol. 2 di IAML, *Code*.

FERRARI BARASSI, *Catalogo* = ELENA FERRARI BARASSI, *Il «Catalogo italiano di iconografia musicale»: notizie e progetti*, «Le fonti musicali in Italia. Studi e ricerche», 6, 1992, pp. 171-177.

FERRARI BARASSI, *Iconografia* = ELENA FERRARI BARASSI, *Iconografia musicale: un patrimonio in via di crescente valorizzazione*, «Le fonti musicali in Italia. Studi e ricerche», 3, 1989, pp. 131-140.

FIAF *cataloguing* = FÉDÉRATION INTERNATIONALE DES ARCHIVES DU FILM, *The FIAF cataloguing rules for film archives*, ed. by Harriet W. Harrison, München, Saur, 1991. Queste norme sono state pubblicate in italiano in *Documento audiovisivo*.

FRBR = INTERNATIONAL FEDERATION OF LIBRARIES ASSOCIATIONS AND INSTITUTIONS. STUDY GROUP ON THE FUNCTIONAL REQUIREMENTS FOR BIBLIOGRAPHIC RECORDS, *Requisiti funzionali per record bibliografici. Rapporto conclusivo. Approvato dallo Standing Committee della IFLA Section on Cataloguing*, ed. it. a cura dell'Istituto centrale per il catalogo unico delle biblioteche italiane e per le informazioni bibliografiche, Roma, ICCU, 2000, ISBN 88-7107-097-6. Ed. orig.: *Functional requirements for bibliographic records: final report*, München, Saur, 1998 (UBCIM publications. New Series, 19). Reperibile dal sito <http://www.ifla.org/VII/s13>. Per l'edizione italiana cfr. la recensione di Carlo Ghilli in «Bollettino AIB», vol. 40, n. 2, giugno 2000, pp. 259-261.

Friendship = *Friendship among equals - Recollections from* ISO's *first fifty years*, reperibile dal sito <http://www.iso.ch/iso/en/aboutiso/in troduction/howstarted/fifty/friendship.html>.

FROVA = ANDREA FROVA, *Fisica della musica*, Bologna, Zanichelli, cop. 1999, ISBN 88-08-09012-4.

FUBINI = ENRICO FUBINI, *Individualità o universalità del linguaggio musicale: un binomio inconciliabile?*, in *Musica*: pp. 101-112.

FULLER = DAVID FULLER, *Opus*, voce in *The new Grove Dictionary of Music and Musicians*, a cura di Stanley Sadie, London, Macmillan, 1980, vol. 13, p. 656. Ora anche in versione leggermente ridotta nella 2. ed. del *New Grove*, vol. 18, p. 53.

GALIMBERTI = UMBERTO GALIMBERTI, *Psiche e techne. L'uomo nell'età della tecnica*, Milano, Feltrinelli, 1999 (Campi del sapere), ISBN 88-07-102-579.

GALLO = F. ALBERTO GALLO, *Introduzione*, in *Musica e storia tra Medio Evo e Età moderna*, a cura di F. Alberto Gallo, Bologna, Il Mulino, 1986 (Problemi e prospettive. Serie di musica e spettacolo), ISBN 88-15-01129-3, pp. 9-29.

GDMM = *Guida a una descrizione catalografica uniforme dei manoscritti musicali*, a cura di Massimo Gentili Tedeschi, Roma, ICCU, 1984.

GENTILI = BRUNO GENTILI, *Metro e ritmo nella dottrina degli antichi e nella prassi della «performance»*, in *La musica in Grecia*, a cura di Bruno Gentili e Roberto Pretagostini, Roma-Bari, Laterza, 1988 (Storia e società), ISBN 88-420-3302-2, pp. 5-16.

GENTILI-TEDESCHI, *Lavoro* = MASSIMO GENTILI-TEDESCHI, *Il lavoro dell'Ufficio ricerca fondi musicali di Milano*, in *Canoni*: pp. 483-487.

GENTILI-TEDESCHI, *Manoscritti* = MASSIMO GENTILI-TEDESCHI, *I manoscritti musicali*, appendice II in ICCU, *Guida*: pp. 103-142.

Gentle = *A Gentle Introduction to* SGML, reperibile al sito <http://www-tei.uic.edu/orgs/tei/sgml/teip3sg/index.html>.

GERVAIS = DANIEL J. GERVAIS, *Electronic Rights Management and Digital Identifier Systems*, «JEP. The Journal of Electronic Publishing», vol. 4, issue 3, March 1999, ISSN 1080-2711, reperibile al sito <http://www.press.umich.edu/jep/04-03/gervais.html>.

GHILLI-GUERRINI = CARLO GHILLI-MAURO GUERRINI, *Introduzione a FRBR. Functional Requirement for Bibliographic Records, Requisiti funzionali per record bibliografici*, Milano, Bibliografica, 2001, ISBN 88-7075-557-6.

GOLDFARB = CHARLES F. GOLDFARB, *The SGML Handbook*, ed. by Yuri Robinsky, Oxford, Clarendon Press, 1990, ISBN 0-19-853737-9.

GÖLLNER = *Regole per la catalogazione dei manoscritti musicali*, a cura di Marie Louise Göllner, in *Manuale*: pp. 55-99. Ed. orig.: *Rules for cataloging music manuscripts*, compiled by Marie Louise Göllner, Frankfurt-London-New York, Peters, 1975. Vol. 4 di IAML, *Code*.

GOOD = MICHAEL GOOD, *MusicXML for Notation and Analysis*, in *The virtual score. Representation, retrieval, restoration*, ed. by Walter B. Hewlett and Eleanor Selfridge-Field, Cambridge (MA), The MIT Press - Stanford, Center for Computer Assisted Research in the Humanities, 2001 (Computing in musicology, 12), ISBN 0-262-58209-0, pp. 113-124.

GORDON = ANTONY GORDON, *A review of current approaches to minimum level cataloguing of sound recordings*, deliverable D1.3.1:2, in HARMONICA, reperibile al sito <http://www.svb.nl/project/harmonica/Deliverables/D131_2.htm>.

GRASBERGER = FRANZ GRASBERGER, *Der Autoren–Katalog der Musikdrucke*, Frankfurt-London-New York, Peters, 1957. Vol. 1 di IAML, *Code*.

GRAVES-PATAI = ROBERT GRAVES-RAPHAEL PATAI, *I miti ebraici*, Milano, CDE su licenza Longanesi, cop. 1980 (stampa 1986).

GREEN-BIDE = BRIAN GREEN-MARC BIDE, *Unique Identifiers: a brief introduction*, reperibile dal sito <http://www.bic.org.uk/uniquid.html>.

GUANTI = GIOVANNI GUANTI, *Estetica musicale. La storia e le fonti*, Firenze, La Nuova Italia, 1999 (Biblioteca di cultura, 250; Storie di idee, 7), ISBN 88-221-4205-5.

GUERRINI = MAURO GUERRINI, *Riflessioni su principi, standard, regole e applicazioni. Saggi di storia, teoria e tecnica della catalogazione*, Udine, Forum, 1999 (Scienze bibliografiche, 1), ISBN 88-86756-81-X.

HANSLICK = EDUARD HANSLICK, *Il bello musicale*, a cura di Luigi Rognoni, Milano, Minuziano Editore, 1945. Ed. orig.: *Vom Musikalisch-Schönen. Ein Beitrag zur Revision der Ästhetik der Tonkunst*, 1854.

HARMONICA = HARMONICA. ACCOMPANYING ACTION ON MUSIC INFORMATION IN LIBRARIES. *Music in modern society. A case for reassessment of the role of music libraries, music archives and audiovisual collection*, Amsterdam, Dutch Library for Visually and Print Handicapped Students and Professionals (SVB), 2000. I documenti del progetto sono recuperabili al sito <http://www.svb.nl/project/har monica/harmonica.htm>.

HAYBURN = ROBERT F. HAYBURN, *Papal legislation on sacred music. 95 A. D. to 1977 A. D.*, Collegeville (MIN), The liturgical press, 1979, ISBN 08-14-61012-9.

HESSER-KLEINEMEYER = WILFRIED HESSER-JENS KLEINEMEYER, *Standardization: an interdisciplinary area of research?*, reperibile al sito <http://www.unibw-hamburg.de/MWEB/nif/fnm/alt/he-klei_e.htm>. Già pubblicato in lingua tedesca con il titolo *Standardisierung - Ein interdisziplinären Forschungsbereich?*, «Uniforschung», vol. 8, 1998, pp. 62-67.

HEWLETT-SELFRIDGE-FIELD = WALTER B. HEWLETT-ELEANOR SELFRIDGE-FIELD *et al.*, *MIDI*, in *Beyond*, pp. 41-70.

HILL = KEITH HILL, *CIS. A collettive solution for copyright management in the digital age*, s. l., The music alliance, cop. 1997, reperibile al sito <http://www.doi.org/workshop/minutes/COP_WRLD.pdf>.

HOBOKEN = ANTHONY VAN HOBOKEN, *Joseph Haydn: Thematisch-Bibliographisches Werkverzeichnis*, Mainz, B. Schott's Söhne, 1957-1978.

HOWARD = JOHN HOWARD, Plaine and Easie Code: *a code for music bibliography*, in *Beyond*: pp. 362-372.

IAML, *Code* = INTERNATIONAL ASSOCIATION OF MUSIC LIBRARIES. INTERNATIONAL CATALOGUING CODE COMMISSION, *Code international de catalogage de la musique*, 5 voll., Frankfurt-London-New York, Peters, 1957-1983. Comprende: GRASBERGER (vol. 1); FEDOROFF (vol. 2); CUNNINGHAM (vol. 3); GÖLLNER (vol. 4); WALLON (vol. 5).

IASA, *Rules* = INTERNATIONAL ASSOCIATION OF SOUND AND AUDIOVISUAL ARCHIVES, *The IASA cataloguing rules. A manual for description of*

240

sound recordings and related audiovisual media, International association of sound and audiovisual archives, 1998, reperibile al sito <http://www.llgc.org.uk/iasa/icat/index.htm>.

ICCU, *Guida* = ISTITUTO CENTRALE PER IL CATALOGO UNICO DELLE BIBLIOTECHE ITALIANE E PER LE INFORMAZIONI BIBLIOGRAFICHE, *Guida a una descrizione uniforme dei manoscritti e al loro censimento*, a cura di Viviana Jemolo e Mirella Morelli, contributi di Bonifacio Giacomo Baroffio, Massimo Gentili Tedeschi, Valentino Pace, Roma, ICCU, 1990, ISBN 88-7107-023-2.

ICCU, *SBN MusEd* = ISTITUTO CENTRALE PER IL CATALOGO UNICO DELLE BIBLIOTECHE ITALIANE E PER LE INFORMAZIONI BIBLIOGRAFICHE, *Guida a SBN Musica. Edizioni*, Roma, ICCU, 1997, ISBN 88-7107-073-9.

ICCU, *SBN MusMs* = ISTITUTO CENTRALE PER IL CATALOGO UNICO DELLE BIBLIOTECHE ITALIANE E PER LE INFORMAZIONI BIBLIOGRAFICHE, *Guida a SBN Musica. Manoscritti*, Roma, ICCU, 1997, ISBN 88-7107-074-7.

INGARDEN = ROMAN INGARDEN, *Il problema dell'Identità dell'opera musicale*, in *L'esperienza musicale. Teoria e storia della ricezione*, a cura di Gianmario Borio e Michela Garda, Torino, EDT, 1989 (Biblioteca di cultura musicale. Documenti), ISBN 88-7063-063-3, pp. 51-68.

INSOM = GIOVANNI INSOM, *Attività dell'I.Bi.Mus. a Roma e nel Lazio*, in *Canoni*: pp. 371-373.

ISAD(G) = INTERNATIONAL COUNCIL ON ARCHIVES, *ISAD(G): General International Standard Archival Description*, 2nd ed., Ottawa, ICA, 2000, reperibile al sito <http://www.ica.org/biblio/com/cds/isad_g_2e.pdf>.

ISAN-FAQ = *International Standard Audiovisual Number (ISAN). Frequently Asked Questions*, a cura del gruppo di lavoro ISO TC46/SB9/WG1, reperibile al sito <http://www.nlc-bnc.ca/iso/tc46sc9/isan.htm>.

ISBD(ER) = INTERNATIONAL FEDERATION OF LIBRARY ASSOCIATIONS AND INSTITUTIONS, *ISBD(ER). International Standard Bibliographic Description for Electronic Resources*, rev. ed. from the ISBD(CF): International Standard Bibliographic Description for Computer Files, ed. it. a cura dell'Istituto centrale per il catalogo unico delle biblioteche italiane e per le informazioni bibliografiche, Roma, ICCU, 2000, ISBN 88-7107-092-5. Ed. orig.: IFLA, cop. 1997, reperibile al sito <http://www.ifla.org/VII/s13/pubs/isbd.htm>.

ISBD(NBM) = INTERNATIONAL FEDERATION OF LIBRARY ASSOCIATIONS AND INSTITUTIONS, *ISBD(NBM)*. *International Standard Bibliographic Description for Non–Book Materials*, rev. ed., ed. it. a cura di Maria Carmela Barbagallo, Roma, Associazione Italiana Biblioteche, 1989, ISBN 88-7812-012-X. Ed. orig.: IFLA, cop. 1987.

ISBD(PM) = INTERNATIONAL FEDERATION OF LIBRARY ASSOCIATIONS AND INSTITUTIONS, *ISBD(PM)*. *International Standard Bibliographic Description for Printed Music*, 2. rev. ed., ed. it. a cura dell'Istituto centrale per il catalogo unico delle biblioteche italiane e per le informazioni bibliografiche, Roma, ICCU, 1993, ISBN 88-7107-029-1. Ed. orig.: IFLA, cop. 1991.

ISBN = *The International Standard Book Number System. ISBN Users' Manual. International edition*, 4. ed., Berlin, International ISBN Agency, 1999, ISBN 3-88053-075-0, reperibile al sito <http://www. isbn.spk-berlin.de/html/userman.htm>.

ISMN = *ISMN Users' Manual*, 3. ed., Berlin, International ISMN Agency, 1998, ISBN 3-88053-070-X, reperibile al sito <http://ismn.spk-ber lin.de/html/userman.htm>.

ISRC = *International standard recording code (ISRC) handbook. Incorporating the SRC Practical Guide*, London, International ISRC Agency (IFPI Secretariat), 2002, reperibile al sito <http://www.ifpi. org/isrc/isrc_handbook.html>. La traduzione italiana della terza edizione della *Guida pratica*, FIMI, 1988 si può recuperare al sito <http://www.fimi.it/isrc.asp>.

ISSN = *Informazioni sull'ISSN*, reperibile al sito <http://www.isrds.rm. cnr.it/HyperDocs/issn/Iinformazioni.html>.

ISTAT = ISTAT, *La musica in Italia*, Bologna, Il Mulino, 1999 (Universale Paperbacks Il Mulino, 355), ISBN 88-15-07076-1.

JANSEN = GUS JANSEN, *The Common Information System*, relazione tenuta alla *Indecs Evaluation Conference*, Sydney, 10 March 2000, reperibile al sito <http://www.indecs.org/sydney/Jansen.PDF>.

KEIL = KLAUS KEIL, *Il RISM e la ricerca sulle fonti: un compito nazionale con coordinamento internazionale*, « Fonti musicali italiane », 1, 1996, pp. 201-213.

KITTO = HUMPHREY DAVY FINDLEY KITTO, *I greci*, Firenze, Sansoni, 1973.

KÖCHEL = LUDWIG RITTER VAN KÖCHEL, *Chronologisch-thematisches Verzeichnis sämtlicher Tonwerke Wolfgang Amadeus Mozarts, nebst Angabe der verlorengegangen, angefangenen, von fremder Hand bearbeiten, zweifelhaften und unterschobenen Kompositionen*, 6. ed. a cura di Franz Giegling, Alexander Weinmann e Gerd Sievers, Wiesbaden, Breitkopf & Härtel, 1964.

KRECHMER, *Economic* = KEN KRECHMER, *The Fundamental Nature of Standards: Economic Perspective*, reperibile al sito <http://www.csrstds.com/fundeco.html>.

KRECHMER, *Technical* = KEN KRECHMER, *The Fundamental Nature of Standards: Technical Perspective*, reperibile al sito <http://www.csrstds.com/fundtec.html>. Già pubblicato in «IEEE Communication Magazine», vol. 38, n. 6, june 2000, p. 70.

KRUMMEL, *Literature* = DONALD WILLIAM KRUMMEL, *The Literature of Music Bibliography. An Account of the Writings on the History of Music Printing and Publishing*, Berkeley (CA), Fallen Leaf Press, 1992 (Fallen Leaf reference books in music, 28), ISBN 0-914913-21-2.

KRUMMEL, *Memory* = DONALD WILLIAM KRUMMEL, *The memory of sound: observation on the history of music on paper*, Washington, Library of Congress, 1988 (Center for the book Viewpoint Series, 20), ISBN 0-8444-0617-1.

LANDES = DAVID S. LANDES, *La rivoluzione industriale. Da « Prometeo liberato »*, a cura di Silvia Pozzuoli, Milano, Enaudi Scuola, 1997 (I libri da leggere), ISBN 88-286-0313-5.

LEDSHAM = IAN LEDSHAM, *Additional information needed by libraries and users*, deliverable D1.3.2., in HARMONICA, reperibile al sito <http://www.svb.nl/project/harmonica/Deliverables/D132.htm>.

LE GOFF = JACQUES LE GOFF, *Documento / monumento*, in *Enciclopedia*, vol. V, Torino, Einaudi, 1978, pp. 38-48.

LEYDI = ROBERTO LEYDI, *Discografia della musica popolare italiana. Italia settentrionale*, «Le fonti musicali in Italia. Studi e ricerche», 7, 1993, pp. 141-240.

LIPSCOMB = ERIC LIPSCOMB, *Introduction into MIDI*, reperibile su vari siti, tra cui <http://www.geocities.com/SunsetStrip/Balcony/7837/midtutrl1.html>.

Manoscritto = *Il manoscritto. Situazione catalografica e proposta di una organizzazione della documentazione e delle informazioni*, Atti del Seminario di Roma, 11-12 giugno 1980, a cura di Maria Cecilia Cuturi, Roma, ICCU, 1981.

Manuale = *Manuale di catalogazione musicale*, Roma, ICCU, 1979.

MARROU = HENRI–IRÉNÉE MARROU, *La conoscenza storica*, Bologna, Il Mulino, 1988, ISBN 88-15-02018-7. Ed. orig.: *De la connaissance historique*, Paris, Ed. du Seuil, 1954.

MARTINENGO-NUCIARI = MARIA CRISTINA MARTINENGO-MARINA NU-CIARI, *Omogeneità e differenziazione nel rapporto tra i giovani e la musica*, in *Musica*: pp. 165-177.

MCKINNON = JAMES MCKINNON, *The Early Christian Period and the Latin Middle Ages*, in *Source*: pp. 111-278.

MCLUHAN = MARSHALL MCLUHAN, *Gli strumenti del comunicare*, trad. it. di Ettore Capriolo, Milano, Il Saggiatore, 1997 (EST, 69), ISBN 88-428-0537-8. Ed. orig.: *Understanding media*, 1964.

MEUCCI = RENATO MEUCCI, *La catalogazione degli strumenti musicali*, «Le fonti musicali in Italia. Studi e ricerche», 7, 1993, pp. 87-112.

MILLER = PAUL MILLER, *I am a name* and *a number*, «Ariadne Issue», 24, 21 June 2000, reperibile al sito <http://www.ariadne.ac.uk/issue24/metadata/intro.html>.

Modello = *Il ruolo del modello nella scienza e nel sapere. (Roma, 27–28 novembre 1998)*, Roma, Accademia Nazionale dei Lincei, 1999 (Contributi del Centro Linceo Interdisciplinare «Beniamino Segre», 100).

MORRISON = JERRY MORRISON, *«EA IFF 85» Standard for interchange format files*, Electronic Arts, 1985, reperibile al sito <http://www.newtek.com/products/lightwave/developer/65lwsdk/docs/filefmts/eaiff85.html>.

Multimedia = *Multimedia programming interface and data specifications*, version 1.0, issued as a joint design by IBM Corporation and Microsoft Corporation, 1991, reperibile al sito <http://www.seanet.com/Users/matts/riffmci/riffmci.rtf>.

Musica = *La musica come linguaggio universale. Genesi e storia di un'idea*, a cura di Raffaele Pozzi, Firenze, Olschki, 1990 («Historiae musicae cultores» Biblioteca, LVII), ISBN 88-222-3748-X.

NATTIEZ = JEAN-JACQUES NATTIEZ, *Musicologia generale e semiologia*, a cura di Rossana Dalmonte, Torino, EDT, 1989 (Biblioteca di cultura musicale. I manuali EDT / SIdM), ISBN 88-7063-062-5.

NEGRI ARNOLDI = FRANCESCO NEGRI ARNOLDI, *Il catalogo dei Beni culturali e ambientali. Principi e tecniche di indagine*, nuova ed. aggiornata, Roma, La Nuova Italia Scientifica, 1992 (Beni culturali, 6).

NIFF = NIFF *6a.3 – Notation Interchange File Format*, specifiche tecniche reperibili al sito <http://www.musique.umontreal.ca/personnel/Belkin/NIFF.doc.html>

Norme ISBN = *Norme per la numerazione dei libri*, [Milano], Associazione italiana Editori. Agenzia ISBN per l'Area di Lingua Italiana, 1999, ISBN 88-7075-312-3, reperibile al sito <http://www.aie.it/ISBN/ISBN EAN – norme per la numerazione dei libri.pdf>.

Notation = *La notation musicale des chants liturgiques latins présentée par les Moines de Solesmes*, 2 voll., Solesmes, 1963.

ONG = WALTER J. ONG, *Oralità e scrittura. Le tecnologie della parola*, Bologna, Il Mulino, 1986 (Intersezioni, 26), ISBN 88-15-00964-7. Ed. orig.: *Orality and literacy. The Technologizing of the word*, London-New York, Methuen, 1982.

ORLANDI = TITO ORLANDI, *Informatica umanistica*, Roma, La Nuova Italia Scientifica, 1990 (Studi Superiori NIS, 78. Lettere).

ORMEZZANO = ACHILLE ORMEZZANO, *Codice dell'editore*, Milano, Editrice Bibliografica, 1991 (I mestieri del libro, 3), ISBN 88-7075-275-5.

OUY = GILBERT OUY, *Comment rendre les manuscrits médievaux accessibles aux chercheurs?*, «Codicologica», 4, 1978, pp. 9-58.

OWEN = CATHERINE OWEN, *Appendix to sound and moving image workshop reports: examples of Dublin Core records for the performing arts*, 1997, recuperabile al sito <http://www.pads.ahds.ac.uk/padsDublinExamples>.

PALISCA = CLAUDE V. PALISCA, *Interdisciplinary trends in American musicology*, in *Tendenze e metodi nella ricerca musicologica. Atti del Convegno Internazionale (Latina 27-29 settembre 1990)*, a cura di Raffaele Pozzi, Firenze, Olschki, 1995 («Historiae Musicae Cultores». Biblioteca, LXXI), ISBN 88-222-4327-7, pp. 1-10.

PARMEGGIANI = CLAUDIA PARMEGGIANI, *La base-dati musica del sistema centrale Indice SBN*, «Fonti musicali italiane», 1, 1996, pp. 215-230.

PASKIN = NORMAN PASKIN, *Information Identifiers*, «Learned publishing», vol. 10, n. 2, pp. 135–156, reperibile al sito <http://www.elsevier.nl/homepage/about/infoident>.

PETRUCCI = ARMANDO PETRUCCI, *La descrizione del manoscritto. Storia, problemi, modelli*, seconda ed. corretta e aggiornata, Roma, Carocci, 2001 (Beni culturali, 24), ISBN 88-430-1819-1.

PETRUCCIANI = ALBERTO PETRUCCIANI, *L'indicizzazione per soggetto*, in *Lineamenti di biblioteconomia*, a cura di Paola Geretto, Roma, La Nuova Italia Scientifica, 1992 (Beni culturali, 12), pp. 151-199.

PIANA = GIOVANNI PIANA, *Filosofia della musica*, Milano, Guerini e associati, 1991 (Saggi, 25), ISBN 88-7802-218-7.

PII = Publisher Item Identifier as a means of document identification, reperibile al sito <http://www.elsevier.nl/inca/homepage/about/pii/>.

PRIEBERG = FRED K. PRIEBERG, *Musica ex machina*, Torino, Einaudi, 1975 (Einaudi Reprints, 57). Ed. orig.: *Musica ex machina. Über das Verhältnis von Musik und Technik*, Berlin-Frankfurt-Wien, Verlag Ullstein, 1960.

Proposte = Proposte per un documento di descrizione-catalogazione degli strumenti della famiglia del liuto, a cura di Anna Radice, Tiziano Rizzi, Stefano Solari, Mirco Caffagli, «Le fonti musicali in Italia. Studi e ricerche», 7, 1993, pp. 112-124.

RICA = MINISTERO PER I BENI CULTURALI E AMBIENTALI, *Regole italiane di catalogazione per autori*, Roma, ICCU, 1979.

RIGHINI, *Considerazioni* = PIETRO RIGHINI, *Considerazioni sulla psicoacustica del cantante. Risoluzioni del Comitato dei Ministri del Consiglio d'Europa sulla normalizzazione del diapason*, Padova, Zanibon, 1972 (Collana di Studi Musicali, 3).

RIGHINI, *Diapason* = PIETRO RIGHINI, *La lunga storia del diapason*, Ancona, Bèrben, 1990.

RIGHINI, *Temperamento* = PIETRO RIGHINI, *Il temperamento. Orientamenti e valutazioni*, Padova, Zanibon, 1989 (Collana di Studi Musicali, 24).

ROMITA = FIORENZO ROMITA, *Ius musicae liturgicae. Dissertatio historico-iuridica*, Torino, Marietti, 1936.

ROSTIROLLA, *Inventariazione* = GIANCARLO ROSTIROLLA, *L'inventariazione e la catalogazione del patrimonio bibliografico musicale*, «Ministero per i beni culturali e ambientali. Notiziario», III, gen.-feb. 1987, 10, pp. 6-11.

ROSTIROLLA, *Istituto* = GIANCARLO ROSTIROLLA, *L'Istituto di biliografia musicale di Roma: 1980-1987*, «Le fonti musicali in Italia. Studi e ricerche», 1, 1987, 31-37.

RUGGIERI = MARCELLO RUGGIERI, *Lo stato della musica. Rapporto CIDIM 1993*, Roma, CIDIM, 1993, ISBN 88-85765-03-3.

RYOM = PETER RYOM, *Verzeichnis der Werke Anonio Vivaldis. Kleine Ausgabe*, 2. ed., Leipzig, VEB Deutscher Verlag für Musik, 1979.

SACHS, *Sorgenti* = CURT SACHS, *Le sorgenti della musica*, 2. ed. riveduta, Milano, Boringhieri, 1982 (Testi di scienze umane. Serie di antropologia). Ed. orig.: *The Wellsprings of Music*, L'Aia, Martinus Nijhoff, 1962.

SACHS, *Storia* = CURT SACHS, *Storia degli strumenti musicali*, ed. italiana a cura di Paolo Isotta e Maurizio Papini, Milano, Mondadori, 1996 (Oscar Saggi), ISBN 88-04-40744-1. Ed. orig.: *The History of Musical Instruments*, 1940.

SAUSSURE = FERDINAND DE SAUSSURE, *Corso di linguistica generale*, a cura di Tullio De Mauro, 6. ed., Roma-Bari, Laterza, 1989 (Biblioteca Universale Laterza, 79), ISBN 88-420-2116-4. Ed. orig.: *Cours de linguistique générale*, Paris, Ed. Payot, 1922.

SCHAEFFNER = ANDRÉ SHAEFFNER, *Origine degli strumenti musicali*, introduzione di Diego Carpitella, Palermo, Sellerio, 1978 (Prisma, 10). Ed. orig.: *Origine des instruments de musique*, Mouton & Co. - Maison des Sciences de l'Homme, 1968.

SCHLICHTE, *RISM* = JOACHIM SCHLICHTE, *Il RISM e l'Italia*, «Le fonti musicali in Italia. Studi e ricerche», 1, 1987, pp. 9-15.

SCHLICHTE, *Confronti* = JOACHIM SCHLICHTE, *Confronti e ricerche sugli 83.243 incipit musicali della banca-dati RISM. Risultati, utilità, prospettive*, «Le fonti musicali in Italia. Studi e ricerche», 3, 1989, pp. 121-129.

247

SCHOECHLE = TIMOTHY SCHOECHLE, *Toward a theory of standards*, relazione presentata alla Conferenza annuale dello *Institute of Electrical and Electronics Engineers* su *Standards and Innovation in Information Technology* (SIIT '99), 1999. Il testo è reperibile su <http://www.standardsresearch.org/presentations/>.

SCOLARI, *Standard* = ANTONIO SCOLARI, *Gli standard OSI per le biblioteche. Dalla biblioteca-catalogo alla biblioteca-nodo di rete*, Milano, Editrice Bibliografica, 1995 (Bibliografia e biblioteconomia, 48), ISBN 88-7075-415-4.

SCOLARI, *Unimarc* = ANTONIO SCOLARI, *Unimarc*, Roma, Associazione Italiana Biblioteche, 2000 (Enciclopedia Tascabile, 18), ISBN 88-7812-061-8.

Scritti = *Scritti d'arte del Cinquecento*, vol. II: *Pittura, scultura, poesia e musica*, a cura di Paola Barocchi, Torino, Einaudi, 1978 (Classici Ricciardi, 74).

SELFRIDGE-FIELD, *Reflections* = ELEANOR SELFRIDGE-FIELD, *Reflections on Technology and Musicology*, « Acta Musicologica », 2-3, 1990, pp. 302-314.

SERRAI = ALFREDO SERRAI, *Del catalogo alfabetico per soggetti. Semantica del rapporto indicale*, Roma, Bulzoni, 1979.

Seminario = *Seminario FRBR. Functional requirements for bibliographic records. Requisiti funzionali per record bibliografici, Firenze, 27-28 gennaio 2000*, a cura di Mauro Guerrini, Roma, Associazione italiana biblioteche, 2000.

SICI = NATIONAL INFORMATION STANDARDS ORGANIZATION (US), *Serial item and contribution identifier (SICI). An American national standard* [...], Bethesda, NISO Press, cop. 1997 (National information standards series), ISBN 1-880124-28-9, reperibile al sito <http://sun site.berkeley.edu/SICI/sici.pdf>.

Sistema = *Il sistema produttivo e le sue competenze*, vol. 4 di *Storia dell'opera italiana*, a cura di Lorenzo Bianconi e Giorgio Pestelli, Torino, EDT, 1987 (Biblioteca di cultura musicale), ISBN 88-7063-053-6.

SLOBODA = JOHN A. SLOBODA, *La mente musicale. Psicologia cognitivista della musica*, Bologna, Il Mulino 1988 (La nuova scienza. Serie di psicologia), ISBN 88-15-01958-8. Ed. orig.: *The musical mind.*

The cognitive psychology of music, Oxford, Oxford University Press, 1985.

SOLIMINE = GIOVANNI SOLIMINE, *Introduzione allo studio della biblioteconomia. Riflessioni e documenti*, Manziana, Vecchiarelli, 1995 (Bibliografia, bibliologia e biblioteconomia. Studi, 1), ISBN 88-85316-49-2.

Source = Source Readings in Music History, a cura di Oliver Strunk, ed. riveduta a cura di Leo Treitler, New York-London, W.W. Norton & C., 1998, ISBN 0-393-03752-5.

SPERBERG-MCQUEEN-BURNARD = C.M. SPERBERG-MCQUEEN-LOU BURNARD, *TEI-Lite. An introduction to Text Encoding for Interchange*, reperibile al sito <http://www.tei-c.org/Lite/index.html>.

STRUNK = OLIVER STRUNK, *From the foreword to the first edition*, in *Source*: pp. XVII-XIX.

TANGARI, *Codifica* = NICOLA TANGARI, *La codifica delle note. Analisi e diffusione dei dati musicali*, Roma, Bulzoni, 1996 (Informatica e discipline umanistiche, 6).

TANGARI, *Libro* = NICOLA TANGARI, *Il libro di musica e la descrizione del suo contenuto. Natura e funzione del titolo convenzionale*, «Culture del testo. Rivista italiana di discipline del libro», I, 1, gennaio-aprile 1995, pp. 11-22.

TANGARI, *Oltre* = NICOLA TANGARI, *Oltre il codice. A proposito di* Beyond MIDI. The handbook of musical codes, «Rivista italiana di musicologia», vol. XXXIII, 1998, pp. 369-397.

TANGARI-TORTORETO = NICOLA TANGARI-WALTER TORTORETO, *Il Congresso di Giulianova «Il patrimonio musicale in Italia: tutela e ricerca». Giulianova Lido 18-20 maggio 1989*, «Le fonti musicali in Italia. Studi e ricerche», 3, 1989, pp. 7-30.

TESSARI = CARLA TESSARI, *Strutturazione dei dati e compilazione delle schede*, «Le fonti musicali in Italia. Studi e ricerche», 6, 1992, pp. 183-193.

VELLUCCI, *Bibliographic* = SHERRY L. VELLUCCI, *Bibliographic relationship and the future of music catalogues*, «Fontes artis musicae», vol. 45, n. 3-4, 1998, pp. 213-226.

VELLUCCI, *Metadata* = SHERRY L. VELLUCCI, *Metadata for music. Issues and directions*, «Fontes artis musicae», vol. 46, n. 3-4, 1999, pp. 205-217.

VIDOLIN = ALVISE VIDOLIN, *La conservazione e il restauro dei beni musicali elettronici*, «Le fonti musicali in Italia. Studi e ricerche», 6, 1992, pp. 151-168.

WACHSMANN = KLAUS P. WACHSMANN, *Classification*, voce in *The New Grove Dictionary of Musical Instruments*, a cura di Stanley Sadie, London, Macmillan, 1980, vol. 1, pp. 407-414.

WALLON = *Le catalogage des enregistrements sonores*, rédigé par Simone Wallon, Frankfurt–London–New York, Peters, 1983. Vol. 5 di IAML, *Code*.

WEBERE = ÉDITH WEBER, *La recherche musicologique. Objet, méthodologie, normes de présentation*, Paris, Beauchesne, cop. 1980 (Guides musicologiques, 1), ISBN 2-7010-1010-1.

WEBERM = MAX WEBER, *I fondamenti razionali e sociologici della musica*, in *Economia e società*, Milano, Edizioni di Comunità, 1980. Ed. orig.: *Wirtschaft und Gesellschaft*, Tübingen, Mohr, 1922.

WITHAGEN = HEINI WITHAGEN, *MIDI Specification*, reperibile su vari siti, tra cui <http://www.cs.uwa.edu.au/~compmuse/library/midi-spec.html>.

STANDARD CITATI

Gli standard vengono citati in ordine alfabetico, tranne che per quelli ISO che sono ordinati rispetto alla numerazione che è stata loro attribuita. Accanto al titolo dello standard è riportato anche il paragrafo del libro che se ne occupa specificamente.

ANSI-NISO Z39.56-1996: *Serial item and contribution identifier (SICI)*: § 2.7.

ISBD(ER): *International standard bibliographic description for electronic resources*: § 3.4.

ISBD(NBM): *International standard bibliographic description for non-book material*: § 3.3.

ISBD(PM): *International standard bibliographic description for printed music*: § 3.2.

ISO 16:1975 – *Acoustics-Standard tuning frequency (Standard musical pitch)*: § 1.1.

ISO 646:1991 – *Information technology-ISO 7-bit coded character set for information interchange.* (ASCII): § 4.2.1.

ISO 2108:1992 – *Information and documentation–International standard book numbering (ISBN)*: § 2.1.

ISO 3166-1/3:1997-1999 – *Information and documentation-Code for the representation of names and countries and their subdivision*: § 2.4.

ISO 3297:1998 – *Information and documentation-International standard serial number (ISSN)*: § 2.2.

ISO 3901:2001 – *Information and documentation-International standard recording code (ISRC)*: § 2.4.

ISO 7498-1/4 – *Information processing systems-Open systems interconnection*: § 4.2.1.

ISO 8859-1/15:1998-2001 – *Information technology-8-bit single-byte coded graphic character sets*: § 4.2.1.

ISO 8879:1986-1999 – *Information processing-Text and office systems–Standard generalized markup language (SGML)*: § 4.2.1.

ISO 9115:1987 – *Information and documentation-Bibliographic identification of contributions in serials and books (Biblid)*: § 2.7.

ISO 10646-1/2:2000-2001 – *Information technology-Universal Multiple-Octet Coded Character Set (UCS)*: § 4.2.2.

ISO DIS 10743 – *Standard music description language (SMDL)*: § 4.2.1.

ISO 10744:1997 – *Information technology-Hypermedia/Time–based structuring language (HyTime)*: § 4.2.1.

ISO 10957:1993 – *Information and documentation–International standard music number (ISMN)*: § 2.3.

ISO 11172–1/5:1993-1999 – *Information technology-Coding of moving pictures and associated audio for digital storage media at up to about 1,5 Mbit/s – Part 1: Systems; Part 2: Video; Part 3: Audio; Part 4: Compliance testing; Part 5: Software simulation.* (MPEG-1): § 4.1.3.

ISO 13818-1/10:1997-2001 – *Information technology – Generic coding of moving pictures and associated audio information – Part 1: Systems; Part 2: Video; Part 3: Audio; Part 4: Compliance testing; Part 5: Software simulation; Part 6: Extensions for DSM-CC; Part 7: Advanced Audio Coding (AAC); Part 9: Extension for real time interface for systems decoders; Part 10: Conformance extensions for Digital Storage Media Command and Control (DSM-CC).* (MPEG-2): § 4.1.3.

ISO 14496-1/6:2000-2001 – *Information technology – Coding of audio-visual object – Part 1: Systems; Part 2: Video; Part 3: Audio; Part 4: Conformance; Part 5: Reference software; Part 6: Delivery multimedia.* (MPEG-4): § 4.1.3.

ISO DIS 15706-2 – *Information and documentation-International standard audiovisual number (ISAN)*: § 2.5.

ISO FDIS 15707 – *Information and documentation-International standard musical work code (ISWC)*: § 2.6.

ISO 21000:2001 – *Information technology – Multimedia framework – Part 1: Vision, Technologies and Strategy.* (MPEG-21): § 4.1.3.

ISO CD TR 21449 – *Information and documentation-Content Delivery and Rights Management: Functional requirements for identifiers and descriptors for use in the music, film, video, sound recording and publishing industries*: § 2.7.

RISORSE INTERNET

AMERICAN NATIONAL STANDARDS INSTITUTE (ANSI)
<http://www.ansi.org>

APPLE COMPUTER INC.
<http://www.apple.com>

ASSOCIAZIONE ITALIANA BIBLIOTECHE
<http://www.aib.it>

ASSOCIAZIONE ITALIANA EDITORI (AIE)
<http://www.aie.it>

ASSOCIAZIONE ITALIANA PER LA DOCUMENTAZIONE AVANZATA (AIDA)
<http://www.aidaweb.it>

CENTER FOR COMPUTER ASSISTED RESEARCH IN THE HUMANITIES
<http://www.ccarh.org>

CONFÉDÉRATION INTERNATIONALE DES SOCIETES D'AUTEURS ET DE COMPOSITEURS (CISAC)
<http://www.cisac.org>

THE CSOUND PAGE
<http://music.dartmouth.edu/~dupras/wCsound/csoundpage.html>

DIFFUSE PROJECT
<http://www.diffuse.org>

DIGITAL OBJECT IDENTIFIER
<http://www.doi.org>

DISCOTECA DI STATO
<http://www.dds.it>

DUBLIN CORE METADATA INITIATIVE
<http://dublincore.org>

EL.PUB (Electronic publishing)
<http://www.elpub.org>

EUROPEAN ARTICLE NUMBER INTERNATIONAL (EAN Int.)
<http://www.ean-int.org>

ENTE NAZIONALE ITALIANO DI UNIFICAZIONE (UNI)
<http://www.uni.com>

FÉDÉRATION INTERNATIONALE DES ARCHIVES DU FILM (FIAF)
<http://www.cinema.ucla.edu/fiaf/>

FEDERAZIONE INDUSTRIA MUSICALE ITALIANA (FIMI)
<http://www.fimi.it>

HARMONICA
ACCOMPANYING ACTION ON MUSIC INFORMATION IN LIBRARIES
<http://www.svb.nl/project/harmonica/harmonica.htm>

HARMONY CENTRAL: MIDI DOCUMENTATION
<http://www.harmony-central.com/MIDI/Doc/doc.html>

IFLA WORKING GROUP ON THE MINIMAL LEVEL AUTHORITY RECORD AND
THE ISADN
<http://www.ifla.org/VI/3/p1996-2/mlar.htm>

INDICOD. ISTITUTO PER LE IMPRESE DI BENI DI CONSUMO
<http://www.indicod.it>

INTERNATIONAL ASSOCIATION OF MUSIC LIBRARIES, ARCHIVES AND DOCU-
MENTATION CENTRES (IAML)
<http://www.cilea.it/music/iaml/iamlhome.htm>

INTERNATIONAL ASSOCIATION OF MUSIC LIBRARIES, ARCHIVES AND DOCU-
MENTATION CENTRES
SEZIONE ITALIANA (IAML-Italia)
<http://web.genie.it/utenti/i/iamlit/>

INTERNATIONAL ASSOCIATION OF SOUND AND AUDIOVISUAL ARCHIVES (IASA)
<http://www.llgc.org.uk/iasa/>

INTERNATIONAL CENTER FOR STANDARDS RESEARCH (ICSR)
<http://www.standardsresearch.org>

INTERNATIONAL COUNCIL ON ARCHIVES (ICA)
<http://www.ica.org>

INTERNATIONAL FEDERATION FOR INFORMATION AND DOCUMENTATION (FID)
<http://www.kb.nl/infolev/fid/index.html>

INTERNATIONAL FEDERATION OF LIBRARY ASSOCIATIONS AND ISTITUTIONS (IFLA)
<http://www.ifla.org>

INTERNATIONAL FEDERATION OF PHONOGRAPHIC INDUSTRY (IFPI)
<http://www.ifpi.org>

INTERNATIONAL ISBN AGENCY
COORDINATOR OF THE INTERNATIONAL STANDARD BOOK NUMBER SYSTEM (ISBN)
<http://www.isbn.spk-berlin.de>

INTERNATIONAL ISMN AGENCY
COORDINATOR OF THE INTERNATIONAL STANDARD MUSIC NUMBER SYSTEM (ISMN)
<http://www.ismn.spk-berlin.de>

INTERNATIONAL ISWC AGENCY
ADMINISTRATOR OF THE INTERNATIONAL STANDARD MUSICAL WORK CODE (ISWC)
<http://www.iswc.org>

INTERNATIONAL ORGANIZATION FOR STANDARDIZATION (ISO)
<http://www.iso.ch>

INTERNATIONAL STANDARD SERIAL NUMBER (ISSN) CENTRO NAZIONALE ITALIANO
<http://www.isrds.rm.cnr.it/HyperDocs/issn/Iissn.html>

INTERNATIONAL STANDARD SERIAL NUMBER (ISSN) INTERNATIONAL CENTRE
<http://www.issn.org>

INTERNATIONAL STANDARD SERIAL NUMBER ON-LINE
<http://online.issn.org>

INTERNET ENGINEERING TASK FORCE (IETF)
<http://www.ietf.org>

INTEROPERABILITY OF DATA IN E-COMMERCE SYSTEMS (<indecs>)
<http://www.indecs.org>

ISO-IETC JTC1/SC31
ISO SUBCOMMITTEE FOR THE AUTOMATIC IDENTIFICATION AND DATA CAPTURE TECHNIQUE
<http://www.uc-council.org/sc31/home.htm>

ISO TC46/SC9
ISO SUBCOMMITTEE FOR THE PRESENTATION, IDENTIFICATION AND DE-
SCRIPTION OF DOCUMENTS
<http://www.nlc-bnc.ca/iso/tc46sc9/index.htm>

ISTITUTO CENTRALE PER IL CATALOGO E LA DOCUMENTAZIONE (ICCD)
<http://www.iccd.beniculturali.it>

ISTITUTO CENTRALE PER IL CATALOGO UNICO DELLE BIBLIOTECHE ITALIA-
NE E PER LE INFORMAZIONI BIBLIOGRAFICHE (ICCU)
<http://www.iccu.sbn.it>

ISTITUTO DI STUDI SULLA RICERCA E DOCUMENTAZIONE SCIENTIFICA DEL
CNR (ISRDS)
<http://www.isrds.rm.cnr.it>

MISOCROFT CORPORATION
<http://www.microsoft.com>

MIDI MANIFACTURERS ASSOCIATION (MMA)
<http://www.midi.org>

MPEG AUDIO WEB PAGE
<http://www.tnt.uni-hannover.de/project/mpeg/audio/>

MPEG HOME PAGE
<http://mpeg.telecomitalialab.com/>

MPEG ORG
<http://www.mpeg.org>

MPEG-7 MAIN PAGE
<http://www.darmstadt.gmd.de/mobile/hm/projects/MPEG7/in-
dex.html>

MPEG-21 PAGE
<http://www.darmstadt.gmd.de/mobile/hm/projects/MPEG7/Mpeg
21.html>

MUSIC ENCODING STANDARDS
<http://www.student.brad.ac.uk/srmounce/encoding.html>

MUSICXML
<http://www.musicxml.org/xml.html>

NIFF
<http://www.musique.umontreal.ca/personnel/Belkin/NIFF.doc.html>

NIFF PAGE
<http://www.student.brad.ac.uk/srmounce/niff.html>

NATIONAL INFORMATION STANDARDS ORGANIZATION (NISO)
<http://www.niso.org>

RÉPERTOIRE INTERNATIONAL DES SOURCES MUSICALES (RISM)
<http://www.rism.harvard.edu/rism/Welcome.html>

SMDL PAGE
<http://www.student.brad.ac.uk/srmounce/smdl.html>

SOCIETÀ ITALIANA DI MUSICOLOGIA (SIdM)
<http://www.sidm.it>

TEXT ENCODING INITIATIVE
<http://www.tei-c.org>

UNICODE HOME PAGE
<http://www.unicode.org>

UNICODEMUSIC
<http://www.lib.virginia.edu/dmmc/Music/UnicodeMusic>

UNIFORM CODE COUNCIL (UCC)
<http://www.uc-council.org>

UNESCO
<http://www.unesco.org>

UNIFORM RESOURCE IDENTIFIER (URI) WORKING GROUP
<http://www.ics.uci.edu/pub/ietf/uri>

UNIFORM RESOURCE NAME (URN) WORKING GROUP
<http://www.ietf.org/html.charters/urn-charter.html>

WORLD INTELLECTUAL PROPERTY ORGANIZATION (WIPO)
<http://www.wipo.int>

WORLD STANDARDS SERVICES NETWORK (WSSN)
<http://www.wssn.net/WSSN/>

THE WORLD WIDE WEB CONSORTIUM (W3C)
<http://www.w3.org>

XML AND MUSIC
<http://xml.coverpages.org/xmlMusic.html>

THE XML COVER PAGES
<http://xml.coverpages.org>

INDICE ANALITICO

Questo indice comprende i riferimenti ai nomi citati e agli argomenti trattati all'interno del volume.

264

Finito di stampare nel mese
di gennaio 2003
da Copy Card Center S.r.l.
San Donato Milanese (Milano)